ro
ro
ro

rororo

Die Mark Brandenburg: verlassene Landschaften, verbitterte Bewohner, verbreitete Fremdenfeindlichkeit. So will es das Klischee. Dieter Moor lässt sich davon nicht abschrecken und beschließt, gerade hier mit seiner Frau einen Biobauernhof aufzubauen. Ihre Ankunft gerät zum Fiasko, und auch danach müssen sie immer wieder Lehrgeld zahlen. Doch je mehr sie die Dorfbewohner und ihre Geschichten kennenlernen, umso mehr fühlen sie sich zu Hause. Da wären etwa Krüpki, den die Pferde gelehrt haben, wie man mit Menschen umzugehen hat; Frau Widdel, die den einzigen Laden am Ort führt wie zu DDR-Zeiten; oder Schwester Alma, die resolute Hebamme, deren Fürsorge auch schon mal einem Hund oder einer zerrütteten Beziehung gilt. Am Ende stellt Dieter Moor fest: Brandenburg hat einen besseren Menschen aus ihm gemacht.

Dieter Moor, 1958 in Zürich geboren, ist Schauspieler und Moderator. Anfang der 90er Jahre moderierte er das preisgekrönte Medienmagazin «Canale Grande» auf VOX. Nach verschiedenen Stationen beim deutschen und eigenen Talkshows im österreichischen und Schweizer Fernsehen präsentiert Dieter Moor seit 2007 das ARD-Kulturmagazin «Titel, Thesen, Temperamente». Gemeinsam mit seiner Frau Sonja betreibt er in der Nähe von Berlin einen Demeter-Bauernhof.

Dieter Moor

Was wir nicht haben, brauchen Sie nicht

Geschichten aus der arschlochfreien Zone

Rowohlt Taschenbuch Verlag

17. Auflage November 2011

Originalausgabe
Veröffentlicht im Rowohlt Taschenbuch Verlag,
Reinbek bei Hamburg, November 2009

Umschlaggestaltung ZERO Werbeagentur, München
(Fotonachweis: www.manuelkrug.com)
Innentypografie Daniel Sauthoff
Satz FF Seria PostScript (InDesign) bei
Pinkuin Satz und Datentechnik, Berlin
Druck und Bindung CPI – Clausen & Bosse, Leck
Printed in Germany
ISBN 978 3 499 62475 9

Das für dieses Buch verwendete FSC®-zertifizierte Papier *Lux Cream* liefert Stora Enso, Finnland.

Bevor es losgeht …

In den sogenannten neuen Bundesländern gibt es gleich mehrere Orte namens «Amerika». Es gibt da auch Tausende Dörfer, die über einen Dorfteich verfügen. Es gibt bestimmt sogar Dörfer, die ein Reiterstandbild ohne Reiter aufgestellt haben. Sie alle verbindet mit dem Dorf, in dem dieses Buch spielt, nicht das Geringste. So wenig wie das Dorf, in dem meine Frau und ich unseren Hof betreiben.

Vermutlich fände man, würde man nur lange genug suchen, auch eine real existierende Konsum-Fachkraft, die sich weigert, Frischmilch in ihr Sortiment aufzunehmen. Und einen Single, der Lastwagenmodelle sammelt und auf dessen Lieblings-T-Shirt «no woman, no cry» zu lesen ist. Auch Typen, die sich aus Angst vor der Welt freiwillig selber einmauern, oder Hebammen, die nach einer Messerstecherei ein Hundeleben gerettet haben, mag es wirklich geben. Falls Sie, liebe Lesende, solche Menschen kennen sollten: Ihre Bekannten haben nichts, aber auch gar nichts mit den Menschen zu tun, die Sie in diesem Buch kennenlernen werden.

Um es klarzumachen: «Jede Ähnlichkeit mit lebenden Personen ist rein zufällig …» und so weiter.

Was ich hingegen versucht habe, so erlebnisecht wie möglich zu schildern: wie es ist, als kleiner Schweizer, zusammen mit einer Österreicherin, in deren Brust das Herz einer Löwin schlägt, in den Weiten Brandenburgs anzukommen, sie zu erspüren und Wurzeln zu schlagen.

Um es klarzumachen: Ähnlichkeiten zwischen mir und dem Erzähler in meinem Buch sind beabsichtigt.

Dieter Moor, im Sommer 2009

Trucker

Alles läuft rund auf meiner Fahrt ins neue Leben: Mein Jeep arbeitet die Hunderte von Kilometern Autobahn souverän unter sich weg, die beiden großen Berner Sennenhündinnen pennen schicksalsergeben auf der Ladefläche hinter mir, und sogar die Katzen haben sich mit der Tatsache abgefunden, unwürdig in Käfigen transportiert zu werden.

Der große Hänger mit den nötigsten Habseligkeiten für die ersten Wochen, den ich seit 800 Kilometern immer wieder sorgenvoll im Rückspiegel überwache, läuft seit einer Stunde wie auf Schienen, ohne Ausbruchsversuche. Der Verkehr ist überschaubar auf dem sechsspurigen, brandneu wirkenden Betonband, das mich durch die ostdeutsche Landschaft zieht. Der Tempomat synchronisiert mich mit der Reisegeschwindigkeit der großen 50-Tonner.

Easy driving.

Inzwischen habe ich auch gelernt, dass die Lichthuperei der dicken Brummer, nachdem man sie überholt hat, freundlich gemeint ist: «Kannst wieder einschwenken, Kumpel, bist weit genug vor meiner Schnauze.» Und dass man sich für diese Fürsorge artig mit kurzem Einschalten des Pannenblinkers zu bedanken hat. Ich fühle mich zugehörig zur mächtigen Flotte der 80-km/h-Beschränkten, die mit hundert Sachen im Schnitt durch die Lande donnern.

Sogar einen vernünftigen Radiosender habe ich inzwischen gefunden. «Nur für Erwachsene» ist dessen Motto. Da fühle ich mich doch angesprochen! Die zwei Moderatoren zerpflücken gerade intelligent und respektlos einen Berliner Stadtrat und dessen Prämienflüge in den Urlaub. Die legendäre Berliner Schnauze in Reinkultur. Der Interviewte reagiert erstaunlich schlagfertig für einen Lokalpolitiker. Es wird gelacht, obwohl die «Sache an sich» ein Skandal zu sein scheint. Wie wohltuend nach dem zögerlichen Um-den-heißen-Brei-herum-Gerede in den Medien meiner Schweizer Heimat.

Das Frühaufstehen hat sich gelohnt. Vor dem sommerlichen Morgengrauen losgefahren und jetzt gut in der Zeit! Laut Navi werde ich die Autobahn um 16:00 Uhr endlich verlassen und locker vor fünf im Dörfchen Amerika, Bundesland Brandenburg, planmäßig einlaufen. Perfekt. Die Keksrolle von der letzten Tanke ist fast gefuttert, die O-Flasche zu drei Vierteln leer, Benzin noch für 200 km. Der Hintern tut langsam weh, alle Zeichen stehen auf «baldige Ankunft». Ein Schild zieht vorüber: Wickelitz 60 km. Mein Ziel liegt etwa 10 Kilometer weiter.

Plötzlich will ich die Landschaft, die meine Wahlheimat werden wird, in der ich mir den Rest meines Lebens zu verbringen vorgenommen habe, nicht mehr einfach nur vorüberziehen lassen, aus Autobahnsicht, wie ein Ostblock-Tourist. Ich will sie en detail erleben, langsamer. Ich programmiere das Navi um: von «schnellste» auf «kürzeste Strecke».

Der Kilometerfresser-Stress liegt hinter mir. Schmale Straßen jetzt, lange Alleen bis zum Horizont. Wunderbar: offene Landschaft. Schlaglöcher auch, aber das hält ja wach. Kleine Dörfer. Ich erreiche

Wickelitz. Na ja, gut, das ist nun nicht sooo sehr schön. Alte Garnisonsstadt, viel Kleinindustrie. Angeblich soll hier das militärische Strategiezentrum der DDR gewesen sein. Eine Menge SED-Bonzen. Jetzt: verfallene Fabriken, dann wieder Tankstellen, Baumärkte, Reihenhaussiedlungen, Resopal-Hotels auf den Äckern – Nachwende-Idylle.

Ein Wegweiser: Amerika. Eigentlich müsste ich ein Foto machen von diesem gelben Schild mitten in der grünen Landschaft. Es wirkt verheißungsvoll ...

Das Navi rechnet aus: noch acht Minuten bis zu meinem neuen Zuhause.

Blindkauf

Mein neues Zuhause.

Das ist aber auch schon alles, was ich weiß. Mein neues Zuhause, das ich mir noch nicht einmal angesehen habe. Das ich blind gekauft habe. Ich Wahnsinniger. Ich zwangsverschicke mich selber an einen Ort, vor dem mich jeder vernünftige Mensch gewarnt hat:

Höchste Arbeitslosigkeit Deutschlands. Dumpfe Ossis. Alkoholiker und Neonazis. Die gesunde Bevölkerung flieht. Zurück bleiben die Loser, die Alten, die Gescheiterten, die Kaputten. Das vergessene Land. Das Land, welches Kohls berühmten Ausspruch von den «blühenden Landschaften» zum Dauerlacher werden ließ. Und da willst du hin? Da war nie was, da wird auch nie was sein, und du willst ernsthaft dahin? Du bist bekloppt!

Die Euphorie von eben weicht dem mir so vertrauten Gefühl vor Theaterpremieren oder wichtigen TV-Auftritten: dem Lampenfieber. Wenn es gut läuft: Triumph. Wenn nicht: Niedergang. Aber das hier ist kein Theaterstück, hier geht es um mein Leben. Bis jetzt habe ich mich ja immer irgendwie durchgeschlagen. Nach dem Bach-Prinzip: Der Bach sucht sich immer den Weg des geringsten

Widerstandes und bringt sein Wasser, zwar über Umwege, aber dennoch ins Meer. Das funktionierte als junger, alleinstehender Mensch sehr gut: Wenn es wo nicht passt: weg, next, fertig.

Das war die Zeit, in der ich noch drauf geachtet hatte, nicht mehr irdische Güter mein Eigen zu nennen, als in einen VW-Bus passen. Also etwa die Menge, die jetzt in meinem Anhänger verstaut ist. Aber da ist noch ein ganzer Bauernhof in der Schweiz, voller Möbel, Klamotten, Bücher, Schallplatten, Teppiche, Geschirr, Tonnen von Geschäftspapier, dem Restmüll unserer aufgelösten TV-Produktionsfirma, der von Gesetzes wegen aufgehoben werden muss. Da steht noch eine riesige Scheune voll mit landwirtschaftlichem Gerät, Maschinen, Werkzeug, Zaunmaterial, Pferdekram und einem Heuwender, Zweitakt, Baujahr 59. Dieser ganze Riesenberg von Dingen und Sachen und Undingen und Unsachgemäßem, das zwei Menschen im «besten Alter» früher irgendwann einmal ganz furchtbar dringend gebraucht und deshalb angeschafft hatten und die wir jetzt am Hals haben.

Das will alles noch verladen und hierhergebracht werden. Und wenn dieses «hierher» sich als Riesenfehler entpuppt? Dann steh ich da mit 30 Tonnen Besitztum. Was tut ein Obdachloser mit 30 Tonnen Schweizer Zivilisation? Hat doch unter keiner Brücke Platz ...

Ganz abgesehen davon erwarten zwei große Hunde und vier Katzen einfach von mir, irgendwo zu Hause sein zu können. Und die vier Esel, das Pferd, die Enten, die in einer Stunde per Spezialtransport unter tierärztlicher Aufsicht im neuen Zuhause eintreffen? Die stehn dann da. Die kann man ja auch nicht einfach am Halfter nehmen und sagen: «Na, schaun wir mal, ob es nicht doch in der Toscana schöner ist.»

Kurz: Meine Sonja und ich haben es hier auszuhalten, auch wenn sich herausstellen sollte, dass es nicht zum Aushalten ist ...

Wobei Sonja wenigstens über den kleinen psychologischen Vorteil verfügt, dass sie, im Gegensatz zu mir, den Hof in Amerika schon kennt. Sie hat ihn gefunden, sie hat entschieden: Hier ist gut sein.

Nie werde ich ihren Anruf vergessen, der mich auf dem alten Hof in der Schweiz erreichte. Sie lebte bereits in einer kleinen Wohnung in Berlin, ich hütete Hof und Tiere in der Schweiz, so gut es eben ging, neben meiner Arbeit für das Schweizer Fernsehen. Sonja hatte seit fast einem Jahr neben ihrem Berliner Job als Filmproduzentin jede freie Stunde genutzt, einen Hof zu finden, der passen könnte. «Passen» bedeutete:

1. Wir müssen ihn uns leisten können. Heißt, die vielen leerstehenden adeligen Gutshäuser: fallen weg.

2. Das dazugehörige Land muss arrondiert sein. Nicht dort ein Fleckchen und hier ein Stückchen, sondern klassisch ein Haus mit Land drum rum. Heißt, die Hunderte leerstehender sogenannter Resthöfe: fallen weg.

3. Maximal eine Stunde Fahrzeit in die Berliner City. Heißt, die Zehntausende leerstehender Gehöfte in der Uckermark, der Lausitz oder dem Oderbruch: fallen weg.

«Mein lieber Maaaaaan», scholl es aus dem Telefonhörer. «Ich sitze grade in einem kleinen Dorf namens Amerika beim Dorfwirt im Gastgarten. Es is narrisch!» (Meine Frau ist Österreicherin.)

«Es gibt wirklich ein Dorf, das Amerika heißt?», fragte ich. Als Kind habe ich mir immer vorgestellt, ich wäre gar nicht der Sohn meiner Eltern, sondern das durch einen schrecklichen Zufall vertauschte Kind reicher Amerikaner, die aussehen wie «Tammy» («Das Mädchen vom Hausboot») und Little Joe («Bonanza»), und jeden Moment konnte es geschehen, dass die beiden vor unserer Tür stünden. Tammy würde mich glücklich an ihre spitze Brust drücken, und Joe würde mir einen echten kleinen Colt schenken, und sie würden mich mitnehmen auf ihre Ranch in … verdammt, jetzt würde dieser Traum vielleicht Wirklichkeit werden: eine Farm in Amerika. Ohne Tammy und Joe. Zum Glück.

«Ja!», lachte Sonja. «Amerika, es heißt echt Amerika, es is so narrisch. Über mir das Blätterdach der alten Bäume, die Vögel zwitschern in den Büschen, die Abendsonne scheint mir ins Gesicht, und ich hab mir einen Hof angesehen.»

Blitzschnell analysierte ich: Sonja ist gut drauf («lieber Maaaaan» nennt sie mich nur, wenn sie freudig aufgelegt ist), das Dorf ist ruhig (Vogelgezwitscher), es handelt sich um kein Schlafdorf, sondern um eines mit lebendiger sozialer Struktur (Dorfwirt), es ist ein kleines Dorf (sie sitzt *beim* Dorfwirt und nicht bei *einem* Dorfwirt), es steht nicht im Schatten einer Chipfabrik oder einer Zeppelin-Montagehalle (Sonne im Gesicht), und der Hof, um den es geht, ist interessant. Immerhin hat sie ihn angeschaut, ist nicht, wie so viele Male zuvor, sofort wieder gefahren, verärgert über die Zeit, die ihr der Makler stahl mit einem Angebot, das mit unseren Suchkriterien und seinen Schilderungen so viel gemein hatte wie eine frischgefangene Lachsforelle mit den labbrigen Fischstäbchen von vorgestern.

Das hörte sich gut an. Bis jetzt.

«Und?», fragte ich mit belegter Stimme.

«No ja.» Nichts weiter, nur dieses «No ja», gefolgt von Schmatzgeräuschen. Wahrscheinlich verleibte sie sich gerade ein Stück hausgemachten Brandenburger Streuselkuchen ein oder zerkaute einen Wildschweinbraten, hiesige Jagd. Natürlich reine Verzögerungstaktik, ihre Mampferei. Sie wollte mich auf die Folter spannen. Und die Tatsache, dass sie mich auf die Folter spannte, bedeutete doch, dass sie eine sensationelle Neuigkeit mitzuteilen hatte. Das war ein gutes Zeichen, ein sehr gutes sogar. Ich wurde nervös.

«Was isst du denn gerade?», wollte ich wissen. Bloß nicht anmerken lassen, dass das mit dem Auf-die-Folter-Spannen prächtig funktionierte.

«'ne Strippe.»

«Was?»

«'ne Strippe.» Schmatz, kau, schluck.

«Telefonstrippe, Hanfseil, Kupferleitung oder was für 'ne Strippe?»

«'n Brötchen. Die heißen hier Strippen, weißt du?»

«Warum?»

«Weiß nicht.»

Sonja sitzt also bei einem Wirt, der zu Brötchen «Strippen» sagt. Ruhig bleiben.

«Ach so, 'n Brötchen isst du. Lass es dir schmecken.»

«Tu ich. Und bei dir, alles gut?»

«Ja, alles gut, aber was ...»

«Schön, freut mich. Du mein lieber Maaaaaaaaan, du.»

«Sonja, du rufst mich doch nicht an, um mir zu erzählen, dass du Strippen isst.»

«Schmecken aber gut!»

Es *war* Folter. Sie hätte noch stundenlang smalltalken können, wissend, dass ich danach schmachtete zu erfahren, was nun mit dem besichtigten Hof ist.

«Sonja, was ist mit ...»

«Hmmm?»

«Was ist mit dem Hof?»

«No ja ...»

«Das sagtest du schon.»

«Nett.»

«Wie nett?»

«Sehr nett.»

«Und?»

«Das fragtest du schon.»

«Sonja!»

«Ich glaub, der isses.»

UFF! Preis? Zustand? Lage? Größe? Nebengebäude? Land? Ich ließ ein Trommelfeuer von Fragen auf Sonja niederprasseln, die sie wie aus der Pistole geschossen beantwortete. Der Hof bestand aus einem großen zweistöckigen Ziegelsteinhaus, leider nicht mehr mit der original Stuckaturfassade, sondern mit grobem Spritzverputz, wie er in der DDR Standard war – keiner weiß so recht, warum eigentlich. Aber voll unterkellert, was hier selten zu finden ist bei alten Höfen. Das bedeutete: kein Schimmel, gutes Wohnklima, genügend Lagerplatz. Ein großer Keller ist Gold wert! Außerdem ein Stallgebäude, wunderschön in Sichtbackstein-Bauweise, die Eselchen und das Pferd könnten sofort darin wohnen. Eine große Scheune, klassische Bauweise, unten Feldsteine, ab drei Metern Ziegel. Das Dach marode, müsste neu gemacht werden. Land an den Hof angrenzend.

«Wie viel?»

«Die Hofstelle ein halber Hektar plus zweieinhalb Hektar Weide.»

Wow. Das war gut! 25 000 Quadratmeter, doppelt so viel, wie wir in der Schweiz hatten!

«Und das Dorf?»

«Gut, sehr gut», erzählte Sonja. «Eine Dorfpfuhle.»

Dieses neue Wort kannte ich, Pfuhlen werden in Brandenburg jene Teiche genannt, die früher den Gänsen und Enten der Dorfgemeinschaft als Lebensraum dienten, den Kindern als Badeseen und der freiwilligen Feuerwehr als Löschteich. Sonja berichtete, die Pfuhle sei umrahmt von der Dorfwiese, dem Anger. Um diesen wiederum würden sich die Häuser gruppieren. Der Hof liege absolut «downtown», mitten im Dorf.

«Aber wollten wir nicht eher außerhalb, für uns, allein stehend ...?», wandte ich ein.

«Hintenraus hast du nix außer Feld und Wiese. Der Hof liegt mittendrin und gleichzeitig am Rand!»

«Ach, so klein ist das Dorf?!»

«Etwa 200 Einwohner, schätze ich. Es gibt einen kleinen Dorfladen für den täglichen Einkauf, und stell dir vor: ein kleines Schloss. Also, es sieht eigentlich nicht sehr schlossig aus, eher wie ein Gutshof, wird aber hier trotzdem Schloss genannt. Und eben die ‹Graue Gans›, die gibt's hier auch. Die Wirtsleute sind total nett, ich frag ihnen gerade Löcher in den Bauch über Amerika.»

Lachen aus dem Hintergrund. Das musste das Wirtepaar sein.

«Und weißt du, was direkt gegenüber dem Hof steht?», fuhr Sonja fort.

«Machst du jetzt einen auf Quizmasterin?», erwiderte ich.

«Das errätst du nie!»

«Na, wenn ich es nicht errate, dann sag's mir halt. Was Schlimmes?»

«Nein, was Monströses. Aber schön, richtig schön.»

«Ein holländisches Treibhaus mit Gentomaten?», ließ ich mich nun doch auf die Quizshow ein.

«Quatsch», tönte es aus dem Hörer, «ich sagte doch, was Schönes.»

«Ein holländisches Treibhaus mit Biotomaten?»

«Ich sag doch, du kommst nicht drauf, brauchst gar nicht weiterraten.»

«Gut, ich rate nicht weiter.»

Stille am anderen Ende der Leitung.

«Sonja, bist du noch dran?»

«Klar.»

«Verrätst du mir jetzt, was ...»

«... ein Pferd.»

«Ein Pfeeeerd?», echote ich.

«Ein riesiger Bronzehengst. Auf einem Bronzepodest.»

«Was, ein Reiterstandbild? Ich bin überwältigt. Napoleon, Friedrich der Große oder gar Erich Mielke?»

«Nein, ohne Reiter. Einfach nur ein Hengst aus Bronze. Prächtig.»

«Gehört der Monsterhengst zum Schloss, steht das Haus beim Schloss oder wie?»

«Nein, das Schloss ist am anderen Ende vom Dorf, der Hengst steht vor der Pfuhle, genau gegenüber vom Haus. Ist das nicht wunderbar? Wir sehen direkt auf den Hengst von Amerika!»

«Äh, ja, wunderbar, ganz wunderbar. So einen bronzenen Hengst hat nicht jeder vor der Hütte ...»

«Ach, Ditaaa!»

«Sonja, was ich eigentlich fragen wollte ...»

Sollte ich sie jetzt wirklich wagen, die alles entscheidende Frage? Die Frage, wie es sich für Sonja anfühlte, dieses Amerika, der Hof? Schon zweimal dachten wir, fündig geworden zu sein. Ich war nach Berlin geflogen, wir hatten uns das Fundstück angesehen, hatten beratschlagt, gerechnet, Visionen entwickelt. Eines der seltenen gemeinsamen kurzen Wochenenden lang. Dann war ich zurückgehetzt, um auf dem Schweizer Hof den Umzug vorzubereiten. Nach ein paar Tagen hatte Sonja angerufen, sie sei noch einmal dort gewesen. Sie würde «es nicht spüren», würde «nicht wissen, warum gerade hier».

Ich zählte dann noch einmal die Gründe auf, zum Donnerwetter: «Wir können es zahlen, es ist nah genug an Berlin, es hat einen Stall für die Tiere, es hat ein wenig Land gleich angrenzend, darum!»

Sonjas Skepsis jedoch blieb beide Male. Ich kannte sie nun schon lange genug, um zu wissen, dass es keinen Sinn hatte, etwas durchdrücken zu wollen *gegen* ihre Intuition. Die wenigen Male, wo wir es dennoch getan hatten, bereuten wir es später bitter. Also hieß es den männlichen Aktionismus bremsen und auf die weiblichen Schwingungen vertrauen. Eine Zen-Meister-Übung für mein ungeduldiges Temperament!

«Bist du noch dran? Du wolltest was fragen», unterbrach Sonja meine Erinnerungen. Ich gab mir einen Ruck.

«Ja, äh, mein Schatz, wie ... wie fühlt es sich an?»

«Noooo ... joooo ... sag ich doch.»

«Wie? Heißt das gut? Fühlt es sich gut an?»

«Glaub schon.»

«Sonja!»

«Ja, fühlt sich gut an!»

Stille auf beiden Seiten. Atmen. Endlich. Das Ungewisse, die Unsicherheit, der Zweifel hatten ein Ende. Das Leben in einer Ehe über 800 Kilometer Distanz, die Hin-und-her-Reiserei, würde vorbei sein. Endlich.

«Dann kauf!», rief ich.

«Wann kannst du herfliegen und es dir anschauen?»

«Du sagst, es fühlt sich gut an, also kauf!»

«Aber du musst es dir doch zuerst ...»

«Muss ich nicht, kauf! Dir gefällt es, das reicht. Kauf es!», beschwor ich sie.

«Aber Ditaaaa!» So nannte sie mich, wenn sie Stress hatte. «Dann bin ich schuld. Was ist, wenn es dir nicht gefällt?»

Tja, was ist, wenn es mir nicht gefällt ... denke ich jetzt, drei Monate später. Wenn der Kauf doch ein Fehler war. Wie alt muss ich denn noch werden, um vernünftig zu agieren, wie alle anderen mündigen Menschen? Man schaut sich Häuser an, bevor man sie kauft! Denkt nach, fährt nochmal hin. Wägt ab. Entscheidet mit Bedacht. Aber ich musste ja wieder meiner Ungeduld die Zügel schießenlassen mit meinem «Kauf, kauf, kauf es!». Nun haben wir gekauft, es gibt kein Zurück. Jeder Euro, den wir auftreiben konnten (Dank an die Bank), steckt in diesem Hof. Wir haben leichtfertig von schuldenfrei auf Schuldenlast gewechselt. Ein Rückzieher ist schon aus finanziellen Gründen schlicht und ergreifend nicht drin.

Aber was erwartet mich in diesem Ort mit dem Namen, der wie ein Versprechen klingt und von dem ich nur ein paar Bilder im Internet gesehen habe? Wie werden wir auf diesem Hof, den ich nur von Sonjas Beschreibungen und ein paar schlechten Fotos vom Makler kenne, wirklich leben? Werden wir scheitern, wie so viele, deren Häuser wir uns angesehen haben? Werden wir, wie sie, in ein paar Jahren den Hof desillusioniert und abgekämpft zwangsversteigern müssen? Kein Zuhause mehr haben, dafür den Arsch voll Schulden? Werden unsere Träume vom Leben auf dem Land den Bach runtergehen – und mit ihnen unsere Liebe? Und was wird dann aus unseren Tieren?

Ach du lieber grüner Heinrich, in was für ein Riesending haben wir uns da bloß hineinmanövriert!

Orientierungsverlust

Uuups, Vorsicht, die Bäume dieser schmalen Alleen stehen aber dicht an der Straße! Ich konzentriere mich wieder aufs Fahren. Keine Zeit jetzt für schwermütige Gedanken ... Ich bin noch an die Sonntagsfahrerstraßen der Schweiz gewöhnt. Glatter Teer selbst auf den entlegensten Feldwegen, Tempolimits vor jeder Kurve, weiß reflektierende Linien entlang allen, aber auch wirklich allen Straßenrändern.

Hier hingegen rumpelt es heftig, das Land wuchert fließend in den brüchigen Asphalt, die Kurven kommen ohne Vorankündigung und plötzlich doch enger als gedacht. Ulkige Warnschilder: ein Comic-Autochen, einen Baum frontal küssend. Sehr nett. In meinem Heimatland hat man in den Sechzigern fast sämtliche Alleen mit Schweizer Gründlichkeit ausgerottet. Jetzt sind die Straßen, auch über den Rand hinaus, «sauber», und kein böser Baum kann den Autochen etwas antun.

Momo und Zora, die beiden Sennenhündinnen, spüren, dass wir uns einem Ziel nähern. Sie äugen aufmerksam durch die Scheiben, wedeln mit den Schwänzen. Es gefällt ihnen, was sie jetzt sehen, nach Stunden auf der Autobahn, was sie riechen, selbst noch durch die Filter der Klimaanlage. Wir tauchen in einen Waldweg ein.

Seltsam, das ist doch keine Verbindungsstraße zwischen zwei Orten? Dazu ist sie viel zu schmal. Wenn sich hier zwei Fahrzeuge kreuzten, wären beide nur noch mit den linken Rädern auf befestigter Straße. Aber es kommt uns keiner entgegen. Was ja wieder seltsam ist. Da stimmt doch was nicht! Das Navi jedoch hält unerschütterlich an dieser Route fest. Noch drei Minuten bis Amerika.

Scheiße, nein!

«Brücke gesperrt, keine Durchfahrt» – das Schild hängt an einer rot-weiß lackierten Holzlatte, die das Sträßchen in Hüfthöhe absperrt. Ich traue meinen Augen nicht. Wo war das Warnschild?, fragt der kleine Schweizer in mir. Wo die Sackgassen-Tafel? Wo der Vor-Wegweiser und der Vor-vor-Wegweiser, der den geschätzten Automobilisten rechtzeitig über die Versperrung seines Weges informiert? Wo das Schild für die Umleitung? Wo die freundlichen Polizisten, welche neben dem rot-weiß lackierten Volvo vor der rot-weiß lackierten Holzlatte mit ihren rot-weißen Leuchtstäben zu winken haben, damit man schon von weit, weit her sehen kann: «Aha, da ischt öppis.» Und die einem dann exaktestens Auskunft geben, warum, wie lange, wegen wem und ab wann dann sicher wieder nicht die Brücke «zu ischt» und wie man das Problem umfahren kann:

«Einfach da vorne links reinheben und dann den Schildern nach bis zum Waldrand, durch das Wohnquartier – Achtung, da isch dann nur dreißig, hä –, und dann sind Sie in Amerika. Tut uns leid, hä. Aber die Brücke ist nur noch 99,99 Prozent sicher, drum müssen wir vorsichtshalber, bis der Kantons-Chefstatiker sein Gutachten, oder. Es geht ja auch um Ihre eigene Sicherheit, oder. Wenn Sie sich verfahren sollten, fragen Sie einfach einen der 200 Pfadfinder, die wir vorsorglich im Wald verteilt haben, damit, falls sich einer verfährt, der die dann fragen kann, hä. Tut uns also leid, gäll, dass Sie jetzt 30 Sekunden später in Amerika sind, wenn Sie wollen, hier ischt das Beschwerdeformular wegen dem Schadenersatz und dem Benzinkostenanteil. Schönen Tag noch, geht das Wenden mit dem Anhänger, oder sollen wir den Bergepanzer anfordern, wäre kein Problem, der steht gleich da drüben bereit mit vorsorglich vorgewärmtem Motor.»

Wo sind die Helfer, die Ratgeber, die Vor-Sorger und die Besorgten, die von Amts wegen hier sein müssten?

Und wo ist eigentlich diese Brücke?

Ich steige aus. Die Hunde bellen. «Also gut, raus mit euch.» Wir verharren. Lauschen der Stille. Kein Autobahngedröhne in der Ferne. Kein Motorsägengeknattere. Keine fröhlich Lieder trällernde Wandergruppe. Keine sich in ihrem typischen Schreiton unterhaltenden Cross-Road-Biker. Einfach Stille. Ich höre sogar mein Blut in den Ohren rauschen. Nicht mal das Plätschern des Baches ...

Ach so ja, die Brücke, wo ist sie? Vorsichtig, um ja nichts zum Einsturz zu bringen, tauche ich unter der Sperrlatte durch und wage einige zögerliche Schritte. Keine Brücke zu sehen. Auch hundert Meter weiter nicht. Wenn ein Schild ankündigt, die Brücke sei gesperrt, muss es doch eine Brücke ...

Erst als ich zum Jeep zurückgehe, sehe ich sie, die «Brücke». Eine unter dem Laub von Jahren kaum wahrnehmbare Betonplatte, vielleicht drei Meter lang, neben der das Gelände tatsächlich jäh in die Tiefe abfällt: gut und gerne 40 Zentimeter. Kein Schaden zu erkennen. Kein Grund, da nicht drüberzufahren. Ich müsste nur diese Sperrlatte aus der Verankerung, die ist ja nicht mal ordentlich befestigt. Kein Mensch weit und breit ...

«Obacht!», ruft der kleine Schweizer in mir. «Es muss einen Grund haben, dass hier gesperrt ist. Vielleicht liegen Blindgänger vom Krieg unter der Betonplatte, und sie wollten das so nicht aufs Schild schreiben, um Panik zu verhindern.»

Ich hole Rat beim Navi. Zurückfahren würde bedeuten ... ja, das gibt's doch nicht, Umweg 40 Kilometer, 45 Minuten? Dazu bin ich nicht bereit. Nein, definitiv nicht. Nicht mit mir, Freunde, mit mir nicht. Ich muss unbedingt in Amerika sein, bevor der Tiertransport eintrifft. Ich kann meine Sonja nicht ganz alleine die Tiere abladen und Stall und Weide einrichten lassen. Das schafft sie nicht. Ich werde gebraucht! Und ich akzeptiere nicht, dass ich nach 800 Kilometern ... Also ich protestiere energisch! Genauer: Ich fluche. In den stillen Wald hinein. Die Hunde sehen mich verwirrt an. Warum bellt das Alphatier so ängstlich in diesem verheißungsvollen Paradies?

Der kleine Schweizer in mir gewinnt. Man fährt *nicht* über eine amtlich gesperrte Betonplatte, nein, das macht man einfach nicht.

«Momo, Zora, rein mit euch!»

Mühsam wende ich Jeep samt Hänger auf dem schmalen Sträßchen. Ich bin dennoch nicht willens, diesen idiotischen Umweg zu nehmen. Wozu habe ich schließlich einen Geländewagen? Ich fahr einfach auf Forstwegen. Nach Kompass, das ist auf jeden Fall schneller. Da vorne kühn links rein ohne langes Federlesen, wie die Schweizer Polizisten geraten haben – geraten hätten, wenn die Brücke in der Schweiz wäre. Los geht's Richtung Amerika. Hurra mit Gebrüll, wir kommen, wir eilen, wir fliegen!

Im Schritttempo.

Der Forstweg wird nach fünf Minuten zum Forstweglein, nach sechs Minuten zum Fußweg, nach vier Minuten zum schmalen Fußweg, dann zum Trampelpfad, und endlich zu ... nichts. Ende, Sackgasse. Diesmal richtig. Ein Forstweg, der einfach aufhört. Das gibt es doch nicht! Forstwege münden IMMER in andere Forstwege, die in Forststraßen münden, die in Landstraßen münden, die in Bundesstraßen münden, die in Autobahnen münden. So hat das zu sein! Wo ist der Sinn eines Weges, der, bevor er in einen anderen Weg einmündet, einfach aufhört, ein Weg zu sein – mitten im Wald?

Die uralten Eichen und Buchen absorbieren meine Schweizer Kraftausdrücke stoisch in ihrem Laub. Jetzt haben die Hunde ganz viel Grund, mich verwirrt anzuschauen, und der Wald ist überhaupt nicht mehr still. Ich stelle mir ein Wildschwein als Zeuge der absurden Szene vor. Es grunzt ein altes Liedchen vor sich hin:

Ein Schweizer steht im Walde nicht still und stumm,
er hat ein purpurn Köpfchen und schaut gar dumm.

Das tu ich wirklich. Ich sitze in der Falle! Wenden ist hier völlig unmöglich mit dem Hänger. Das Auto stehenlassen und zu Fuß nach Amerika, wie es Indiana Jones gemacht hätte, geht aus zweierlei Gründen nicht. Der Kompass ist im Armaturenbrett verankert, nicht herausnehmbar. Und die Katzen? Die kann ich ja unmöglich einfach hier zurücklassen. Und selbst wenn ich Amerika erreichen würde: Wie fände ich jemals zum Auto zurück in diesem forstweglosen Dickicht ohne Wegweiser? Und ohne Schweizer Pfadfinder? Die einzige Option: zurückschieben, samt dem monströsen Hänger. Nicht im Schritttempo, nein, im Schneckentempo. Einer sehr alten Schnecke.

Nach nur 45 Minuten habe ich es geschafft. Ich bin wieder bei der Brücke!

Pauken und Trompeten

Eine knappe Stunde und 45 Kilometer später der historische Moment: Wir brechen aus einem dunkeln Waldstück hervor, durchziehen eine schnurgerade Allee, rechts und links offenes, freies Feld, dann rollen wir majestätisch am Ortseinfahrtsschild «Amerika» vorbei. Im Sender «Nur für Erwachsene» spielen sie zwar nicht Wagners «Ritt der Walküren», aber immerhin «After Midnight» von J. J. Cale. Auch schön.

Sonja hatte recht: ein gutes Dorf. Viel Atmosphäre. Kleine ehemalige Gehöfte, typische Brandenburger Häuser, Feldstein und Ziegel. Da: die Pfuhle! Das dort hinten, versteckt hinter den alten Kastanien, das muss die «Graue Gans» sein. Die Pfuhle glitzert in der Sonne. Ich mag tanzendes Licht auf Wasser. Jetzt müsste gleich der riesige bronzene Hengst ... da ist er schon. Langsam, langsam jetzt, immerhin ist dies ein historischer Augenblick! Dieser Moment will mit Würde und ganz bewusst erlebt sein.

Der Hof müsste gegenüber dem reiterlosen Reiterstandbild liegen. Doch da ist er nicht. Da ist zwar ein Gebäude, aber das sieht nicht aus wie jener Hof, den ich von den Bildern kenne: ein stolzes, ockerfarbenes Haus mit großen Sprossenfenstern, Blumen davor und einem breiten, offenen Tor in der Mauer zur Straße, das den Blick frei macht auf einen weiten Innenhof.

Dieses Ding gegenüber dem Hengst hat eine Farbe, die mich an das erinnert, was bei unseren Hunden hinten rausgeflossen ist, als sie Darmgrippe hatten. *Kein* Fenster in der Wand. Nur unter dem Giebel eine kleine Luke. Und dann dieses Tor: zusammengeschweißte schwarze Vierkanteisen. Würde jeder Strafanstalt alle Ehre machen. Das kann es nicht sein! Oder doch? Kann die menschliche Phantasie so derb neben der Realität liegen, trotz Fotos?

Schleichend rolle ich vorbei. Erst mal gucken. Ah, da sind ja doch Fenster zur Straße hin. Genauer: leere Löcher. Da haben die Vorbesitzer «renoviert». Teure, schreckliche, dreifach verglaste Unfenster. Diese einflügeligen Dinger, die das halbe Zimmer versperren, wenn man mal auf die Idee kommt, sie zu öffnen. Ein Haus mit ausgestochenen Augen. Ich liebe es.

Nachdem ich das Dörfchen durchquert habe, erlange ich bittere Gewissheit: Es kann nur das Kranke-Hunde-Kackfarbene sein. Und: Wir haben das hässlichste Haus Amerikas gekauft. Jetzt musst du tapfer sein, Dieter, lass dir nichts anmerken. Du bist selber schuld. Sag deiner Sonja einfach, dass du dich auf den ersten Blick in das Haus verliebt hast und dass es großartig ist, deine kühnsten Träume übertrifft. Du fährst jetzt auf diesen Hof hinter dem Gefängnistor, bringst die Katzen ins Haus, damit sie sich schnell an ihr neues Heim gewöhnen und übermorgen den Garten erobern können, dann gehen wir erst mal in die «Graue Gans», nehmen einen schönen Vesperteller mit Strippen und warten auf den Tiertransport mit dem Pferd, den Eseln und Enten.

Ich wende und nähere mich von der anderen Seite wieder dem Bronzehengst. Im Radio kommentieren die beiden fröhlichen

Moderatoren gerade sehr lustig den neuen Arbeitslosenrekord in Brandenburg. Ich mach das Ding tot.

Aha, Sonja hat mich bemerkt, da steht sie schon am Tor. Nee, das ist nicht Sonja, die Dame kenne ich nicht. Hoffnung keimt: Es ist doch das falsche Haus! Die Frau öffnet das Tor und bedeutet mir mit sparsamer Geste des Zeigfingers, ich solle durchfahren. Na gut, Befehl ist Befehl. Der Hof ist vollgerammelt mit Umzugskisten, Möbeln, Baugerät. Ein Kleinwagen mit winzigem Hängerchen steht wichtig rum. Fremde Pferde vor dem Stall.

Mir wird dunkel vor den Augen. Die Vorbesitzer sind noch gar nicht ausgezogen, entgegen der Abmachung! Kein Platz also für unsere Habseligkeiten, für die Hunde und Katzen, kein Zuhause für Sonja, kein Stall für die Esel und das Pferd, wenn gleich der Tiertransport eintrifft. Die schlimme Vision auf dem Weg hierher, das ist keine Vision gewesen, sondern eine Vorahnung, die sich nun brutal materialisiert! Das schöne Frühsommerwetter verwandelt sich in graue Nacht, meine Augen schalten von Technicolor auf Schwarzweiß. Erstaunlich, wie sich die Verzweiflung der Seele unmittelbar auf die Wahrnehmung auswirkt.

Da ertönt ein gellendes «Ditaaaaa!». Sonjas Stresston. Von der Weide sehe ich sie heranlaufen, sie deutet nach oben. «Das Gewitter!!!» Ich steige aus, jetzt seh ich's auch: Nicht meine geschundene Seele hat die Welt verdunkelt, eine schwarze Wolkenwand schiebt sich in rasendem Tempo vor den großen blauen Himmel Brandenburgs. Schwefeliges, dunkelgelbes Licht verleiht der Szenerie eine solche Unwirklichkeit, dass ich dem Drang nicht widerstehen kann, mich zu kneifen, um aufzuwachen.

«Ditaaaa, mach dir keine Sorgen, die Milhoffs sind noch nicht ganz ausgezogen, aber wir können trotzdem schon hier schlafen.» Sonja umarmt mich heftig, schaut mich tapfer lachend an. Aber ich kenne sie: Ihr ist eigentlich zum Heulen. «Das ist aber nett von den

Milhoffs, dass sie uns in unserem Haus schlafen lassen», will ich meinem Zynismus freien Lauf lassen, aber Sonja drückt sich ganz fest an mich. Ich begreife: kein Platz für zynische Ansprachen.

Sie lässt mich los. «Das Pferd und die Eselchen, das Gewitter, sie müssen in den Stall, sonst drehen die durch, sie kennen die Weide noch nicht.»

«Was, die sind schon da?»

«Ja, es geht ihnen gut, aber sie sind noch verwirrt. Sie müssen in den Stall, bevor hier die Hölle losbricht.»

«Aber im Stall sind schon andere Pferde.»

«Die müssen auf die Weide, und unsere müssen da rein. Schnell, hilf!»

In mir erwacht der Höhlenmensch. Weibchen in Not! Hab und Gut in Gefahr! Das liebe Vieh bedroht! Sämtliche Beschützergene, die seit Jahrmillionen in jedem Mann ungenutzt vor sich hin schmoddern, sind mit einem Schlag geweckt. Die körpereigene chemische Keule schlägt zu. Adrenalin, literweise. Auto vollends auf den Hof fahren, Gefängnistor zu, Hunde aus dem Auto lassen. (Bitte die ausgeklügelte Reihenfolge zu beachten!) Die Hunde flippen aus vor Freude, als sie Sonja begrüßen. Aber keine Zeit für rührende «Familien-Wiedervereinigungs»-Szenen.

Ein älteres, etwas verhuschtes Ehepaar nähert sich. «Herr Moor, darf ich Ihnen meine Frau vorstellen ...»

Keine Zeit für gepflegte Konversation zwischen Vorbesitzer und Besitzer. «Später, sind das Ihre Pferde? Die müssen weg, unsere müssen in den Stall», gebe ich Sonjas Plan papageienhaft weiter.

«Aber ...»

«Schnell, helfen Sie!», unterbreche ich. Das «Aber dalli, zack, zack», das ich gerne nachgeschossen hätte, kann ich mir knapp verkneifen.

Während wir Milhoffs arme Gäule (warum zum Teufel sind die

überhaupt noch hier?) aus ihrem Stall führen, bricht der Regen los. Was heißt hier Regen – die Sintflut. Taubeneiergroße Tropfen explodieren zu Milliarden auf dem Katzenkopfpflaster des Hofes. In Zehntelsekunden sind wir so durchnässt, als wären wir der Pfuhle entstiegen. Donnergrollen. Am Horizont eine beachtliche Light-Show aus kreuz und quer über den schlammfarbenen Himmel zuckenden Blitzen. Es geht um Minuten, das Inferno nähert sich rasend schnell.

Die edlen Araber der Milhoffs traben aufgeschreckt auf ihre Koppel. Tor zu, jetzt unsere Eselchen. Einmal mehr begeistert mich ihre Intelligenz. Als ob sie wüssten, was es gilt, rufen sie mich mit ihrem langgezogenen Wehgeschrei. Unsere wunderschöne Quarter-Horse-Schimmelstute zieht trabend beschützende Kreise um ihre kleine Herde. Koppel öffnen, Begrüßung, und als ob wir es für «Stars in der Manege» geübt hätten, traben sie hinter uns her, direkt und ohne jedes Zögern in den Stall!

In derselben Sekunde: Krawummmm!!!

Die Hölle bricht los. Blendend helle Blitze machen fast blind, das ohrenbetäubende Trommelfeuer des krachenden Donners taub. Der Regen prasselt so intensiv, wie ich es selbst in den Tropen nie erlebt habe. Die Natur führt Krieg. Die Götter sind zornig. Wenn dieser Empfang ein Zeichen von ihnen ist, unser neues Leben in Brandenburg versinnbildlichend, dann gute Nacht.

Was ich aber jetzt durch die Wasserwände schemenhaft sehe, rührt und empört mich zugleich. Die alten Milhoffs und ein etwas jüngeres Paar – Helfer oder Familie, wer weiß das schon – tragen gerade ihren ganzen Krempel wieder ins Haus zurück. In *unser* Haus! In das Haus, in das doch *unser* Krempel soll!

Klar, sie versuchen, die Sachen aus dem Regen zu schaffen. «Warten Sie, um Himmels willen, wir helfen!» Sonja und ich packen mit an, schleppen das Zeug aber nicht ins Haus, sondern in die Scheune, in der es, trotz des schadhaften Daches, einigermaßen trocken ist. Es ist ein Wettlauf um Territorium: Jedes Milhoff-Ding, dessen wir habhaft werden, ist ein Ding weniger, das wieder in unser – und der kleine Schweizer in mir betont es noch einmal: in UNSER – Haus getragen wird. So sind wir jetzt dabei, genau das, was wir mit den Huftieren veranstaltet haben, nun auch mit den Menschen zu exekutieren. Die müssen raus, wir wollen rein! Da walten Urgesetze des Überlebens. Wie herrlich, ein Urviech zu sein!

So schnell, wie es über uns hereingebrochen ist, so plötzlich löst sich das Gewitter auf. Als ob jemand in einem riesenhaften Filmstudio den Schalter von «Weltuntergang» auf «Picknick am Nachmittag» gelegt hätte. Die Luft hat sich kaum abgekühlt, sodass Sonja und ich uns, pitschenass wie wir sind, auf zwei hässliche, rosarot ausgebleichte Plastestühle aus dem Milhoff'schen Vermächtnis setzen und in Ruhe eine Zigarette rauchen.

«Was für ein Start!», lächelt Sonja.

«Ja, mit Blitz und Donner, Pauken und Trompeten. Wagner hätte seine Freude dran gehabt. Nur unser Walhall, teure Walküre, müssen wir wahrlich noch erobern.»

Sonja lacht kurz auf, dann wird sie ernst. Sie wirkt nicht eben walkürenhaft. Sitzt auf dem Plastikstuhl wie ein Schulkind nach einer schwierigen Klausur, unsicher, ob es halbwegs gut gelaufen ist. Eines ihrer langen Beine zusammengefaltet, den Fuß versteckt unter ihrem Po. Das andere, schräg nach unten zur Seite gewinkelt, hält zaghaft Bodenkontakt, nur mit der Außenseite des nackten Fußes. Ihre Hände ruhen auf dem Schoß, die Handflächen nach oben gedreht, die schlanken Finger kraftlos, als wäre ihnen eine wertvolle Frucht entglitten.

«Und, wie gefällt es dir, unser Walhall?» Sie versucht cool und wie nebenbei zu fragen, aber ihre Augen fixieren mich sehr genau, bereit, jede kleinste Botschaft, die meine Mimik, Körperhaltung oder Stimme unbewusst aussendet, zu registrieren. Sonjas gefürchteter Sei-jetzt-aber-ehrlich-Blick. Oder besser gesagt: Durch-Blick. Ich habe mir fest vorgenommen, alles toll zu finden, Begeisterung zu zeigen, Champagner-Euphorie zu verbreiten. Aber inmitten des Milhoff'schen Durcheinanders, triefend nass auf diesen Stühlen vor diesem Haus, das uns zwar gehört, das wir dennoch nicht beziehen können, bringe ich die Kraft für so eine Showeinlage einfach nicht auf.

«Na ja», versuche ich auszuweichen, «ich bin ja noch gar nicht richtig hier.»

«Sag es!»

«Ja, also im Moment ...»

«Hmmmm?» Sie beugt sich vor, bringt ihre blauen Scheinwerfer exakt vor meinem Gesicht in Stellung und blickt mir tief in die Seele. Sie will es wirklich wissen. Jetzt.

«Also, offen gesagt ...» – ich atme tief ein –, «es ist mir sehr, sehr fremd. Noch», schiebe ich mildernd hinterher, als ich merke, wie in ihrem Blick etwas erlischt.

Sie richtet sich im Stuhl auf, blickt über den Chaoshof. Hebt hilflos die Hände und lässt sie wieder auf ihren Schoß zurückfallen wie zwei tote Gegenstände. Eine Welt bricht für sie zusammen. Wir haben alles, alles falsch gemacht. Sie senkt den Kopf, ihre dunklen Haare fallen vor ihr Gesicht, ein Vorhang nach beendeter Vorstellung.

«Wir können ja auch gleich wieder verkaufen.» Sie sagt das leise. Ohne Vorwurf, ohne Bitterkeit. Einfach nur als Feststellung. Setzt sich halb auf, blickt ins Leere, in das Loch, in das sie gerade hineinfällt.

«Mein Schatz», versuche ich zu erklären, «fremd ist doch nicht schlimm. Ich bin ein neugieriger Mensch. Ich habe nichts gegen das Fremde. Es macht das Leben interessant. Ich bin bereit, es kennenzulernen. Es zu erobern, es mir vertraut zu machen. Wir sind nun mal in die Fremde gegangen. In voller Absicht, freiwillig und im Vollbesitz all unserer Sinne. So, und jetzt macht die Fremde ebendas, was sie machen muss: fremd sein! Na und? Dann werden wir uns das Fremde eben zu eigen machen. Zu *unserem* Ureigenen. Jeden Tag, jede Woche, jeden Monat ein wenig mehr, bis wir sagen werden *bei uns* und dann diesen Hof und dieses Dorf damit meinen. Unseren Hof. Unser Dorf.»

Eigentlich habe ich diese kleine Ansprache begonnen im Versuch, mein tapferes Weib zu trösten. Aber während ich spreche, merke ich: Das ist nicht Trost für Sonja, das ist das Rezept für mich! Das ist der Weg, den es zu gehen gilt. Und er wird uns zu unserem Zuhause in dieser Fremde führen. Er wird nicht als Trampelpfad enden und dann aufhören, ein Weg zu sein. Wir werden nicht zurücksetzen müssen. Plötzlich habe ich Gewissheit: Wir werden es schaffen, verdammt nochmal, wir werden in und mit diesem außerplanetarischen Ort leben, werden ihn lieben, weil er uns formen, verändern wird, so wie wir diesen Hof formen und verändern werden. Und plötzlich geht es mir gut. Sehr gut sogar. Jetzt bin ich es, der sich vorbeugt und sie fixiert. Sie hält den Blick.

Dann leuchtet ihr Gesicht, ihre blauen Augen funkeln, ihre Waffenkammer makelloser Zähne blitzt, sie wirft ihre Arme über meine Schultern, gräbt ihre Finger in meinen Schopf und ruft:

«Oh, du mein verrückter Maaaaaan!»

Sie schüttelt ihre Hexenmähne energisch nach hinten. Da ist sie wieder, meine Sonja, mein Weib, mein Tier, die Frau, mit der man «der Wööd an Haxen ausreißen koa», wie es in Österreich so schön heißt.

«Du bist die Wahnsinnige, Sonja. Und genau dafür liebe ich dich.»

Wir lachen befreit. Fühlen uns unbesiegbar. Ein Moment der

Euphorie, den wir dringend gebraucht haben. Auch die Hunde lassen sich anstecken, sie spüren, da ist eine Spannung weg, die Alphas sind gut drauf. Bellend und ihr typischen Huh-Huuu singend, vollführen sie einen Freudentanz um uns herum, schmiegen sich an uns, wollen gestreichelt werden.

Sonja drückt ihre Kippe aus und fragt: «Was machen wir als Erstes?»

Da ist sie wieder, die Frau der Tat. Man kann jammern, man kann labern, man kann Visionen bereden, tagelang. Alles das ist nicht mal ein Gran so viel wert wie die kleinste Tat. Sonja ist eine klassische Täterin, «Tun wir es einfach» einer ihrer Lieblingssätze.

«Die Katzen», antworte ich. «Die müssen endlich aus den Transportkäfigen raus.»

Aber wohin mit ihnen? Katzen kann man ja nicht wie Hunde einfach so verpflanzen. Normalerweise muss man sie am neuen Ort für zwei, drei Tage im Haus einsperren. Erst wenn sie dort ihre Schlaf- und Fressplätze etabliert haben, darf man sie rauslassen. Dann werden sie langsam das neue Revier erobern, sich dabei aber immer wieder auf die schon gewohnten Plätze im Haus zurückziehen wollen. Doch solange die Vorbesitzer ihren Kram rauszutragen haben (was, wie ich schätze, mindestens noch bis morgen Abend der Fall sein wird), können sich die Tiere nicht akklimatisieren. Die Tür wird dauernd offen sein, sie werden entwischen und versuchen, den Weg zurück in die Schweiz zu finden. Sie werden irgendwo unterwegs jämmerlich zugrunde gehen.

Also in den Käfigen lassen? Ausgeschlossen, das sind Bauernhofkatzen, sie kennen nichts anderes als ihr freies Feld-Wald-und-Wiesen-Leben. Es bleibt nur eine einzige Möglichkeit: der Keller. Unsere stolzen Tiger müssen in den Keller. Es ist zum Heulen. Aber so ist es nun mal. Wir richten es ihnen dort ein, so gut es geht. Breiten alte Teppiche aus, die wir gefunden haben, funktionieren Gestelle zu

Kletterbäumen um, schaffen einen Futterplatz. Nur spärliche Helligkeit dringt durch die kleinen Oberlichter in die Räume. Ich hätte diesen wilden Räubern einen freieren Start gewünscht.

Wir schaffen die Käfige hinunter, öffnen sie. Misstrauisch und schlecht gelaunt erkunden die Tiere das Verlies, das wir ihnen da zumuten. Wie gerne spräche ich Kätzisch. «Es ist nur für ein, zwei Tage, dann habt ihr eure Freiheit wieder.»

Ich bin sauer auf Milhoffs. Stinkesauer. Kein einziges Lebewesen kann in Ruhe ankommen nach der langen Reise. Wir alle, Tier wie Mensch, sind in einem elenden Zwischenreich gefangen. Nicht mehr am alten Ort und noch nicht am neuen. Ein vielversprechender Start in ein neues Leben sieht anders aus!

«Was ist mit den Enten?», frage ich Sonja, nachdem wir schweren Herzens wieder aus dem Keller gestiegen sind. Sie zeigt es mir. Aus alten Brettern, die sie in der Scheune gefunden hat, hat sie ein kleines Gehege gebaut. Da watscheln sie umher, zupfen Gras und scheinen ganz gut drauf zu sein. Aber zwei Dinge fehlen: Swimmingpool und Bungalow.

Ich entdecke eine alte Kinderbadewanne, grabe sie ein und fülle sie mit Wasser. Fertig ist der Not-Ententeich. Und jetzt der Stall. Sicher muss er sein, denn auch in Brandenburg werden die Füchse in der Nacht auf Jagd sein, und Ente «à la nature» ist definitiv ein Favorit auf ihrer Speisekarte. Also irgendetwas muss ich jetzt zusammenzimmern, und zwar schnell, es wird schon dämmerig. Herr Milhoff offeriert großzügig, ich könne ja sein (*sein!*) Werkzeug, das noch im Keller (in *meinem* Keller!) liege, verwenden. Super, sehr nett, danke. Der kleine Schweizer kriegt kaum noch Luft vor Empörung.

Es gelingt mir tatsächlich, in Milhoffs Chaos einen Hammer, ein paar Nägel und eine rostige, stumpfe Säge zu finden. Ich klopfe aus dem Abfallholz, das in der Scheune rumliegt, etwas zusammen mit vier Wänden, einem Deckel und einem Türchen. Sieht eher aus wie das Werk eines durchgeknallten Objektkünstlers als wie ein Stall für Enten. Hoffentlich werden sie es trotzdem als solchen erkennen und akzeptieren. Futter und Stroh rein, und jetzt: mit Engelsgeduld die guten Quaker hineinkomplimentieren.

Versuchen Sie nie, Enten mit Druck in einen Stall zu scheuchen oder zu treiben. Enten werden sehr schnell nervös, rennen hysterisch überallhin, aber ganz sicher nicht in ein dunkles Loch, bei dem sie nicht wissen, was sie dahinter erwartet. Könnte ja auch der Eingang zu einem Fuchsbau sein, nicht wahr?

Auf dem gewohnten Bauernhof in der Schweiz sind sie auf den Zuruf «Gang äntli hei, Äntli» brav in den Stall gewatschelt. Was sich wie Chinesisch liest, ist Schweizerdeutsch und heißt so viel wie «Geht endlich heim, Entchen!». Mantramäßig wiederhole ich auch jetzt mein «Gang äntli hei, Äntli». Ich kann richtig zusehen, wie die Relais in den Entenhirnen heißlaufen. «Was will der, ist der durchgeknallt? Wo ist unser Zuhause, wo sollen wir denn hin? O weh, wir sind verloren, der Fuchs wird uns holen!» Noch nie zuvor habe ich mich Enten so seelenverwandt gefühlt ...

Es wird immer dunkler, die verdammten Enten müssen rein! Ich spüre Ungeduld in mir hochsteigen und weiß gleichzeitig: Mit Druck läuft da gar nix. Also zwinge ich mich mit letzter Kraft, das allerletzte Milligramm Gelassenheit zu mobilisieren, und verwandele mich nun wirklich zum tibetanischen Mönch mit meinem «Gang äntli hei, Äntli, gang äntli hei, Äntli ...». Wenn mich jetzt einer der Amerikaner sehen würde, er müsste zur Gewissheit kommen: Die Neuen sind voll bekloppt.

Aber das Mantra zeigt Wirkung. Bei einer Ente schalten die Relais plötzlich auf «Alternativmodus». Sie scheint zu begreifen, dass dieses seltsame Ding, das da rumsteht, möglicherweise eine Art Zuhause sein könnte. «Dunkler Eingang, dahinter Stroh und

Körner. Mal sehen ...» Sie verlängert vorsichtig ihren Hals Richtung Öffnung, späht hinein und ... schlüpft durch. Jetzt nur nicht hektisch werden, Moor, suggeriere ich mir, immer weitermachen: «Gang äntli hei, Äntli, gang äntli hei, Äntli, gang äntli hei, Äntli ...» Schwupp, Ente zwei ist drin, dann die dritte und gleich darauf auch die letzte. Brettchen vor den Eingang und, mangels Scharnier, zugenagelt. Fertig. Lauschen. Ruhe im Karton. UFF!

Erkenntnis

Über Amerika ist die Nacht hereingebrochen. Die Milhoffs haben sich vom Hof gemacht, nicht ohne fröhlich anzukündigen, sie seien dann morgen früh wieder da. Ich freu mich schon auf sie ... Die Pferde (natürlich auch die fremden) und die Esel sind versorgt, die Enten sicher, die Situation im Katzenkeller ist nicht ideal, aber lebbar, und unsere beiden treuen Sennenhunde pennen im Gras.

Endlich Zeit für uns. Hunger. Wir spazieren durch das friedlich nächtliche Dorf zur «Grauen Gans». Schlagen uns die Bäuche voll. Die Wirtsleute lerne ich nur kurz kennen, will nichts Neues mehr aufnehmen für heute. Hab nur noch Platz für das, was Sonja erzählt.

Von ihrer Verzweiflung, als sie heute nach Amerika kam und feststellte, dass das Haus noch vollständig eingeräumt war. Wie sie zähneknirschend half, den Milhoff'schen Kram in Kartons zu packen, in der Hoffnung, dass das Haus bis zum Abend vielleicht doch noch leer würde. Ihren Zorn, als sie feststellte, dass der gute Herr Milhoff tatsächlich vorhatte, alles mit seinem Minihängerchen zu transportieren. Dass er infolge davon nur im Auto saß und zwischen Amerika und dem neuen Wohnort bei Wickelitz hin- und herpendelte. Jedes Mal den Umweg nehmend, weil ja die «Brücke» – wir erinnern uns – gesperrt war. 90 Kilometer für jeweils ein lächerliches Häufchen Habseligkeiten ...

Sonja erzählt, wie unsere Tiere viel früher als erwartet eintrafen, wie sie die Weide noch nicht vorbereitet hatte vor lauter Milhoff-Stress, wie großartig unsere Schimmelstute die Esel als Herde vor den anderen Pferden abschirmte, bis die zweite Koppel abgetrennt war. Wie sie sich ausmalte, was ich wohl sagen würde, wenn ich nach der langen Fahrt ankäme und dieses Chaos vorfinden würde. Wo sie sich doch vorgenommen hatte, dass alles schön und friedlich sein sollte, «wenn mein weißer Ritter angeprescht kommt in seinem weißen Jeep». Meine tapfere Frau hat einen wahren Horrortag erlebt, während ich noch gemütlich auf der Autobahn in Trucker-Romantik schwelgte.

Die Bäuche voll, die Körper todmüde, aber mit einem Gefühl der Zusammengehörigkeit, das wahrscheinlich auch die alten Siedler und Pioniere vor Hunderten von Jahren so erlebt haben, gelangen wir wieder zum Hof. Nachdem in alle Tierställe schläfrige Ruhe eingekehrt ist, inspizieren wir nun auch den unseren, das Haus. Ich bin vorgewarnt, Sonja hat mir Innenaufnahmen geschickt. Aber die Livewirkung in 3-D schlägt dann doch voll ins Kontor.

Blümchentapeten, an jeder Wand in anderer Variante, eine kitschige Luxuswanne im Bad, eine gleichermaßen teure wie hässliche Einbauküche im «Landhausstil» mit quietschgelber Raufaser, die alten Holzböden zugekleistert mit Fertigparkett in «Nuss» und «Bambus». Die guten Milhoffs haben unter Einsatz von sehr viel Geld kräftig versucht, aus dem Bauernhaus eine Art Landjunker-Altensitz zu machen. Das Ergebnis: extrem neurosefördernd.

«Lass uns als Tagesabschluss ein Schlückchen Wein nehmen. Aber bitte draußen», schlage ich vor.

Wir sitzen mit unseren Gläsern hinter dem Stall auf der Bank und blicken über das Land. Unser Land. Die Koppeln erscheinen im Mondlicht sagenhaft groß. Das tröstet. Die Weite, darüber der riesige, sich wölbende Sternenhimmel. Ich entspanne mich.

Doch dann merke ich, dass ich mein in den Voralpen antrainiertes inneres Alarmsystem mitgebracht habe. Jedes Mal, wenn ein Auto hinterm Haus langfährt, geht es los. Auf unserem Berg war nie ein Auto zu hören gewesen, und wenn, dann weil jemand auf den Hof fuhr. Autogeräusch bedeutete: Achtung, Achtung, da will einer was von dir, du musst dich kümmern! Werde ich mich je daran gewöhnen können, Autos zu hören und sie dennoch nicht bewusst zu registrieren? Will ich das überhaupt?

Den Hunden geht es wie mir, auch sie schlagen bei jedem Reifenknirschen an. «Oh, das wird Ärger geben», fürchtet mein kleiner Schweizer, «schon morgen werden eure Nachbarn vor der Tür stehen und sich über das nächtliche Gebell beschweren.»

Dann aber höre ich: Dies ist ein Hundedorf. Alle paar Minuten kläfft es irgendwo. Die Toleranzschwelle der Amerikaner scheint wesentlich höher zu liegen als die meiner Landsleute.

Zum ersten Mal schwant mir, dass weiße Linien am Straßenrand und viele Vorwarnschilder zwar ganz praktisch sind, aber auch Ausdruck einer Durchreglementiertheit, die dem wirklichen Leben kaum noch Platz zum Atmen lässt. Das Zusammen-Leben wird eng und schwierig. Die Freiheit, auch mal fünfe gerade sein zu lassen, ist in unserer zunehmend ver-USA-ten Gesellschaft, in der eigene Verantwortung, eigenes Urteilsvermögen abgegeben werden an Anwälte und Richter, immer rarer und nicht wertvoll genug zu schätzen. Sollten wir hier ein freieres Land entdeckt haben, in welchem der gesunde Menschenverstand, das Gespür für Maß und Unmäßigkeit höher geschätzt werden als Reglementierungen?

Ich ahne nicht, dass diese großzügige Toleranz, die man dem nächtlichen Gebell unserer Hunde gerade entgegenbringt, bald auch von mir selber gefordert werden wird. Sehr bald: noch in dieser ersten Nacht.

Freuden der Nacht

Wir liegen in fremden Betten im eigenen Haus. In den Gästebetten der Milhoffs, die sie uns zur Verfügung gestellt haben, bis wir «dann unser Bett aufstellen können», wie sie mitleidig sagten. Dass wir das längst getan hätten, wenn sie ihre Möbel – statt sie uns «zur Verfügung zu stellen» – einfach rausgetragen hätten ... ach, was soll's. Umgeben von orangefarbenen Blumenmustertapeten, spärlich zugedeckt mit einer grünen Blumenmusterdecke, das müde Haupt gebettet auf einem blauen Blumenmusterkissen, zwischen uns eine tiefe, grabenartige Gästeritze, liegen meine Sonja und ich platt auf unseren Rücken, die Hände über der Decke gefaltet, wie bereit, einbalsamiert zu werden, und starren an die meeresblaue Zimmerdecke. Wir warten auf den erlösenden Schlaf. Aber die Gedanken kreisen:

Morgen wird ein anstrengender Tag. Milhoffs Zeug raus, unser Zeug rein, die fremden Pferde irgendwohin, die Katzen der Milhoffs irgendwie einfangen, damit sie sie irgendwie mitnehmen können ... Die Enten werden bei Tagesanbruch unruhig, die müssen aus dem Stall, spätestens um sechs Uhr, und es ist schon weit nach Mitternacht ... Übermorgen muss ich wieder fahren, TV-Termine, und der Hof in der Schweiz muss auch geräumt werden. Das wird noch lustig ... Es bleiben uns 30 Stunden, dann muss das hier menschenwürdig funktionieren ... Sonjas Mutter kommt, ihr zur Seite zu stehen, die muss ja auch irgendwie hier leben können ohne Kulturschock ... Ich erschieße morgen die Milhoffs, dann kann Sonja endlich einziehen ... Und ich geh ins Gefängnis, das Tor zum Gefängnishof ist zusammengeschweißt aus schwarzen Vierkanteisen, die Zellen haben Blumenmustertapeten, und alle Insassen tragen nasse Klamotten ... Wenn die Wärter «Gang äntli hei, Äntli!» rufen, muss man in die Zelle, die dann von außen zugenagelt wird ... Die Aufseher scheinen ein Fest zu feiern. Lautes Gebrüll bricht sich an den Blumenmustertapeten und dringt in den Farben Orange, Blau und Grün wie eine rostige Säge in mein Trommelfell. Die Stimmen der Männer vermischen sich mit dem Gekläffe ihrer eselgroßen Polizeihunde, ein Höllenlärm. Ich wache auf.

Die Stimmen sind real, das Hundegebell auch: Die Sennerinnen laufen aufgeregt zwischen unseren Betten und der Haustür hin und her, ich schrecke von der geriatrischen Matratze hoch, stehe senkrecht im Bett. Vom Fenster aus sehe ich, dass sich vor dem Häuschen schräg gegenüber wild gestikulierende Männer versammelt haben. Nicht mehr ganz sicher auf den Beinen, Bierflaschen in den Händen. Es ist nicht auszumachen, ob sie streiten oder sich nur laut unterhalten. Einer fängt an zu grölen:

«Scho ein Daaaaag, scho wunnaschööööön wie eudeeeeee, scho ein Daaag, der dürfe nie va'eeeen.»

Sofort fällt die ganze Gruppe begeistert mit ein.

«Scho ein Daaaaag, auf den man schiiiiischo feuiiiiite, und wäh waaaaaaisch, wann wiiiiiunsch wiiiidascheeeeeeeen.»

Hurragebrüll aus rauen Kehlen, Hände klatschen sich selbst

Applaus. Flaschen klirren prostend aneinander. Eindeutig kein Streit, da wird gefeiert!

Ich beruhige die Hunde, tapse zum Bett. Sonja ist auch wach.

«Das kann doch wohl nicht wahr sein. Mannomann, ich muss raus morgen, das geht gar nicht. Ich will Ruhe!», rede ich auf sie ein. Was sich zu so nachtschlafener Zeit halt jede Ehefrau wahnsinnig gerne anhört, weil es ja so unglaublich zur Verbesserung der Situation beiträgt …

«Das ist das Gemeindehaus», kommt es mit dünner Stimme von ihr. «Heute war irgendein wichtiges Fußballspiel.»

«Was hat das mit dem Gemeindehaus zu tun?»

«Das kann man mieten, um zu feiern, und der Fußballclub ist da auch drin.»

Na sauber. Wir wohnen vis-à-vis vom Fußballclub, der zugleich Gemeindehaus ist, das man zum Feiern mieten kann. Das werden ja tolle Wochenenden. Genau deshalb zieht man doch in die idyllische Stille auf dem Land, damit man jeden Freitag und Samstag dem lieblichen Geblöke der Fußballenthusiasten lauschen darf. Es ist die Nachtigall, Geliebte, nein, es ist die Lerche, nein, es ist der Fußballclub.

«… wer weiß, wann wir uns wiedersehen!» Wenn es nach mir geht: nie wieder.

Ich kann mir nicht helfen, Gegröle, Gelächter und Flaschengeklirre versetzen mich von jeher in Stress. Ich empfinde sie als bedrohlich. Also liege ich wieder in der Pharaonenstellung und starre. Zwinge mich und die Hunde zur Ruhe. Wenn Sonja mir jetzt prophezeite, dass ich eines Tages selber über die Dorfstraße wanken würde, glückselig russische Volkslieder grölend, ich würde sie für verrückt erklären …

Etwas gluckst neben mir. Sonja lacht in sich hinein. «Eines muss man ihnen lassen: Feiern können sie, die Amerikaner!»

Sonja hat recht: Sie feiern, und man muss es ihnen lassen. Und es *wird* ihnen gelassen. Kein Mensch im Dorf beschwert sich, jedem ist klar: Leise feiern ist gleich nicht feiern. Das Leben aber braucht das Feiern. Ich habe gerade ein Land verlassen, das ich als zu eng empfand. Das Land Zwinglis und Calvins. Das Land der Ruhe-Diktatur. Das Land, in dem man vor dem Feiern eine Sondergenehmigung beantragt. In dem generell nur bis 22 Uhr gefeiert werden darf. Und man zum laut Lachen gefälligst in den Keller geht, noch besser in den behördlich vorgeschriebenen und vorschriftsmäßig eingerichteten privaten Atombunker. Damit die Umwelt ja nicht kontaminiert wird vom Lachen.

«Die Freiheit des Einzelnen endet dort, wo die Freiheit der anderen beginnt.» Schön und gut. Aber wer sind diese «anderen», die sich mit ihrer Freiheit so ausbreiten, dass diejenige des Einzelnen erstickt? Das sind doch auch alles nur Einzelne. Diese schweizerische, duckmäuserische, nie nachlassende Angst vor den «anderen»! Was die «anderen» wohl denken, was die «anderen» wohl sagen, was passiert, wenn die «anderen» dies oder das nicht so gut fänden. Dieses Sich-selber-Ausradieren, damit man ja die «anderen» nicht vielleicht stört.

Davon wollte ich mich doch befreien! Nun, hier habe ich sie jetzt. Die Freiheit der anderen, die eben NICHT endet, nur weil ein zugezogener kleiner Schweizer seine Freiheit zu schlafen schon in der ersten Nacht existenziell bedroht sieht.

Wenn ich als Kind zurechtgewiesen wurde mit dem Satz «Das macht man nicht», wollte ich immer genau wissen, warum nicht. Die Antwort war meistens: «Ja stell dir mal vor, wenn das jetzt alle machen würden!» Also versuchte ich, nichts mehr zu machen, was schlecht wäre, wenn es alle machen würden. Erst in der Pubertät merkte ich: Dann kann man gar nichts mehr machen. Weil schlichtweg *alles* zur Katastrophe führt, wenn es *alle* machen. Zum Beispiel, meine Freundin küssen. Wenn das *alle* machen würden ... das arme Mädchen! Oder Kartoffelbrei essen. Wenn das *alle* machen würden, der globale Kartoffelmangel würde den Dritten Weltkrieg auslösen. Oder einem Bettler einen Euro schenken. Wenn *jeder jedem* Bettler einen Euro gäbe. Weltwirtschaftskrise, denn dann würde jeder Bettler werden wollen, sodass schnell nur noch Bettler in der Lage wären, den Bettlern einen Euro geben zu können. *Alle* Menschen würden Bettler und gäben einander permanent einen Euro. Die immer gleichen Euros würden von Bettler zu Bettler wandern, in einem ewigen, sinnlosen Kreislauf, der die ganze Menschheit erfassen würde, und das ... wäre ihr Untergang.

Es passiert nichts Schlimmes, wenn man *dennoch* seine Freundin küsst, Kartoffelbrei isst, dem Bettler einen Euro schenkt. Oder mit seinen Kumpels nachts besoffen am Dorfanger rumgrölt. Morgen werden wir unser eigenes Bett ins Haus schaffen und es natürlich nicht in diesem straßenseitigen Milhoff-Schlafzimmer aufstellen, sondern im gartenseitigen Zimmer, in Richtung der stillen Felder. Ganz einfach! Dann können die Dörfler feiern, soviel sie wollen, wir werden ungestört schlafen. Ach, das wird herrlich! Ich bin gerade dabei, meine erste Lektion in brandenburgischer Toleranz zu lernen.

Dennoch, in dieser Nacht lässt mich der kleine Schweizer in meiner Brust, der sich immer weiter über die rücksichtslosen Gröler da draußen aufregen will, noch lange, lange nicht einschlafen ...

Abgang Wessis

Am nächsten Tag begrüßt uns prächtiges Sommerwetter. Alle Tiere haben die Nacht gut überstanden. Das Pferd und die Esel haben sich mit den Araberpferden der Milhoffs über den Koppelzaun hinweg so gut bekannt gemacht, dass wir die beiden Gruppen zusammenfassen können. Unsere Schimmelstute ist großartig als Chefin ihrer Langohrherde, und sie findet in einem zweijährigen Araberwallach sogar einen Verehrer ...

Auch die Enten haben in ihrem Kunstobjekt anscheinend gut geruht. Als ich das Türbrett aufbreche, stolzieren sie stracks zu ihrer Babywanne und genießen ihr Morgenbad. Ich öffne die Umzäunung. Sie werden jetzt, da sie ihn kennen, abends auf Zuruf in den Stall gehen wie in der Schweiz. Nur die Katzen müssen noch unglücklich und unterbeschäftigt in ihrem Keller ausharren. Kein Lebewesen kann mit mehr Grandezza beleidigt sein als eine Katze.

Selbst Milhoffs rücken nun besser ausgerüstet an. Mit einem großen Lieferwagen statt ihrem lächerlich kleinen Hängerchen. Am frühen Nachmittag ist wenigstens der Wohnbereich des Hauses halbwegs leer geräumt. Frau Milhoff bewaffnet sich, o Wunder, sogar mit einem Besen, die Böden kriegen ein Upgrade zum Status «besenrein». Das versöhnt mich immerhin so weit, dass ich die beiden zum Kaffee einlade, den ich in ihrer (nein: *meiner*, verflixt!) Küche zubereite.

Wie sie da so sitzen, an einem fremden Tisch in der zwar vertrauten Küche, die dennoch nicht mehr die ihre ist, nehme ich sie zum ersten Mal als Persönlichkeiten wahr und nicht mehr nur als Vorbesitzer, die gefälligst endlich abhauen sollen. Milhoff ist ein kleiner, etwas in die Breite gegangener Mittsechziger mit schütteren, über die Halbglatze gekämmten gelb-weißen Haarresten. Seine unwesentlich jüngere Frau bewegt sich langsam wie jemand, der vom Schicksal schwer geprüft wurde.

Wir erfahren, dass sie aus Bayern hierhergezogen sind – nach «Dunkel-Deutschland», wie sie sich ausdrücken. Eine mir noch unbekannte Wortschöpfung für «ehemalige DDR» oder «neue Bundesländer» oder schlicht «Osten» und was es da an Nachwende-Wortschöpfungen so gibt. Sie waren nach Brandenburg gekommen, weil die Tochter in Berlin studiert, Medizin. Auch die Frau Mutter war Ärztin, Gefäßchirurgin, wie sie mit gerecktem Kinn betont; der Papa allerdings «nur Ingenieur». Seitenblick zum Gatten. Ich ahne, der Mann hat's auch nicht leicht. Ich frage ihn, welche Art Ingenieur denn, um ihm Auftrieb zu geben. Bevor er Luft holen kann, antwortet sie für ihn:

«Ach, Elektro-», und winkt ab.

Den wohlverdienten Ruhestand, führt Frau Milhoff weiter aus, planten sie in Amerika in der Nähe der geliebten Tochter zu verbringen und wollten nebenbei ein wenig Araberpferde züchten. «Nebenbei» – du liebe Güte, denke ich. Nun hat das Fräulein Tochter den schönen Plan der beiden aber mächtig durchkreuzt, indem sie sich bösartigerweise in einen Künstler verliebte.

«Ein ganz unmöglicher Mann», sagt Mama.

«Noch dazu Marokkaner», sagt Papa und schüttelt traurig den Kopf.

«Der geht *gar* nicht, dieser Mensch», stöhnt Mama, «und das habe ich meiner Tochter auch gesagt.»

Die Tochter wiederum fand natürlich diese elterliche Ablehnung ganz unmöglich (gutes Kind!), und nun sind sie verkracht. Um die Pferde können sie sich auch nicht mehr so richtig kümmern: Der Mann ist krank geworden, die Frau depressiv.

«Weil, Anschluss findet man in Amerika ja auch nicht. Jedenfalls nicht an jemanden von gleichem Niveau», erklärt sie. «Die kapseln sich ja völlig ein, diese Ossis. Nee, wissen Sie, wir haben die Schnauze voll von diesem Kaff.»

«Obwohl es ja schade ist», gelingt es ihm zu Wort zu kommen, «nachdem wir das Haus gerade so schön hergerichtet haben, nicht wahr?» In der Tat: Sie haben es her-gerichtet, Scharfrichter, die sie sind.

Also, sie hätten sich jetzt ein Appartement beim Golfplatz in Wickelitz genommen, nicht wahr, tönt Frau Milhoff. Da hätten sie ihre Ruhe und seien wieder unter zivilisierten Menschen.

«Übrigens», fragt Herr Milhoff, «das ganze Gartenwerkzeug brauchen wir ja jetzt nicht mehr. Sie, Herr und Frau Moor, Sie könnten es gerne übernehmen, für, sagen wir, die Hälfte des Neukaufpreises?»

Nachdem wir ihnen versichert haben, dass wir selber Werkzeug besitzen, vereinbart man, dass ihre Pferde ein paar Wochen bleiben können, bis sie verkauft sind, dass die Scheune bis dann und dann und der Keller bis dann und dann geräumt werden wird und, ach ja, dass sie das Gartenwerkzeug trotzdem hierlassen, sie können es ja wirklich nicht brauchen, auf dem Golfgelände, nicht wahr?

«Also, schönen Tag noch», und da rauschen sie ab und mit ihnen die meisten der schönen und geschmackvollen Sachen, die noch im Hause waren. Es wird noch fast zwei Jahre dauern, bis der Hof entmilhoffisiert ist, aber das weiß ich zum Glück noch nicht ...

Terminvereinbarung

Wir ziehen ein, wir erobern die Räume, wir schreiten sie ab, wir betanzen sie, wir besingen sie, wir reißen alle Fenster auf, lassen Licht, Luft, Sonne rein.

WIR ÜBERNEHMEN DAS HAUS!

Die wenigen Möbel und die paar Kleider, mit denen Sonja sich nun begnügen muss, bis der dicke große Rest in zwei Monaten nachkommt, wirken etwas verloren in den leeren, bunten Räumen. Aber es ist ein Anfang, und Sonja ist glücklich, wieder ein paar ihrer Sachen um sich zu haben. Der Vorteil von wenig Einrichtung: Es ist schnell eingerichtet. Das Bett, klar, zur ruhigeren Seite, zum offenen Feld hinaus, der Schreibtisch im Zimmer daneben wegen der Abendsonne, und Milhoffs ganzer ehemaliger Stolz, das «Teezimmer» zu Straße hin, wird vorläufig zur Kleiderkammer.

Endlich holen wir die Katzen aus dem Keller. Zu fünft pirschen sie durch die Räume. Nö, ihre Laune bleibt schlecht. Morgen, morgen, ihr Lieben, wartet das Abenteuer auf euch. Der Garten, die Bäume, die Hecken, die Pfuhle. Morgen, Geduld.

Ich schreite die Latifundien ab, umrunde die große Wiese. Das

Gras steht kniehoch. Aber es ist gelb verdorrt. Der trockenste Sommer seit Menschengedenken, haben sie im «Radio nur für Erwachsene» gesagt. Kein Vergleich zu den saftigen Wiesen in den Schweizer Voralpen. Mir schwant, dass die Fläche, die mir gestern noch so unendlich riesig erschienen ist, doch zu klein sein könnte. Dieser Boden würde nur einen Bruchteil des gewohnten Ertrags hergeben. Zweifel kommen hoch, ob unser Land tatsächlich genügend Weidegras und Heu hervorbringen kann, um unsere Huftiere übers Jahr zu ernähren. Man wird sehen.

Als ich zum Haus zurückkehre, verkündet Sonja: «Herr Müsebeck kommt rum!»

«Wie, um was kommt er herum?», frage ich verständnislos.

«Na, herkommen tut er, zu uns.»

«Aha. Kommt rum heißt so viel wie kommt her?»

«Hier heißt das so.»

«Er kommt auf 'ne Strippe rum bedeutet hier also: Er kommt her, um ein Brötchen zu essen?»

«Ja», lacht sie, «aber er kommt rum wegen dem Heu.»

«Er will Heu essen?»

«Diiiitaaa! Du hast ja wohl keine Möglichkeit, die Wiese zu mähen und Heu zu machen, oder? Du bist ja morgen wieder weg. Und ich kann es auch nicht, ich produziere gerade einen Film, erinnerst du dich? Mein Mütterlein wird es wohl auch nicht schaffen, also ...»

«Also?»

«Hab ich gedacht, Müsebeck könnte es machen.»

«Und wer ist Müsebeck?» Ich komme mir allmählich ziemlich unwissend vor.

«Der einzige Bauer im Ort. Der hat das Heu auch immer für die Milhoffs mitgemacht, die haben mir von ihm erzählt, und ich hab ihn angerufen. Und nun kommt er rum, und du musst mit ihm bereden, wie wir tun.»

«Ich muss mit ihm bereden, wie *ihr*, also du und er, tut?» Werde ich je wieder aus dieser Fragenummer rauskommen?, frage ich mich.

«Genau, mit dem Heu.»

«Wär's da nicht einfacher, wenn du das gleich selber direkt mit ihm …»

«Du bist der Herr am Hof», unterbricht sie mich. «Das müssen die Männer miteinander ausmachen.»

«Aha.» Ich bin also der Herr am Hof. Gutes Gefühl, ich gebe es zu. Und bewundere meine Frau einmal mehr für ihr Organisationstalent. Ich wusste nicht einmal, dass es hier überhaupt einen Bauern gibt …

«Und wann kommt er rum?» Die nächste Frage vom Herrn am Hof an die Herrin.

«Zu Mittach, sagte er.»

«Und wann ist das uhrzeigermäßig?»

«Weiß nicht. Zu Mittach eben.»

«Hast du nicht nachgefragt?»

«Doch, aber er verstand gar nicht, was da nicht klar sein soll. Zu Mittach eben.»

«Aha, zu Mittag eben», sage ich ergeben und überlege, was «zu Mittach» sein könnte. Zum Mittag hin, also 11:59 Uhr? Oder wenn der Nachmittag beginnt, 12:01 Uhr? Und welcher Mittag, der echte Mittag oder der Sommerzeit-Mittag? Nein, Blödsinn, das kann ja alles nicht sein, dann wäre er schon längst aufgetaucht. Also ist «zu Mittach» irgendwann während des Nachmittags, 12:01 bis 18:00 Uhr? Oder «zu» Mittag, wenn der Mittag quasi «zu»macht und der Abend beginnt, ab 18:01 Uhr? Was macht am wenigsten keinen Sinn? Vielleicht ist ja «zu Mittach» doch Punkt 12, High Noon, der Zeitpunkt, wo schon im Wilden Westen die wahren Männer die wahrhaft wichtigen Dinge unter sich ausgemacht haben. Und Müsebeck ist zu feige gewesen zu kommen. Oder hat es vergessen. Oder ist sich zu schade, wegen dieser «Neuen» auf das wohlverdiente «Zu-Mittach-Essen» zu verzichten.

«Gut», verkünde ich, «wenn er dann später *zu Mittach* rumkommt, berede ich mit ihm, wie du und er, also wir, tun ... wegen dem Heu. Gut?»

«Sehr gut, mein lieber Maaaaan», sagt Sonja. Thema beendet. In der Kommunikationslehre gibt es den Grundsatz: Wer fragt, führt. Ich habe den starken Eindruck, dieser Grundsatz sollte nochmal überdacht werden.

Über die Schweiz sind viele Klischees im Umlauf, manche stimmen nicht, viele schon. Das mit der Pünktlichkeit stimmt definitiv. Ein Schweizer würde niemals sagen: «Ich schaue am Nachmittag mal vorbei.» Auch wenn er, A, weiß, dass der Aufzusuchende B sowieso den ganzen Nachmittag vor Ort ist, muss er folgendes Ritual abspulen:

A: Du, äh, was ich fragen wollte, äh ... heute am Nachmittag, wann würde es dir da passen, dass ich da mal vorbeischauen könnte?

B: Du, das ist mir gleich, du. Ich bin sowieso den ganzen Nachmittag hier, oder.

A: Ja, sag's halt! Mir ist es auch gleich, ich kann jederzeit vorbeischauen heute Nachmittag.

B: Ja, du ... was soll ich da sagen ... sagen wir ...

A: Ja ... sagen wir ... so vielleicht so am drei?

Moment! Kurz die Stopp-Taste gedrückt für folgende Insider-Information: Schweizer sagen niemals *um* drei. Um bedeutet, der Uhrzeiger steht irgendwo im Um-Kreis der Drei. Am drei ist sauber und präzise, da klebt der Zeiger genau *am* Dreier und keinen Millimeter daneben.

Weiter geht's: Play!

B: Ja, warum nicht am drei? Aber es ginge auch am vieri.

A: Ja, da ginge es mir auch! Dann wäre es dir also lieber am vieri?

B: Nein, wie gesagt, es ist mir beides recht, am drei oder am vieri. Es ginge auch am eins, oder.

A: Nein, am eins will ich nicht stören, da bist du womöglich noch am Mittagessen, und dann kommst du noch in Zeitnot, nein, nein, also am eins komme ich nicht, hä.

B: Ja, gut, wenn es dir am eins nicht geht, sagen wir doch am drei oder aber am vieri.

A: Weißt du was, machen wir es doch nicht komplizierter, als es ist, oder? Machen wir einfach einen Kompromiss, sagen wir am ... halbi vieri?

B: Ja, genau, du, hä, das ist eine gute Idee, sagen wir am halbi vieri, wenn es dir dann passen würde.

A: Ja, mir schon, aber du musst auch sagen, wenn es dir dann nicht passen würde, hä.

B: Doch, mir würde es passen. Halbi vieri, abgemacht?

A: Ja, machen wir doch am halbi vieri ab. Gut?

B: Ja, gut, dann kommst du also am halbi vieri vorbei.

A: Wunderbar, also bis heute Nachmittag am halbi vieri, dann.

B: Jawoll, am halbi vieri.

Und obwohl beide wissen, dass es beiden zu jedem Zeitpunkt dieses Nachmittags möglich wäre, sich zu treffen, wäre es eine unglaubliche Respektlosigkeit von A, erst um 15:31 Uhr oder völlig überraschend schon um 15:29 Uhr zu erscheinen. Aber keine Angst, er wird genau *am* 15:30 Uhr erscheinen, und B wird das mit einem heimlichen Blick zur Wand, wo die satellitensynchronisierte Präzisions-Atom-Uhr hängt, befriedigt zur Kenntnis nehmen.

In Brandenburg wird dieselbe Abmachung so getroffen:

A: Ick komm zu Mittach ma rum.

B: Jut!

Bauer Müsebeck

Seit einer Stunde rennen Sonja und ich auf dem Hof herum und streifen durch das Haus. Wo wir hingucken, sehen wir Arbeit: Als Erstes, das sage ich dir gleich, kommt statt des Gefängnistors ein schlichtes Holztor hin, und wenn wir da schon rumwerkeln, sanieren wir auch gleich die Hofmauer. Vorher machen wir aber noch das Scheunendach. Und wenn wir schon am Dachmachen sind: Die Asbest-Beton-Wellplatten auf dem schönen Stall werden natürlich durch Ziegel ersetzt. Und wenn wir schon dabei sind, sanieren wir den Eingang zum Keller. Der kriegt ein kleines Vorhäuschen, das den Aufgang zum Haus mit integriert. Vor das Wohnzimmer kommt eine große Holzterrasse, damit man direkt ... oder nein, das wird die Küche, wir reißen die Wand daneben raus, dafür machen wir in der jetzigen Küche ein Arbeitszimmer. Aber das Wichtigste: Der krankehundekackfarbene Verputz muss runter.

«Dann ist das Allererste: Lottoschein kaufen», unterbricht Sonja meine Planspiele.

«Und falls wir wider Erwarten nicht gewinnen sollten», erwidere ich, «machen wir das Ganze eben in kleinen Schrittchen.»

«Und womit fangen wir an?»

«Mit einer Tasse Kaffee?»

«Sehr gut!»

«Ich serviere unterm Kirschbaum, gnä' Frau.»

Gerade haben wir uns auf Milhoffs zurückgelassenen Barock-Plaste-Gartenstühlchen Marke «Sommerschlösschen» niedergelassen, der Kaffee schwappt auf dem passenden Wackeltischchen über die Tassenränder, da schlagen die Hunde an.

«Wo ist der Chef?», ruft eine Stimme. Das kann nur Bauer Müsebeck sein. Ein schneller Blick auf meine Schweizer Wegwerfuhr lehrt mich: «Zu Mittach» ist 17:42 Uhr. Aha, muss ich mir merken.

Ich werde nervös. Immerhin der erste Besuch in unserer Wahlheimat. Der erste echte Amerikaner, der Bauer vom Ort noch dazu. Den kennt jeder, sein erster Eindruck der «Neuen» wird wahrscheinlich wie ein Lauffeuer die Runde machen. Ob er wohl «offiziell» gekleidet ist, wie ich das von den Bauern meiner alten Heimat kenne, die sich in etwas «Anständiges» werfen, wenn sie zum ersten Mal jemanden besuchen? Hätte ich mir doch eine dunkle Hose anziehen sollen und ein weißes Hemd? Oder wenigstens Schuhe, verdammt. Zu spät, da biegt er auch schon um die Hausecke.

Ein kleiner, drahtiger Mann, braun gegerbt, wie sich das für einen Landwirt gehört. Kluge, listige Äuglein, sehr lebendig alles registrierend, breiter Mund, ein wissendes Grinsen. Auf seinem Kopf balanciert ein schwarzes Lederhütchen mit schmaler Krempe. Ich nenne diese Art Kopfbedeckung heimlich «Honegger»-Hütchen, weil der große Vorsitzende diese Hutform so sehr schätzte, allerdings in der kleinkarierten Filzvariante.

Gott sei Dank, Müsebeck kommt nicht in Besuchsschale. Keine Samtweste mit Uhrkette über der Hischlederhose, sondern: dunkelgrüne Cordhose, kariertes Hemd, feste Schuhe. Über allem der graue Arbeitskittel. Seine ganze Erscheinung signalisiert: Für einen ehrlichen und fleißigen Mann gibt es keine Fünftagewoche, der arbeitet auch samstags. Und wenn es sein muss, den Sonntag noch dazu. Und mich erwischt er beim Käffchen unterm Kirschbaum. Barfuß.

Die unbekümmert leichte Herzlichkeit, mit der meine Sonja wildfremde Menschen begrüßt – ich bin immer wieder begeistert. Strahlend geht sie Herrn Müsebeck entgegen, heißt ihn willkommen, stellt sich vor, macht mich mit ihm bekannt. «Nehmen Sie doch einen Kaffee mit uns, wir haben gerade welchen gemacht.»

«Nein, nein, nicht nötig, Frau Moor, machen Sie nur keine Umstände, wirklich nicht», hätte er jetzt in der Schweiz sagen müssen. Worauf Sonja hätte sagen müssen, dass es *überhaupt* keine Umstände mache, worauf er sich hätte überreden lassen müssen, worauf sie hätte fragen müssen, ob er vielleicht lieber etwas *anderes* hätte, worauf er hätte sagen müssen, *nein*, Kaffee sei wirklich das Ein*zige*, was er haben wolle, aber *nur*, wenn sie *wirklich* gerade *sowieso* einen gemacht hätte, worauf sie ihm hätte *versichern* müssen, sie habe *wirklich* sowieso gerade eben … und so weiter. Nach einer Viertelstunde wäre die Kaffeefrage geregelt gewesen.

Müsebeck sagt «Jo» und setzt sich.

«Wie nehmen Sie ihn, mit Milch, mit Zucker, mit beidem?»

«Mit Tasse.»

Verwirrt schauen Sonja und ich uns an.

«Schwarz mit nix, bitte», ergänzt er.

Sonja entschwindet Richtung Haus, und der Herr vom Hof bleibt mit dem Herrn vom anderen Hof allein.

Müsebeck sitzt einfach nur ruhig da. Er macht keinerlei Anstalten, das Gespräch zu eröffnen. Und mir fallen nur doofe Anfänge ein à la «Soso, Sie sind also der Bauer von Amerika» oder «Ja, ja, schon wieder Samstag». Also schweige lieber auch ich.

Und merke: Es muss nicht immer was gesagt werden. Müsebeck

und ich lernen uns ohne Worte kennen, prüfen einander stumm. Ein Abtasten aus den Augenwinkeln. Er fühlt sich offenbar wohl und sicher in seiner Haut. Ich tue so, als würde ich mich wohl und sicher fühlen in der meinen. Unsere Blicke treffen sich. Ich versuche es mit einem kleinen Lächeln. Sein angedeutetes Dauergrinsen verbreitert sich keinen Deut. Wie alle Süchtigen fliehe ich in die Ersatzhandlung.

«Zigarette?» Ich halte ihm die Packung hin.

«Was sind denn das für welche?», fragt Müsebeck.

Natürlich spricht er Brandenburger Dialekt, aber wenn ich versuchen würde, diesen Lokalkolorit hier lautmalerisch wiederzugeben, so ungefähr wie «Wat sin'n det füa welsche?» – das wäre nur peinlich. Also werde ich in diesem Buch die Menschen mit wenigen Ausnahmen in Schriftdeutsch zitieren, und Sie, geschätzte Leserschaft, werden sich «det Bran'nbuagische» einfach dazudenken müssen.

«Och, die rauch ich in der Schweiz, sind ziemlich stark.» Ich bin zufrieden mit mir: In einem Satz signalisiere ich, dass ich in mehreren Ländern parallel rauche und dass ich als Nichtweichei starken Tobak vertrage.

Müsebeck schaut interessiert auf die über dem Tisch schwebende Packung, sein Blick gleitet über meinen Unterarm, den ich schon als Jugendlicher peinlich dünn und unmännlich gefunden habe und der seither – im Gegensatz zu anderen Körperstellen – nicht umfangreicher geworden ist. Seine Augen wandern langsam nach oben, bis er mir wieder ins Gesicht sieht.

«Hab ich aufgegeben», tut er kund.

«Ach wirklich? … Gut!»

Mein Gott, so kann es doch nicht weitergehen. Ich lasse meinen Blick fachmännisch, wie das, so vermute ich, ein Hofherr eben so macht, über *mein* Land schweifen.

«Steht schön, das Gras», behaupte ich.

«Wächst nicht. Viel zu trocken.»

«Ja, hab ich gesehen. Und kein Regen in Sicht?» Na, geht doch! Wetter, das zuverlässige Thema in allen Lebenslagen.

«Nee, die nächsten zehn Tage nicht.»

«Ich hörte, der trockenste Sommer seit Messungsbeginn?»

«Jo.»

Okay, somit hätten wir dann das mit dem Wetter auch glücklich besprochen. Sehr gut. «Ich schau mal nach, wo der Kaffee bleibt», will ich mich schon verdrücken, da sehe ich einen Erlöserengel in Gestalt meiner Frau samt Tablett aus dem Haus kommen. Wo hat sie bloß diese Kekse her? Ist das der Restproviant meiner Autobahnfahrt? Also, ich finde es irgendwie unpassend, so einem gestandenen Bauern Kekse anzubieten, aber gut, Frauen haben eben für so was kein Gespür.

«Und Sie, Herr Müsebeck, Sie sind also der Bauer hier in Amerika!», lacht ihn Sonja an. Na, also das hätte ich auch noch hingekriegt, denke ich, wenn auch vielleicht ein bisschen weniger charmant.

«Jo», sagt Müsebeck und greift sich einen Keks. Woher wusste meine Frau, dass er Kekse *mag*?

«Sind Sie denn hier in Amerika geboren?», fragt Sonja und sieht ihn mit offener Neugierde an.

Und jetzt, ich weiß nicht, wie sie es immer wieder schafft, jetzt beginnt Herr Müsebeck zu erzählen, frei von der Leber weg. Seine Eltern sind hergezogen, noch unter «den Russen», wie er sagt. Da war Müsebeck gerade zwanzig und hatte sein Diplom als Agraringenieur frisch in der Tasche. Damals war Amerika noch so eine Art Strafkolonie. Die alten Müsebecks galten da, wo sie herkamen, als aufmüpfig, weil sie sich, nachdem sie enteignet worden waren, nicht so einfach in die LPG, die Landwirtschaftliche Produktionsgenossenschaft, integrieren konnten.

«Ist ja auch zum Kotzen, wenn auf dem eigenen Land, das du kennst wie deine Westentasche – jede Krume, jeden Schlag, jeden Strauch –, wenn da plötzlich so ein Sesselpupser ansagt, wo's langgeht.»

Die Eltern hätten ja bloß gewollt, dass das Land nicht vor die Hunde ging. Und da waren sie eben nicht immer einverstanden mit den Anweisungen der Herren Agrarsekretäre. Tja, und Anfang der Achtziger hieß es dann: «Ihr unterhöhlt den Gemeinschaftsgeist, solche zersetzenden Elemente können wir hier nicht brauchen.» Man bot ihnen weit weg einen Platz an: in der LPG Amerika. Und wenn sie den nicht angenommen hätten: Bei der Reichsbahn brauche es immer Leute im Geleisebau, ließ man sie wissen. Natürlich nahmen sie lieber die Stelle in Amerika. Die LPG hier sei ja dann gar nicht so schlecht gewesen. Da waren die meisten ein wenig aufmüpfiger als anderswo. Waren ja viele da, die, ebenso wie sie, sozusagen hierher zwangsrekrutiert worden waren, weil sie den Bonzen ein Dorn im Auge gewesen waren.

«Ja, und denn, denn kam die Wende, und die LPG wurde dichtgemacht. Anfangs dachten wir, wir – also wir, die wir hier gearbeitet haben – könnten den Laden übernehmen und einfach auf eigene Rechnung weitermachen. Aber ...»

«Aber?»

«Die anderen haben sich nicht getraut. Haben wohl das Risiko gefürchtet. Oder die Arbeit, oder beides, was weiß denn ich. Die wollten einfach nicht.»

«Und dann?»

«Haben wir Familienrat gehalten. Und denn haben wir es eben alleine übernommen.»

«Hut ab!»

«War schwer, am Anfang. Sehr schwer. Aber es ging. Und es geht noch immer. Mehr schlecht als recht, aber es geht!»

Mein Respekt vor diesem Mann steigt schlagartig. Da hab ich also nun einen dieser «Ossis» vor mir, vor denen wir so gewarnt worden waren. Die keine Eigenverantwortung übernehmen wollen, die nicht auf die neue Zeit reagieren können, die lieber jammern und nach Papa Staat schreien. Ein größerer Gegensatz zwischen diesem Image und der real existierenden Wirklichkeit lässt sich kaum vorstellen! Ich kenne jedenfalls keinen Schweizer oder «Wessi», der eine solche Herausforderung, wie sie dieser Müsebeck zu bewältigen hatte, angenommen hätte. Vom Angestellten zum Unternehmer in null Sekunden. Vom subventionierten Staatsbetrieb in die für ihn völlig unbekannte «freie Wirtschaft». Von der Geborgenheit des Kollektivs in das harte Auf-sich-allein-gestellt-Sein. Und es dann tatsächlich auch noch durchhalten. Es wirklich schaffen. Das soll mal einer von diesen arroganten Ossi-Spöttern nachmachen! Dieser drahtige Mann hier mit seinem grauen Arbeitskittel weiß, was Existenzangst ist, weiß, was Ohnmacht und Verzweiflung sind, kennt die Härten des Lebens. Weiß aber auch, dass er es überstanden hat, kennt seine Fähigkeiten und seine Kraft durchzuhalten. Das also macht Müsebeck wohl so sicher und ruhig.

«Erklären Sie mir doch», bitte ich ihn, «warum denn diese Straf-LPG ausgerechnet in Amerika angesiedelt war. Ist doch eigentlich schön hier und gut zu leben. Oder war es wegen des Namens?»

«Nee, der Name spielt da nicht mit. Aber was glauben Sie, was da los war mit dem Flughafen!»

«Dem Flughafen?»

«Na, dem Flughafen in Schmachthagen. Die haben ja verlängert auf dreieinhalb Kilometer, die Russen, genau in Richtung Amerika, die Piste reicht ja nun bis hierher.»

«Hierher? Wo ist hier 'ne Flugpiste?», frage ich entgeistert.

«Ja, hat Ihnen denn das der alte Milhoff nicht gesagt? Das ist ja wieder typisch Wessi. Der hat's nämlich auch nicht gewusst damals, als sie ihm die Hütte … 'tschuldigung: das Haus, angedreht haben.»

«Moment, Herr Müsebeck, mal langsam. Eine Flugpiste, hier in Amerika?»

«Ja, gleich dahinten, wo Ihre Wiese aufhört, hinter der Hecke, da beginnt die Piste. Was glauben Sie, was da los war, wenn die MiGs mit Nachbrenner übers Dorf gestartet sind. Da haben Sie gedacht, es hebt Sie aus den Latschen. Die Fenster, die haben wir allesamt mit Klebeband sichern müssen. Über jede Scheibe ein Kreuz, sonst wär das vom Lärm glatt zerborsten, das Glas!»

«Das muss ja die Hölle gewesen sein.»

«Sag ich doch. Und als sich mal einige zusammengetan haben, beim Ortsvorsteher vorsprachen, man möge doch die Russen fragen, ob nicht wenigstens sonntags vielleicht auf das Starten mit Nachbrenner verzichtet werden könne, wissen Sie, was der russische Major da gemacht hat?»

Müsebeck sieht uns erwartungsvoll an.

«Keine Ahnung», «Weiß nicht», sagen wir gleichzeitig.

«Na, was glauben Sie?»

Vergessen Sie Günther Jauch mit seinem *Wer wird Millionär*, der große Meister des Spannungsaufbaus ist Müsebeck!

«Ich will es Ihnen sagen.»

Pause.

«Der hat einen Zettel im Aushangkasten vom Konsum angebracht» (Müsebeck betont das Wort auf dem kurzen o), «und auf dem Zettel stand …»

Er fragt gar nicht erst, was wir denn glauben, was da stand. Stattdessen nimmt er in Ruhe einen Schluck Kaffee. Einen langen Schluck. Schmeckt dem Aroma nach, blickt über die Tasse in die Weite. Doch statt «Jacobs Krönung ist der Beste» sagt er:

«Da stand, er wolle auf gar keinen Fall und es sei ihm eine große

Sorge, dass die hiesige Bevölkerung unter dem Lärm der glorreichen Roten Armee zu leiden habe. Darum schlage er vor, dass diejenigen Genossen und Genossinnen, denen es in Amerika zu laut sei, sich vertrauensvoll an ihn wenden sollen.»

Müsebeck stellt die Tasse vorsichtig auf das Tischchen und fährt fort.

«Er verspreche bei seiner Ehre als Soldat, dass er für alle diese leidenden Menschen ein ruhiges Plätzchen finden würde. In Sibirien.»

«Das ist ja hart», entfährt es mir.

«So war es eben. Die Russen waren nun mal unser Brudervolk. Und Brüder kann man sich ja bekanntlich nicht aussuchen. Im Gegensatz zu Freunden.»

Wir nicken alle drei.

Ein Leben mit dem täglichen Terror startender Düsenjets, ohnmächtig den wenige Meter über die Dächer donnernden Höllenmaschinen ausgeliefert, ich hätte das nicht ertragen. Aber Müsebeck wurde nicht gefragt, ob er es erträgt.

«Herr Müsebeck, dieser Flughafen ist doch stillgelegt, oder?», fragt Sonja. Verdammt, sie hat recht! Vielleicht sollte ich statt Müsebeck lieber uns selbst bedauern.

«Nee, der ist noch in Betrieb.»

«Aber ... warum sind dann keine Flugzeuge zu hören?»

«Dieses Wochenende fliegen die nicht, wegen der Techno-Party.»

«Techno-Party», echot Sonja.

«Ja, auf dem Flugplatzgelände. Riesensache. 24 Stunden durch, rund um die Uhr. Fünf- bis zehntausend Leute werden erwartet. Der alte Krüpke hat da einiges Land rückübereignet bekommen, was die Russen damals für den Flugplatz enteignet hatten. Krüpke, das ist der mit den Gäulen am Dorfeingang. Die Familie hatte vor dem Krieg schöne Ackerflächen. Bewirtschaften kann er die nun aber nicht mehr, und seine Kinder sind zu allem bereit, aber nicht dazu, Bauern zu werden. Und nun vermietet er eben ein paar Hektar an die Techno-Leute und fettet damit seine Rente ein wenig auf. Das wird hier jetzt öfter mal etwas lauter sein, an den Wochenenden.»

Mein Puls beschleunigt sich, mir wird flau im Magen. 200 Meter Luftlinie von unserem Hof entfernt beginnt eine Piste, lang genug, dass darauf Jumbojets starten können, ein Flugplatz mit Hangars und allem Drum und Dran, der noch in Betrieb ist. Und wenn nicht, dann weil Techno-Partys gefeiert werden. Und Milhoff hat natürlich nix gesagt. Na warte, dem will ich einschenken, wenn er den Rest seines Krempels abholt.

«Aber Sonja, du warst doch mehrmals hier?», frage ich verwirrt. «Da müsstest du doch den Fluglärm mitgekriegt haben?»

Meine Frau denkt angestrengt nach, überlegt, ob sie vielleicht in einem anderen Amerika war, in einem Paralleluniversum.

«Das versteh ich auch nicht, unbegreiflich», murmelt sie. Sie sieht aus wie Alice im Wunderland. Dieses Perplexsein passt nicht zu ihr, steht ihr überhaupt nicht. Auf mich wirkt es einigermaßen beunruhigend.

«Ja, klar doch!», ruft sie, Blitz der Erkenntnis: «Ich war ja immer nur hier, wenn der Job es zuließ. Also nur, wenn auch sonst keiner arbeitet: abends, an Feiertagen. Da war natürlich kein Flugbetrieb.»

«Tja», sinniert Müsebeck, «Sie sind ja nun schon die Dritten innerhalb der letzten Jahre, die das Haus gekauft haben. Die sind alle eingezogen, haben von großen Plänen und Projekten gefaselt, weiß der Geier wunder was sie hier alles auf die Beine stellen würden. Und dann, nach ein, zwei Jahren, schwups, waren sie wieder weg. Ganz kleinlaut dann.»

Ich kann seiner Miene nicht entnehmen, ob er das bedauert oder es ihn freut. Aber ich lerne, dass es hier gar nicht gut kommt, wenn man ankündigt, was man alles zu tun gedenkt. Es einfach tun, das ist hier das Motto. Sonja liegt goldrichtig mit ihrem «Tun wir es einfach».

«Was sind denn das für Maschinen, die da starten und landen – das werden ja keine MiGs mehr sein, oder?», fragt sie Müsebeck.

«Nee, nee, kein Militär. Privatpiloten, alle möglichen Privatflugzeuge. Einer hat da noch 'ne MiG stehen, aber die fliegt, glaub ich, nicht mehr. Und die vom Bundesgrenzschutz üben öfters mit ihren Hubschraubern, GSG 9. Retten, bergen, Leute absetzen, Leute aufnehmen, all so was. Und sie trainieren oft mit diesen Infrarotsichtgeräten, mit denen die auch nachts fliegen können.»

«Auch nachts, das heißt ...», beginne ich scharf zu kombinieren.

«Ja, muss ja dunkel sein, wenn man Fliegen bei Dunkelheit üben will.» Müsebeck zuckt mit den Schultern.

Ich erinnere mich nur zu genau, als ich in Bad Vöslau bei Wien den Pilotenschein machte, da zeigte die Piste auch genau in Richtung eines Dorfes. Wir hatten sofort nach dem Abheben abzudrehen, weil es streng verboten war, in niedriger Höhe über bewohntem Gebiet zu starten. Das war dort möglich, weil zwischen Pistenende und Dorf etwa zwei Kilometer Feld lagen. Dennoch litten die Bewohner offenbar unter dem Lärm, es gab andauernd Beschwerden, Eingaben, Anzeigen, und jeder Start war mit schlechtem Gewissen verbunden. Die Situation hier war im Vergleich wesentlich schlechter. Die Flieger konnten gar nicht abdrehen auf die kurze Distanz. Sie hatten keine andere Möglichkeit, als über unsere Dächer zu dröhnen.

Meine Gedanken fangen an, sich um Juristisches zu drehen. Muss der Verkäufer einer Immobilie den Käufer über potentielle Lärmbelästigung aufklären? Kann man den ganzen Deal für ungültig erklären, wenn er es nicht getan hat? Im Vertrag steht: «gekauft wie gesehen». («Wie gesehen» ist gut, mein lieber Moor …) Das heißt, sollten Schäden an den Gebäuden zum Vorschein kommen, die Sonja nicht gesehen hat, könnten wir Milhoff nicht belangen. Aber da steht ja nicht: «gekauft wie gehört». Was ist damit? Sonja hat bei Kauf nichts gehört, dennoch kommt es jetzt zum Vorschein … Kann man nun belangen oder nicht? «Wir brauchen sofort einen scharfen Anwalt», ruft der kleine Schweizer. Aber ich will, ich will, ich will unser neues Leben *nicht* mit Anwälten beginnen.

Uns wird nichts anderes übrigbleiben, als irgendwie mit den Fliegern zu leben. Wir könnten unseren Hof «Propeller-Gut» nennen, «Am Düsenacker» oder «Kerosin-Ranch». Und wir müssen mit Autosuggestion arbeiten, uns erinnern, dass uns die Fliegerei ja grundsätzlich fasziniert und dass wir daher auch ihren Krach ganz doll lieb haben – Motorengeknatter als Symbol der Freiheit, oder so. Mit entsprechender Gehirnwäsche werden wir vielleicht irgendwann lernen, bei startenden Flugzeugen einen Trommelfell-Orgasmus zu bekommen. Und Entzugserscheinungen, wenn der Flugbetrieb mal Pause macht wie heute … wegen der Techno-Party.

«Und diese Techno-Partys … Das wird ja nicht mehr gar so laut zu hören sein, bis hier rüber, oder?», frage ich hoffnungsvoll. Nervös stecke ich mir eine Entspannungszigarette an. Müsebeck nimmt sich noch einen Keks.

«Ich will's mal so sagen …», er kratzt sich hinter dem Ohr, «also bei geschlossenen Fenstern und bei Ostwind geht es gerade noch. Da hört man nur so ein Wummern. Wenn man gute Fenster hat. Die Ihren sind ja noch fast neu.»

«Und bei Westwind?»

«Etwa so, wie wenn sie 'ne Techno-Party im Garten hätten.»

«Und heute haben wir …»

«… Westwind», ergänzt Müsebeck und beißt in den Keks.

Ich werde schlagartig sehr, sehr müde. Letzte Nacht kaum

geschlafen, und diese Nacht wird sich das Sandmänchen wahrscheinlich mit Ohrenschutz ins Erzgebirge verkriechen.

«Und das geht 24 Stunden durch, sagten Sie?»

«So über den Daumen. Kann auch länger dauern, wenn der Bär tanzt. Waren schon mal 48 Stunden.»

In der Genfer Konvention über die Behandlung von Kriegsgefangenen steht ganz klar, dass Schlafentzug durch permanenten Lärm Folter ist. Und daher verboten. Nun muss ich also, wenn ich jemals wieder schlafen will, Söldner werden, in den Krieg ziehen, mich gefangen nehmen lassen und hoffen, dass die Genfer Konvention greift. Das ist die einzige mir verbliebene Chance auf Nachtruhe.

Oder: Wir werden unser Bett mit Blick auf das vermeintlich ruhige Feld wieder abprotzen und uns doch in einem Zimmer zur Straße einrichten müssen. Vielleicht ist das, was Techno-Freaks Musik nennen, aus dieser Richtung weniger penetrant zu hören. Jetzt verstehe ich, warum die Milhoffs ihr Schlafzimmer zum Dorf hin hatten. Und vielleicht ist der Fußballclub von der Feier letzte Nacht noch so bedient, dass das Programm nicht prolongiert wird. Und vielleicht geht mein sensibler Schweizer Voralpen-Alarm wegen der geschlossenen Dreifachverglasung nicht bei *jedem* Autoreifenknirschen los. Man muss jetzt positiv denken ...

«Na, nun erzählen Sie doch mal von sich!», fordert Müsebeck. Aufmunternd ruckt er mit dem Kinn Richtung Sonja. «Sie sind Schweizerin, hör ich?»

«Hat das Herr Milhoff gesagt? Nein, ich bin Österreicherin, mein Mann ist Schweizer.»

«Kenn ich! Österreich!», ruft er begeistert aus. «Waren wir im Urlaub, 93. Das war vielleicht dufte, also diese Wiesen, diese Berge und die Seen erst! Wir waren im Salzkammergut, zwei Wochen. Wunderschönes Land, Ihr Österreich. Also, wenn ich könnte, ich würde sofort da leben wollen! Die Schweiz soll ja auch phantastisch sein, Herr Moor?»

«Landschaftlich schon», sage ich knapp. Müsebeck schaut mich aufmerksam an. In seinem Kopf arbeitet etwas, das ist ihm deutlich anzumerken.

«Mann, wie die Zeit vergeht! Ist ja auch schon wieder zehn Jahre her, seit diesem Urlaub», nimmt er den Faden wieder auf. «Tja, wenn man erst mal einen Hof hat, ist Feierabend mit Urlaub.» Abschätzender Blick zu mir. «Jetzt geht das bei mir ja gar nicht mehr, in den Urlaub fahren und so. Mein Vater ist nicht mehr der Jüngste, und einer muss schließlich nach dem Hof gucken, nicht wahr, Herr Moor?»

«Ach, meine Frau und ich sind beruflich so viel gereist, wir haben gar kein Bedürfnis mehr, die Koffer auch in der Freizeit zu packen.»

«Was machen Sie denn beruflich, wenn man fragen darf?»

Ich habe keine Lust, mich jetzt als Fernseh-Heini zu outen. In der Schweiz, wo ich mit meiner Late-Night-Show täglich auf dem Sender gewesen bin, war ich bekannt wie ein bunter Hund. Das machte es sehr schwer, Menschen «normal» zu begegnen. Das gegenseitige neutrale Abschätzen, wie es üblicherweise stattfindet, wenn man sich kennenlernt, war gar nicht mehr möglich. Diese berühmte erste Sekunde, die über Sympathie oder Antipathie entscheidet, gab es nicht, weil die ja vermeintlich schon via Bildschirm stattgefunden hatte. Aber eben nur einseitig. Es dauerte oft sehr lange, bis dieses virtuelle Fernsehbild-Bild ersetzt werden konnte durch den eigentlichen, wirklich erlebten Eindruck. Ein Preis, den man als «Promi» einfach zu bezahlen hat.

Doch in Deutschland bin ich schon einige Jahre vom Bildschirm weg, Schweizerisches Fernsehen ist hier nicht zu empfangen. Ich habe also die Chance, als Unbekannter, als irgendeiner, meinetwegen als Schweizer Alien wahrgenommen zu werden und nicht als wandelndes Medien-Image. Hier will ich erst mal nichts sein außer ich selbst.

«Och», weiche ich daher Müsebecks Frage nach meinem Beruf aus, «meine Frau und ich arbeiten freischaffend in den Medien. Manchmal mehr frei als schaffend», scherze ich.

«Aha, in den Medien also.» Müsebeck gibt sich zufrieden. Ich bin dankbar, dass er nicht nachhakt. Er scheint eine ganz andere Spur zu verfolgen.

«Sind Sie denn jetzt aus Österreich hergekommen?»

«Nein», sagt Sonja, «wir hatten einen kleinen Hof in den Schweizer Voralpen.»

«Dann will ich Sie mal was Persönliches fragen, wenn Sie nichts dagegen haben.» Wir schütteln die Köpfe.

«Sie sind Österreicherin, Frau Moor, Ihr Mann Schweizer. Warum um Gottes willen verlassen Sie ihre wunderschönen Länder und kommen ausgerechnet hierher? Das geht mir einfach nicht in die Birne.»

Und genau so wirkt er auch. Fassungslos starrt er uns an. Wenn wir ihm erzählt hätten, dass wir gerade einen Lottogewinn nicht abgeholt oder uns selber einen Arm abgehackt haben – verwunderter hätte er nicht sein können.

Also versuchen wir zu schildern, dass diese Länder nicht nur Urlaubsseiten haben, dass wir die Schweiz empfanden wie eine fertiggebaute Modelleisenbahn-Anlage, in der alles wunderschön arrangiert und gepützelt aussieht, wo alles seinen festen Platz hat, jedes Modellhäuschen, jedes Autochen, jedes Bäumchen fixiert, festgeleimt. Sogar der kleine Plaste-Bahnhofsvorsteher auf seinem Plaste-Perron vor seinem Plaste-Bahnhof für alle Zeiten angeklebt, in einem Modellland Maßstab 1:1, umrandet von einer Berglandschafts-Fototapete. Ein Land, in dem man nichts anderes machen kann, als Modellzüglein sinnlos im Kreise fahren zu lassen und zuzusehen, wie das Ganze langsam verstaubt.

Wir erzählen, dass ich ein paar Monate in Berlin zu tun hatte, wie sehr mich die preußische Klarheit der Menschen begeisterte, ihr Überlebenstalent, wie ich Sonja nach meiner Rückkehr eröffnete: «Wir müssen nach Berlin», und wie sie einfach nur antwortete: «Wenn wir müssen, dann müssen wir eben nach Berlin.»

Dass es aber auch klar war, dass wir nicht wieder in die Stadt wollten – das Leben als Stadtmenschen hatten wir in Wien und Zürich bis zum Überdruss ausgekostet. Dass wir außerdem Pferd, Esel, Hunde, Katzen und Enten ja nicht einfach auf dem Berghof zurücklassen konnten, weshalb außerdem klar war: Wir würden nach Brandenburg ziehen. Wir schildern, wie der Zufall oder eher das Schicksal es wollte, dass Sonja gleich nach unserer Entscheidung, den Umzug zu wagen, gespenstisch schnell einen interessanten Job in Berlin angeboten bekam, wie sie dann, von Berlin aus, einen Hof in Brandenburg gesucht und ihn schließlich hier, in Amerika, gefunden hat.

«Ach, so war das also», macht Müsebeck zufrieden. «Manche im Dorf haben sich nämlich schon gefragt, ob Sie vielleicht Dreck am Stecken ... also ob Sie vielleicht von da wegmussten, unfreiwillig, Sie verstehen schon. Nicht böse sein, aber man weiß ja nichts Genaues nicht.»

Da muss Sonja lachen: «Aber dann hätten wir doch gut hierhergepasst, zu den anderen Zwangsversetzten, nicht wahr?»

«Da haben Sie auch wieder recht!», gluckst Müsebeck, sein Hütchen wippt auf und ab.

Er lehnt sich auf seinem Stühlchen zurück, der Kunststoff der Schnörkellehne biegt sich beängstigend nach hinten.

«Ja, das liebe Landleben», sagt er, «wenn man da mal Blut geleckt hat ... Ist das auch so ein kleines Dorf, wo Sie herkommen?»

«Nein, das war ein alleinstehender Hof hinter einem Weiler. Rundherum nur Wiesen.»

«Und so was lassen Sie einfach sausen ...» Er kann es noch immer nicht fassen. «Tja, da werden Sie sich jetzt wieder an Nachbarn gewöhnen müssen. Und an die Straße, wa?»

Der Mann kann wirklich Gedanken lesen.

«Das wird schon gehen», erwidere ich. «Mit Nachbarn hab ich noch nie Probleme gehabt, und die paar Autos am Tag, die stecke ich doch locker weg.» Wenn ich mir nur selber glauben könnte!

«Na ja, jetzt ist ja fast gar nichts momentan, ne», meint Müsebeck. «Was dadran liegt, dass die Brücke nach Wickelitz gesperrt ist, wissen Sie?»

«Ja, ist mir bestens bekannt», knurre ich.

«Wenn die nächste Woche repariert ist, dann wird das wieder deutlich mehr.»

Er registriert unsere alarmierten Blicke und beschwichtigt:

«So viel wie in der Stadt natürlich nicht. Aber ist halt doch 'ne Landstraße, an der Sie da wohnen. Sie sollten sich mal lieber an Verkehr gewöhnen, weil im Herbst, da kommt es dann ganz dicke. Bis jetzt geht ja der Hauptverkehr vom ganzen Südostgebiet» – er macht eine ausschweifende Bewegung über den halben Erdenkreis –, «also Schönemark, Molchow, Königshorst, Gnewikow und so weiter, von der ganzen Gegend eben, nach Berlin rein, das geht alles noch da, hinter dem Wald» – Geste über das Dorf hinweg – «über die L30 und dann in die B152. Aber da ist ein unbewachter Bahnübergang. Und da gab es letztes Jahr zwei schlimme Unfälle. Der Übergang wird jetzt dichtgemacht. Und danach muss der Verkehr durch Amerika zur Bundesstraße. Weil, da ist ja 'ne Bahnschranke, da kann nichts passieren.»

Nein, nicht das auch noch!

«Wie viel Verkehr, schätzen Sie, wird denn das sein?» Eigentlich will ich es gar nicht wissen, ich hab schon genug Hiobsbotschaften bekommen. Aber schon knallt er mir die Fakten hin:

«So vier- bis fünftausend Fahrzeuge pro Tag. Und das muss ich gar nicht schätzen, die haben 'ne Studie gemacht. Vier- bis fünftausend am Tag. Ist Fakt.» Erwartungsvoll blickt er mich an.

Ich bin nur noch geschockt. Die Ortsnamen sagen mir gar nichts, aber die Zahl, diese gigantische Blechlawine! Ich werde zum Schnellrechner: Von morgens sechs bis abends sechs sind zwölf Stunden, nehmen wir der Einfachheit halber 4800 Autos, sind pro Stunde 400 Autos, pro Minute also rund ... sagen wir etwas mehr als sechs, also alle zehn Sekunden geht mein innerer Alarm! Das werde ich nicht ertragen, nein, dafür wohnt man nicht auf dem Bauernhof am Lande, das mach ich nicht mit!

«Aber, da muss man doch was dagegen tun können!», rufe ich entsetzt.

«Haben wir versucht. Haben 'ne Eingabe gemacht beim Bürgeramt in Schmachthagen. Abgelehnt. Das kommt.»

Nein, das kommt nicht, sage ich mir. Ich werde eine Bürgerinitiative gründen, ich werde in den Zeitungen schreiben, ich werde Sitzblockaden organisieren, ich werde mich selber auf den Asphalt nageln, ich werde ... Ach, uns wird schon was einfallen, aber diese Blechkarawane wird nicht an meinem, MEINEM Haus auf dem Land (auf dem Land, ha!) vorbeidonnern. Das schwöre ich.

«Bis Herbst ist noch lang. Da wird sicher was möglich sein», versuche ich entschlossen zu klingen.

Die tapfere Sonja stimmt in den Zweckoptimismus ein:

«Das werden wir erst noch sehen, dass die so viele Autos durch ein Dorf lotsen, statt den gefährlichen Übergang einfach auch mit einer Schranke zu sichern. Das wäre ja absurd.»

Hurra! Sonja hat recht, den anderen Übergang sicher machen, klar, das ist die Lösung. Ich fasse Mut. Alles andere wäre ja wirklich absurd! Aber Müsebeck legt die Stirn in Falten, macht runde Augen, schüttelt den Kopf und seufzt. Das Bildnis eines leidgeprüften Mannes, der sich nur zu gut auskennt in Absurdistan.

«Na, wenn Sie meinen, viel Glück», sagt er.

«Noch ein Käffchen?» Sonja hat sich großartig im Griff.

«Nee.» Unser Gast schweigt. Lässt wirken. Scheint in Gedanken versunken. Plötzlich, als erinnerte er sich, dass er in Gesellschaft unter dem Kirschbaum sitzt, fragt er:

«Was haben Sie denn angebaut auf Ihrem schönen Hof in der Schweiz?»

«Also, das war nur ein Resthof mit ganz wenig Land», beeile ich mich, sein Bild zurechtzurücken. «Sehr hügelig, da konnten wir nur die Tiere weiden lassen und ein wenig Heu für den Winter einbringen.»

«Und hier wollen Sie das auch so machen, so hobbymäßig, nehme ich mal an?»

«Na ja, wir werden sehen», sage ich, «wir wollen es langsam angehen. Erst mal schauen, wie wir das mit unseren Berufen und mit der Arbeit hier am Hof hinkriegen. Einer hätte immer hier zu sein, das müssten wir alles erst organisieren, aber langfristig, wenn alles gut läuft, könnte das wieder ein aktiver kleiner Bauernhof werden, schon, doch.»

«Wär ja toll», lautet sein Kommentar. Ich kann keinen Spott heraushören, aber auch keine Zustimmung. Sehr neutral, sein «wär ja toll». Da schlummert ein echtes diplomatisches Talent, ein Meister des Sich-bedeckt-Haltens. Der ist sicher ein guter Verhandler, denke ich, wer mit Müsebeck Geschäfte macht, muss sich warm anziehen.

«Und in welche Richtung würde das dann, wenn alles gut läuft, so gehen?», bohrt Müsebeck nach. «Grünland? Acker? Gemüse? Bio?»

«Wie gesagt, Herr Müsebeck, das ist alles noch völlig unausgegoren, aber wenn wir was machen, ja, wenn, dann schon Bio natürlich.»

«Ach», stöhnt er, als würden seine schlimmsten Befürchtungen wahr, «das mit diesem Bio, das funktioniert doch hier nicht. Da dürfen Sie ja nicht mal richtig düngen! Jetzt gucken Sie sich doch die Böden mal an: die reinste Sandbüchse. Wenn Sie da nicht ordentlich Dünger draufschmeißen, wächst doch nix. Und das wenige frisst ihnen das Ungeziefer weg. Sind ja total karg, die Böden, ‹Brandenburger Streudose›, noch nie gehört? Heißt so, weil das hier der reine Sand ist. Ohne ordentliche Stickstoffdüngung können Sie bei uns vielleicht Strandkörbe vermieten, aber kein Grünzeug anbauen.»

Wir könnten einwenden, dass seine Methode die Böden immer weiter auslaugt. Dass wir das genaue Gegenteil wollen. Dass wir vorhaben, über Jahre hinweg die Humusschicht mit naturnahem Wirtschaften wiederaufzubauen. Dass wir den Ertrag nicht kurzfristig messen, sondern auf Nachhaltigkeit setzen, um dann langfristig auch auf unseren Ertrag zu kommen.

Aber ich habe keine Lust auf eine Grundsatzdiskussion, schon gar nicht mit einem Mann, der die hiesigen Böden im Gegensatz zu mir sehr gut kennt. Und was er über diese Böden sagt, das beunruhigt mich doch, Bio hin, konventionell her. Ich habe ja vorhin selbst gesehen, wie furchtbar die Wiesen unter der Trockenheit leiden. Und wenn der Boden wirklich so sandig ist, kann er, wenn der ersehnte Regen denn endlich kommt, keine Feuchtigkeit speichern, um die nächste Trockenphase zu überstehen. Die «Streudose» … auweia. Was nützt es, doppelt so viel Land zu haben wie in der Schweiz, wenn es nur einen Bruchteil davon abwirft?

«Na, wir werden ja sehen», werfe ich mit gespielter Leichtigkeit hin. «Mittelfristig müssen wir uns vielleicht ein wenig vergrößern. Also wenn Sie hören sollten, dass jemand Land zu verkaufen oder zu verpachten hat, wir wären möglicherweise interessiert.» Vielleicht trägt er sich ja selbst mit dem Gedanken, den einen oder anderen Fleck zu veräußern, wer weiß? Wäre doch ein guter Anfang, gleich am ersten Tag zu wissen, bei wem wir, falls mehr Land ...

«Das schminken Sie sich am besten gleich ab», zerschmettert Müsebeck jäh meine Hoffnung. «Hier verkauft keiner, da gibt es gar nichts. Keine Chance.» Er sagt «Schangse».

Der taktiert doch nur, will herausfinden, wie viel wir denn überhaupt bereit wären zu zahlen, überlege ich. Aber Müsebeck kann ja Gedanken lesen.

«Ist keine Taktik jetzt von mir, wirklich, können Sie gerne jeden fragen, hier gibt's kein Land. Der Raubritter, äh, ich meine der Wessi-Banker, der sich das Schloss untern Nagel gerissen hat für 'n Butterbrot und 'n Ei, der will da ja Trakehner züchten und sucht auch verzweifelt Land für seine Gäule. Der weint hier doch alle an wegen Land, seit Jahren. Der würde jeden Preis zahlen, wenn er nur 'n paar Hektar kriegen könnte. Aber er kriegt nix, gar nix. Weil da nix ist. Muss er mit leben.» Müsebeck hebt bedauernd die Arme und wirft mit seinen Händen imaginären Sand hinter sich.

Gleichzeitig wirft jemand eine riesenhafte Baumaschine an. Eine Pfahlramme gigantischen Ausmaßes. Dumpf und schwer, in schneller Folge dröhnen die Hammerschläge in dicken Schallbündeln über den Hof und das Dorf hinweg. Wumm, wumm, wumm, wumm. Der Rhythmus erinnert an einen monströsen Stahlriesen, der im Laufschritt auf uns zudonnert.

«Die Techno-Party ist angelaufen», lautet Müsebecks trockener Kommentar. Er hebt die Stimme nur ganz leicht. «Denn will ich mal weiter. Danke für den Kaffee. Ach so ja, das Heu! Das mach ich Ihnen. Wir pressen es in kleine Bündel und schmeißen sie gleich auf Ihren Heuboden überm Stall. Gut?»

«Ja gern», rufe ich über das Gewummere. Ich registriere, dass die Hunde die Schwänze einziehen und unter dem lächerlichen Tischchen Zuflucht suchen. «Äh, wie regeln wir das finanziell, Herr Müsebeck?»

«Machen Sie sich mal keinen Kopf, da werden wir uns schon einig», winkt er ab. «Also denn, schönen Abend noch», und im Gehen an die Hunde gewandt: «Ihr gewöhnt euch schon, ihr gewöhnt euch.» Fast ist er wieder hinter der Hausecke verschwunden, als er sich noch einmal umdreht, an sein Hütchen tippt und im Verschwinden ruft: «Herzlich willkommen in Amerika!»

Er schafft es, das wirklich herzlich klingen zu lassen und kein bisschen ironisch.

Opfer und Täter

Sonja und ich tragen das Geschirr unseres Kaffeekränzchens ins Haus. Der 24/48-Stunden-Marathon des stählernen Riesen ist selbst in der Küche bestens präsent. Im Augenblick rennt der Techno-Roboter allerdings nicht, es hört sich eher an, als würde er auf einer heißen Herdplatte stehen und sich die Sensoren an den Metallfüßen durchschmoren lassen: Zchzchchchch ... Prock ... Zchzchchchch ... Prock ... Zchzchchchch ... Prock ...

Während wir in der lächerlichen Designer-Minispüle die Tassen waschen, lassen wir ergeben die quälenden Misstöne des malträtierten Soundmonsters über uns ergehen. Ohne Worte. Als wir fertig sind, zieht Sonja den Abflussstöpsel und fragt:

«Was nun?»

«Was meinst du damit? Was tun wir *jetzt*, oder meinst du: Wie tun wir generell weiter?»

«Generell.» Sie lehnt sich gegen die Spüle und verschränkt die Arme.

«Also», sage ich und setze mich auf das Designer-Glas-Ceranfeld neben ihr, «generell weiß ich im Moment nicht. Wir siedeln uns gerade in einer Streudose an, in der nicht genug wächst, kriegen auch keine zusätzlichen Sandflächen zu kaufen, wohnen an einer Straße, die den Verkehr zwischen halb Brandenburg und Berlin wird schlucken müssen, über uns startende und landende Flugzeuge und am Wochenende Techno-Party oder die Festivitäten des sogenannten Gemeindehauses. Und, damit es nicht langweilig wird, die nächtlichen Hubschrauberflüge des Bundesgrenzschutzes. Also ...»

«Also?», fragt Sonja, um sich gleich selber zu antworten: «... hab ich es verbockt! Zurück auf Los. Oder nicht?»

«Zurück? Wie, wohin, mit welchem Geld?»

Sie zuckt mit den Schultern. Ich bin genauso ratlos, starre auf meine nackten Füße, die über dem blutrot-weiß gekachelten Küchenboden baumeln.

«Wie war das mit den kleinen Schritten und dem Fremden? Was hast du da gestern gleich nochmal erzählt?», fragt sie, als versuche sie, sich an ein längst vergangenes Märchen zu erinnern.

«Du meinst das mit dem Fremden und dass wir es uns in kleinen Schritten zu eigen machen werden? Na ja, eigentlich gilt das doch immer noch.» Ich hebe den Kopf und sehe sie an. «Was ist denn passiert? Gut, dieser Lärm nervt jetzt wirklich. Aber sonst? Müsebeck hat uns ein paar Dinge erzählt, das ist alles.»

«Ja, Dinge, die uns enttäuschen. Wir sind enttäuscht.»

«Zugegeben.»

«Also?» Sie lässt nicht locker.

«Na, ist ja nicht das erste Mal, dass wir enttäuscht werden. Und im Rückblick hat es doch immer auch was gebracht.»

«Du erinnerst dich, wie wir dann immer sagten: Ent-Täuschung ist das Ende der Täuschung, nicht wahr?»

«Ja. Und wer keiner Täuschung mehr aufsitzt, gewinnt klare Sicht auf die Dinge.»

«Richtig. Und was hat uns in der Schweiz am meisten zu schaffen gemacht?»

«Ich ahne, worauf du hinauswillst, mein Sonja-Tierchen! In der Schweiz machte uns am meisten zu schaffen, dass alle Angst haben, die anderen zu enttäuschen, und dass daher niemand zum ‹Ende der Täuschung› kommt und alles im Nebel der Täuschungen bleibt, in dem sich dann erst recht ganz trefflich täuschen lässt.»

«Genau darauf will ich hinaus, mein lieber Maaaaaan. Du wolltest nach Berlin, weil, wie du sagtest, die Preußen so wunderbar klar seien. Nun, Müsebeck ist Preuße, und er hat uns ganz klaren, reinen Wein eingeschenkt.»

«Du meinst, also ist klar, dass wir hierbleiben werden und die Dinge ... ja, was denn? Wenn es ganz klar scheiße ist hier, müssten wir doch die Beine in die Hand nehmen und rennen?»

«Das wäre eine Möglichkeit», gibt Sonja zu. «Die funktioniert aber in unserem echten Leben ganz klar nicht. Wie, wohin, mit welchem Geld, deine sehr richtigen Worte. Also?»

«Also?» Ich bin wirklich gespannt auf die Lösung des Rätsels.

«Also werden wir die Rolle der enttäuschten Opfer, die wegrennen, *nicht* spielen, sondern uns in Täter mit klarem Ziel verwandeln, die sich hier festbeißen und nie mehr loslassen.» Ihr Ton ist sehr entschlossen, fast feierlich. Mit einer blitzschnellen Bewegung dreht sie den Einschaltknopf der Herdplatte voll auf und ruft: «Wir müssen den Arsch hochkriegen!»

Unter dem meinigen beginnt das Ceranfeld bedrohlich zu brummen.

«He!» Ich springe runter und baue mich vor ihr auf. «Was konkret tun wir, jetzt, wo der Arsch hoch ist? Zum Beispiel mit dem hier?» Ich mache ein paar persiflierende Bewegungen im Rhythmus des Techno-Roboters.

«Wir reden mit dem Mann, dem die Wiese gehört.» Sie dreht den

Knopf wieder auf null. «Er wohnt schließlich auch hier, den nervt der Lärm doch genauso wie dich und mich! Wir finden mit ihm eine andere Möglichkeit, mit seiner Fläche ein wenig Geld dazuzuverdienen. Vielleicht organisieren wir ein Freiluft-Klassikfestival, was weiß ich.»

«Oder das ‹Internationale Pantomimen-Treffen›, das wäre ziemlich still», werfe ich ein. «Und der Fluglärm?»

«Den hören wir uns erst mal an. Wenn das nur ein paar kleine Sportfliegerchen sind ... Vielleicht wirst du ja zum Mitlärmer und beginnst selber wieder mit der Fliegerei. Du wärst einer der ganz wenigen privilegierten Piloten, die nach der Landung zu Fuß nach Hause laufen können! Musst halt mit den Fliegern reden, ein paar Flugstunden nehmen, dich an einem Kleinflugzeug beteiligen, zum Beispiel.»

Erstaunlich, denke ich, wie der potenzielle Lärm gleich weniger bedrohlich scheint, wenn man sich als künftiger Mitverursacher fühlt. Interessant. Vom Opfer zum Täter – und schon fühlst du dich besser.

«Und was ist mit dem Land, das es nicht zu kaufen gibt?», stelle ich Sonjas Tatendrang auf die Probe. Sie ist um eine Antwort nicht verlegen:

«Müsebeck ist Bauer, der lebt vom Land. Da wird er uns doch nicht auf die Nase binden, wer Land zu verkaufen hat. Landkäufe sind eine heikle Sache. Wenn dieser Wessi-Banker nur mit der Kohle winkt und meint, es regnet Angebote, ist er offensichtlich auf dem Holzweg. Das läuft anders, das weißt du. Erinnere dich an die Bauern-Nachbarn in der Schweiz. Der Jakob hätte sich doch eher den Fuß ausgerissen, bevor er dem Egli sein Land verkauft hätte. Und Heiri hat er es dann zu einem sehr fairen Preis überlassen.»

«Du könntest recht haben.»

«Das passt doch nicht zusammen, was Müsebeck erzählt. Einerseits soll es kein Land geben, andererseits vermietet ein ehemaliger Bauer sein Land an die Technos, weil er es nicht mehr bestellen kann. Wenn er's nicht bestellen kann, was soll er damit? Vielleicht wartet er einfach, bis einer kommt, der ihm gefällt, der der Richtige ist und an den er es mit gutem Gefühl verpachten oder verkaufen kann!»

«So jemand wie wir, meinst du?»

«Und warum nicht wie wir!»

Sonjas Hände sind längst nicht mehr unter den verschränkten Armen gefangen, sie haben sich befreit und unterstreichen kraftvoll gestikulierend ihre Sätze. Sie hat sich von der Spüle gelöst und steht frei im Raum, wie eine das ganze Parlament mitreißende römische Senatorin. (Ich weiß, es gab keine römischen Senatorinnen, aber hätte Sonja im alten Rom gelebt, es hätte sie gegeben, da können Sie Gift drauf nehmen!)

«Danke, mein Schatz.» Ich nehme sie in die Arme. «Ich weiß, was du meinst. Nicht jammern, wie schlimm alles ist, sondern was machen, damit es *nicht* mehr schlimm ist.»

Sie drückt sich ganz fest an mich und sagt neben meinem Ohr:

«Also, tun wir's einfach.»

Bin ich nicht mit dem großartigsten Weib auf diesem Planeten gesegnet?

Land in Sicht

Die Sonne steht schon zwei Handbreit über dem Horizont. Blaue Stunde. Die Hitze hat nachgelassen, ein sanfter Sommerwind animiert die Blätter in den Bäumen unseres Gartens zu einem leise raschelnden Abendgetuschel. Die Grillen heben zu ihrer exotischen Sommerserenade an. Am Himmel kreist ein Falke und ruft mit durchdringendem Schrei nach seiner Brutpartnerin. Schwalben zischen in atemberaubender Akrobatik knapp über das Gras, stürzen aufwärts in den meeresblauen Himmel, folgen in wilden Manövern der Choreographie, welche die Schwärme der Insekten vorgeben. Ihre spitzen Freudenpfiffe zerschneiden die güldene Luft.

Diese Informationen übermitteln die AUGEN dem Hirn. Empfehlung ans Hirn: Körper ins Gras legen lassen, in den Himmel starren, Glückshormone ausschütten. Im Hirn aber herrscht große Irritation, denn die OHREN rapportieren ein ganz anderes Szenario:

Ein riesiger Raum. Keine Pflanzen, kein Tier, kein Himmel. Keller oder Fabrikhalle. Monströse Maschinen, die nichts produzieren als Lärmschmerz. Menschenmassen, eingepfercht. Gestalten, sinnlos zuckend im Bann der Hammerschläge, nicht vom Fleck kommend. Panzerketten zermalmen Schädel, Stahlpressen zerquetschen Gedärme, riesige Fleischwölfe saugen gierig Körper in ihre grässlichen Trichter der Vernichtung. Tonnenschwere Ankerketten peitschen durch den Raum, krachen an stählerne Wände, federn wieder von ihnen weg wie Riesenschlangen. Alles, was sich in Reichweite dieser schrecklichen Tentakel befindet, zerplatzt, explodiert in ihrer durchschlagenden Wucht. Willkürlich plärrende Alarmsirenen verstummen, kreischen erneut. Wem gilt der Alarm? Allem! Wo ist die Gefahr? Überall!

Dringende Empfehlung von Ohren an Hirn: Sofort alle verfügbaren Adrenalinschleusen öffnen, Körper auf Fluchtmodus hochfahren!

Das Hirn fragt die Nase und kriegt die Meldung: Die Augen haben recht, Gras duftet, Luft ist sauber. Die Nachfrage an die Nerven ergibt: Die Ohren haben recht. Brustkasten- und Bauchdecken-Sensoren melden aufprallende Schallwellen, wir liegen blank und sind auf Alarmfrequenz.

Da schaltet sich der Verstand ein: Beide haben recht – Sommerabend in Amerika mit Techno-Party am Flugplatz. Empfehlung: Nicht fliehen, Nerven beruhigen, Ohren ausblenden, Augen aufsperren.

Sonja und ich haben beschlossen, dem Techno-Monster in seine Fratze zu schauen. Wenn wir es schon hören müssen, dann wollen wir es auch sehen. Wir folgen dem staubigen Feldweg in Richtung einer Hecke, hinter welcher das Ende der Flugpiste liegen müsste. Die Hecke erweist sich als schmaler Wald. Die Sennenhündinnen trotten hinter uns her. Auch sie empfinden den Widerspruch zwischen den neuen, interessanten Gerüchen in diesem noch zu erobernden Revier und der stressigen Lärmkulisse.

Linker Hand türmt sich ein dicht mit Pflanzen überwucherter

Erdhügel. Momo und Zora erstürmen ihn, durchschnüffeln die grüne Wildnis. Ich denke, das wird doch kein aufgeschütteter alter Müllberg sein? Was zum Henker interessiert die Hunde denn da so sehr? Beide haben an verschiedenen Stellen des grünen Kegels etwas Hochinteressantes entdeckt. Sie graben ihre dicken Schnauzen in den Bewuchs, stoßen hinein wie Trüffelschweine, ganz aufgeregt. Das muss ich mir näher ansehen. Ich pflüge mich durch den Miniaturwald, steige hinauf zu Momo und entdecke ein etwa 40 Zentimeter großes Loch, das leicht abwärtsgerichtet in den Hügel führt. Ganz eindeutig der Eingang eines Fuchsbaus. Jetzt verstehe ich die Aufregung.

Momo hat in der Schweiz einmal einen toten Fuchswelpen gefunden. Sie trug ihn sorgfältig in ihrem Fang zu mir, legte ihn sanft vor meine Füße und schaute mich erwartungsvoll an. Ich untersuchte das junge Tierchen, aber es war bereits kalt. Momo leckte es ab wie eine Hundemutter ihren eigenen Nachwuchs. Wollte gar nicht mehr weg von dem Platz. Als ich sie aufforderte mitzukommen, trug sie das tote Fellbündel vorsichtig einige Meter weiter, legte es wieder hin und versuchte, es abermals leckend zum Leben zu erwecken. Sie gab erst Ruhe, als ich es aufhob und mitnahm. Schlagartig war ihr Interesse erloschen. Sie wusste, ich hatte das Fuchsbaby «adoptiert», und damit war sie ihre Sorge los.

Seither fällt sie in wahre Begeisterungstaumel, wenn sie junge Füchse riecht. In dieser Höhle ist bestimmt ein frischer Wurf zu Hause. Ich entdecke mit Hilfe der Hunde sicher ein halbes Dutzend Eingänge, der ganze Hügel scheint ein einziger Fuchsbau zu sein. Wo Füchse sind, ist auch Beute, wo Beute lebt, ist die Natur intakt, denke ich. Also: Die Sandbüchse lebt!

Wir gehen weiter in das Waldband hinein – und ich traue meinen Augen nicht. Uns entgegen kommt, völlig selbstvergessen vor sich hin träumend, ein riesiger Dachs. Ein wunderschönes Prachtexemplar. Er bemerkt uns erst, als wir ihm sozusagen gegenüberstehen. Er erstarrt. Ist mindestens so perplex wie die Menschen und Hunde, die ihm den Weg versperren. Es dauert bestimmt fünf Sekunden, bis er begreift. Dann, in einer einzigen, blitzschnellen Bewegung, katapultiert er sich rechts ins Gebüsch ... und ist weg. Wie eine Erscheinung. Als ob es ihn nicht gegeben hätte. Aber er ist uns ganz real begegnet, denn jetzt kapieren auch die Hunde, wollen ihm nach. Ich pfeife sie zurück.

«Sonja, noch nie habe ich einen Dachs in freier Wildbahn gesehen!» Ich bin begeistert. Eine mir selber unerklärliche Euphorie erfasst mich. Irgendwo habe ich gelesen, dass Dachse in Japan das Symbol für Gaststätten seien. Und nun läuft uns so ein prächtiger Meister Grimbart vor die Füße. Ist es ein Zeichen der Natur, uns hier auf ihre eigene Art willkommen zu heißen? Egal, ein schönes Erlebnis, so oder so.

«Hör mal», sagt Sonja.

«Was denn?»

«Der Lärm ist doch wesentlich leiser als vorhin. Oder hab ich mich nur an ihn gewöhnt?»

«Stimmt, mir kommt es auch viel leiser vor. Wahrscheinlich ist das Laub der Bäume doch ein besserer Schallschlucker, als man vermuten würde.»

Und dann geschieht ein Wunder, wir erhalten ein Geschenk, das uns fassungslos macht: Stille. Stille? Nicht ganz, Mückengesumm ist zu hören, Zikaden, die Hunde hecheln. Also kein Gehörsturz, sondern ... die Musik hat ausgesetzt. Alle vier sind wir in der Bewegung erstarrt und warten voller Spannung, dass sie wieder einsetzt. Aber die Stille hält an. Dann Gejohle und Gepfeife von vielen Menschen. Es kling sehr, sehr weit weg.

«Meine Damen und Herren, wir haben ein kleines technisches Problem. Es tut uns leid, aber die Party ist vorbei, wir bitten Sie höflich, sich wieder in Ihre Stadt zu verpissen, wünschen Ihnen eine gesegnete Nacht und hoffen, Sie kommen nie wieder!», kommentiere ich.

Sonja lacht. «Ist das nicht wie im Märchen? Mein lieber Maaaaan.» Wir klatschen uns ab und fühlen uns wie die Eroberer einer Galaxie.

Als wir auf das freie Feld treten, wähnen wir uns im Paradies: unberührtes Land, so weit das Auge reicht. Kniehoch das Wildgras, verstreut darauf uralte knorrige Lärchen. Wilde Brombeerbüsche, Wildrosengestrüpp, verwilderte Apfel-, Birn- und Kirschbäume. In weiter Ferne, winzig, ein Kirchturm. Der Himmel ist jetzt mit feingepinselten Federwölkchen verziert, die vor dem Azurblau der Unendlichkeit in leuchtendem Gelb-Orange brennen. Die Weite der offenen Szenerie hat etwas Majestätisches. Etwas Reiches, Sattes und unendlich Friedliches.

«Sonja, wenn wir einmal solches Land bewirtschaften könnten, hier, hinter der Hecke, Sonja, dann ... wow!», entfährt es mir.

«Wir werden nicht solches Land bewirtschaften, Dieter», sagt sie ernst, «nicht *solches*, sondern dieses, genau dieses Land hier!»

Sie schaut über die Flächen. Ihre großen blauen Augen funkeln. «Wirst schon sehen», sagt sie, und dann lächelt sie mich an. «Der Dachs hat es mir eingeflüstert. Es wird so sein!»

«Abgemacht», sage ich.

Vielleicht sind wir einfach mit den Nerven runter, vielleicht ist alles zu viel gewesen in den letzten 36 Stunden, vielleicht hat uns der Techno-Lärm die Birne weich gekocht – ich weiß es nicht. Kann auch sein, dass das Land uns verzaubert hat oder wir Gott gesehen haben in Gestalt eines Dachses. Jedenfalls sind wir glücklich in diesem Moment. Einfach, restlos, vorbehaltlos und rein: glücklich. Wir folgen Hand in Hand dem Wiesenweg, der uns in zwei gedehnten, weiten Bögen in das offene Land hineinführt.

Und dann liegt sie vor uns. Die Startbahn. Mächtig, mindestens 50 Meter breit, sich perspektivisch am Horizont auf einen Kirchturm zu verengend. Das Bild ist von solcher Absurdität, dass es uns den Atem verschlägt. Mitten in dieser Weite aus unberührter, wild lebendiger Natur dieses gigantische, betonplattengekachelte Band. Die weißen, unterbrochenen Streifen der Mittellinie wie ein sinnentleertes Morse-Gedicht sich in der Ferne verlierend.

Statuen gleich, Frau und Mann, links und rechts von uns jeweils ein Hund, stehen wir aufgereiht am Ende oder Anfang dieses ausrangierten Symbols des Kalten Krieges. Hier sind sie also losgeflogen, die hochentwickelten Wunderwerke des Krieges, Tod und Verderben mit sich führend. Wie viel Aufwand, wie viel Geld, wie viel Wissen und Können, wie viel Wollen und Müssen wurde hier investiert! Für das Ende der Welt. Für das Nichts. Verschwendet. Verlassen und verwaist jetzt. Die Natur bricht sich ihren Weg, holt sich zurück, was ihr entrissen wurde, frisst sich die Ränder entlang mit Flechten, Moos und Gras in die Piste hinein, sprengt die Betonplatten, die den Tod getragen haben, mit der unbesiegbaren Macht beharrlichen Lebens.

«Schwerter zu Pflugscharen», sagt Sonja leise.

«Das gibt so unglaublich viel Zuversicht», antworte ich. «Weil es aussieht, als sei die Natur unzerstörbar.»

«Ist sie auch. Wir ruinieren zwar unseren Lebensraum, wenn wir so weitermachen, dann haben wir's eben vergeigt. Aber die Natur, die gibt es auch nach uns noch, die braucht keine Menschheit.»

«Stimmt, Mama Natur ist ja die Jahrmillionen vor dem Homo sapiens auch ganz gut klargekommen.»

«Ich hab jetzt gar keine Lust mehr, Homo sapiens im Techno-Look zu begutachten», wechselt Sonja wieder ins Hier und Jetzt.

«Selbst wenn, Sonja, ich hab die Party doch gerade abmoderiert. Da gibt es nichts mehr zu sehen.»

Auf dem Rückweg nehmen wir die Abkürzung über unsere Koppel. Und sind im Wilden Westen: Die Pferde traben mit wehenden Mähnen vor dem brennenden Himmel, die Esel ziehen ihr gewohntes Abendprogramm ab, bestehend aus wilden Galoppjagden und spielerischen Show-Kampfeinlagen. Sie sind angekommen in ihrem neuen Zuhause. Und hinter dieser Szene unbändiger Lebensfreude versinkt die Sonne als riesiger dunkelroter Feuerball am durch nichts verstellten Horizont. Vergiss Hollywood, in Sachen pathetischer Kitsch schlägt das echte Leben jede Technicolor-Großleinwand.

Federvieh

Filmriss. Die Enten! Die hätte ich fast vergessen, die müssen in den Stall. Keine Zeit zum Träumen, ich weiß ja jetzt, der Fuchsbau liegt verdammt nahe am Hof! Ich laufe zum original Moor-Art-Entenstall, kann gut sein, dass sie schon selber reingegangen sind. Zumindest werden sie in dessen Nähe warten, bis mein «Gang äntli hei, Äntli» erklingt.

Aha, vor dem Verschlag sind sie nicht. Also schon drin. Sicherheitshalber luge ich durch die Öffnung. Dunkel. Vorsichtig taste ich hinein. Ich bin sicher, gleich werde ich das aufgeregte «Gmää, gmää, gmää» hören, weil ich sie störe. Nichts. Verdammt. Ich taste weiter mit der Hand den Strohboden ab, obwohl ich schon weiß: Da ist keine einzige Ente ...

Wir haben sie uns damals auf dem Berghof angeschafft, weil wir der Nacktschneckenplage im Garten nicht mehr Herr wurden. Sämtliche Großmuttertricks zur Schneckenvernichtung fanden wir abscheulich. Weder das Ersäufen in mit Bier gefüllten Joghurtbechern noch das Zerschneiden mit Schere oder Messer oder andere, ähnlich barbarische Methoden kamen in Frage und Schneckengift schon gar nicht. Aber den Salat wollten wir dennoch lieber selbst essen.

Den rettenden Tipp gab uns eine Nachbarsbäuerin: «Schafft euch doch Enten an!» Sonjas Einwand, dass Enten ja ebenfalls gerne Salat fräßen und man den dann gleich den Schnecken überlassen könne, wischte die alte Frau weg. «Ihr müsst indische Laufenten nehmen. Die gehen nicht an die Pflanzen, die fressen nur Gras und Schnecken. Aber Achtung: Niemals Salat füttern, sonst kommen sie auf den Geschmack, und dann natürlich ...»

Wir beschlossen, es zu versuchen. Nicht, ohne dass Sonja angedroht hatte, den Tieren eigenhändig den Hals umzudrehen, wenn sie es wagten, sich an ihren mühsam selbstgezogenen Pflänzchen zu vergreifen. Die Enten würden unsere ersten Nutztiere sein. Bis dahin hatten wir mit Pferd, Esel, Katz und Hund nur Liebhabtiere. Da ich zum – meiner damaligen Meinung nach – dummen Federvieh keinen besonders innigen Draht hatte, war die Vorstellung, ab und zu eine Ente zu schlachten und sie in Form eines knusprigen Bratens zu verspeisen, für mich überhaupt kein Problem. Nutztiere eben.

Zu meinem Erstaunen fand ich nur mit Mühe einen Laufentenzüchter. Wenn das solche Wunderwaffen gegen Schnecken sind, müsste doch jeder Gartenbesitzer welche haben! Noch dazu, wenn diese spezielle Entenart nicht mal einen Teich braucht, weil sie Wasser gar nicht mag, wie mir der Mann am Telefon versichert hatte. Und richtig, seine Laufenten tummelten sich in einem Gehege ohne Wasserfläche auf nackter Erde, genau wie Hühner. Ich nahm ein Pärchen mit. Wir zogen einen niedrigen Maschendrahtzaun vom Stall über ein kleines Stück Rasen und rund um den Teich. Sie würden zwar nicht darin schwimmen wollen, wie ich ja gelernt hatte, aber ich vermutete, dass der feuchte Uferbereich das Hauptbrutparadies der Schnecken sei.

Wir setzten das Transportkistchen mit den Laufenten ab, öffneten den Deckel und zogen uns zurück. Vorsichtig reckten die Tiere ihre Hälse über die Kistenwand – wie zwei gefiederte Periskope, die aus einem hölzernen U-Boot ausgefahren werden. Sie scannten die Umgebung in alle Richtungen. Plötzlich explodierte das U-Boot und spie eine Ladung Gefieder aus seinem Inneren senkrecht nach oben. Wildes Geflatter, unsanfte Landung, und dann machten die Laufenten ihrem Namen alle Ehre: In irrwitzigem Tempo rasten sie Richtung Teich, sprangen vom Ufer ab, schnellten, vom eigenen Schwung getragen, über die Wasseroberfläche, schlugen wild mit ihren Flügeln, sich selbst in einen kleinen Tornado aus Gischt hüllend, tauchten, schwammen. Ich weiß nicht, wie viel Glück in so eine Ente reinpasst, aber die hier liefen Gefahr, vor Glück zu platzen. Sie schrien vor Freude. Ein nasales, langgezogenes Quäken, einem Kazoo nicht unähnlich. «Gmääää, gmääää, gmäää, gmäääää». So viel zum Thema «Laufenten mögen kein Wasser»!

Der Mensch ist ein unverbesserlich ignorantes Tier. Er redet sich erfolgreich ein, dass die Mitwesen dieser Erde es eh genau so wollen, wie es ihm, dem Menschen, am bequemsten ist. Er vertauscht konsequent seine Wunschvorstellung mit den Bedürfnissen der Tiere.

Es wäre praktisch, wenn es Enten gäbe, die keinen Teich brauchen, darum mögen Laufenten kein Wasser.

Es ist viel einfacher, Kühe drinnen zu melken, darum sind sie lieber im muffigen, fliegenverseuchten Stall als draußen auf der offenen Weide. Genauso, wie Hühner viel lieber in einem Käfig mit einer Fläche von nicht mal einem A4-Blatt hocken, ohne auch nur die Flügel ausbreiten zu können, als draußen im Gras nach Würmern zu suchen.

Weil man den Hund nicht ins Büro mitnehmen darf, ist es dem Hund total lieb, den ganzen Tag alleine in der Stadtwohnung vor sich hin zu vegetieren. Praktischerweise hat er nämlich überhaupt kein Zeitgefühl.

Schweine auf der Weide zu halten ist sehr aufwändig. Darum fügt es sich prächtig, dass Schweine Schweine sind und sich gerne in engen Koben in den eigenen Fäkalien suhlen und dass sie es auch lieben, gefesselt in der Sauenbox auf einem Stahlrohrrost zu liegen.

Ein Pferd vor dem Ausritt auf der offenen Koppel einzufangen funktioniert nur, wenn das Pferd dem Reiter vertraut. Vertrauen aufzubauen kostet leider eine Menge Zeit, und wer hat die schon? Da ist es doch nett von den Pferden, dass sie sich in der engen Box, in Einzelhaft, viel kuscheliger fühlen und sich immer so toll freuen, wenn der Reiterherr oder die Reiterdame sich alle paar Wochenenden die Ehre gibt, aufsitzen zu wollen.

Kaninchen haben die blöde Angewohnheit, sich unter jeder Umzäunung durchzugraben. Wie gut, dass sie solche Angsthasen sind, dass sie sich erst in der Enge des Karnickelstalls so richtig sicher fühlen.

Man kann spielend dickere Bücher als das, was Sie gerade in der Hand halten, mit ähnlichen Beispielen füllen. Ich kenne Einzelhundbesitzer, die allen Ernstes überzeugt sind, ihr Fido würde sich vor einem Gefährten nur fürchten oder ihr Hasso würde einen zweiten Hund sofort totbeißen. Ich kenne eine Stadtkatzenbesitzerin, die schwört, ihre Mieze würde nur auf Auslegeware gehen können, sich vor Gras fürchten und nach einer Konfrontation mit einer Maus sofort reif sein für den Tierpsychologen. Selbst meine Eltern versicherten mir, Zirkustiere hätten großen Spaß an den Dressurakten und würden ganz stolz sein, wenn das Publikum applaudiert. Und jeder Zoobesucher redet sich ein, dass die eingesperrten Tiere ein viel schöneres, weil sichereres Dasein fristen als ihre Artgenossen in der Wildnis.

Auch ich selbst musste mich kräftig an meine Tierfreundenase fassen. Die Enten hatte ich mir blöd geredet, ohne mich je mit ihnen befasst zu haben. Ich kannte sie ja nur im Vorübergehen, als Verzierung auf den Stadtparkweihern, als schwimmende Sozialpartner Altbrot werfender Rentner. Doch die Laufenten lehrten mich Respekt. Ich beobachtete, dass sie ein ausgeprägtes Sozialverhalten haben. Ihr Orientierungsvermögen ist beachtlich, sie merken sich im Umkreis von mehreren hundert Metern jede Stelle, an der sie jemals gutes Futter gefunden haben. Und sie verfügen über eine sehr differenzierte Sprache. Warnen, Flirten, Angst, Freude, Drohung, Orientierung, «Wo bist du», «Ich bin hier», «Komm schnell», «Geh weg» – all das können sie ausdrücken. Und sie können ihre Stimmen voneinander unterscheiden, wissen, welche Ente was sagt. Das ist keineswegs nur Gequake, das ist Kommunikation!

Ich war fasziniert. Das überstieg alles, was ich diesen Vögeln mit ihren erbsengroßen Hirnen zugetraut hätte. In der Rekordzeit von nicht mehr als 48 Stunden hatten sie gelernt, dass die Sennenhündinnen nicht gefährlich sind, Eselhufe aber schon, dass der Stall sicher ist und dass in den Salatbeeten die fettesten Schnecken hocken, und zwar besonders dann, wenn die Sonnenstrahlen im Winkel von 30 bis 60 Grad auf den Boden treffen.

Indem ich sie beobachtete, lernte ich, ihre Sprache zu verstehen, und versuchte, sie nachzuquaken. Es gelang mir sogar teilweise. So konnte ich sie zum Beispiel über weite Strecken zu mir rufen. «Zeit, nach Hause zu kommen, es wird dunkel», konnte ich akzentfrei auf Entisch. Ich habe jedoch nie herausgefunden, was «geht jetzt in den Stall, bitte» auf Entisch heißt. Und so taten sie mir den Gefallen und lernten ihrerseits Menschisch: den Satz «Gang äntli hei, Äntli».

Sie wuchsen mir unversehens ans Herz. Ans Herz … Vögel … mir, dem alten Vogel-Ignoranten, wer hätte das gedacht? Vor diesem Hintergrund überrascht es Sie wohl kaum, dass mein Herzschlag kurz aussetzt, als ich den leeren Entenbehelfsstall abtaste und feststelle: Sie sind weg.

WEG!

Ich rufe sie, natürlich auf Entisch. Keine Antwort. Ich rufe sie hinter dem Stall, rufe sie hinter der Scheune, rufe zu den Nachbargärten. Keine Antwort. Schlecht, sehr schlecht! Ich spähe über das hochstehende Gras der Heuwiese. Ob sie sich darin verirrt haben? Unmöglich, sie haben eingebaute Kompasse, ein Bio-GPS! Ich rufe sie wieder. Warum antworten sie nicht? Verflixt, es wird Zeit, die Nacht kommt. Ich versuche es sogar mit meinem «Gang äntli hei, Äntli». Nichts. Also wieder auf Entisch. Stille. Ich gehe den Rand der Heuwiese entlang. Da: eine kaum wahrnehmbare, sehr schmale Spur aus leicht niedergedrücktem Gras. Hier sind sie gegangen. Offenbar schön hintereinanderweg, im berühmten Entenmarsch. Langsam folge ich der Spur. Tief gebückt, um sie im aufkommenden Zwielicht nicht zu verlieren.

Und dann begreife ich mit Schrecken, wo sie sind!

Ich finde zwei winzige Daunenfederchen. Hier muss der Fuchs nachgefasst haben, beim Wegtragen der Beute. Ich suche weiter, finde eine kleine Kuhle im Gras. Hier hat er sein Zwischenlager gehabt. Der Fuchs jagt nämlich so: Er schleicht sich lautlos an die Beute heran. Geduldig wartet er auf den richtigen Augenblick. Erst wenn er absolut sicher weiß, dass er, ohne sich selbst zu gefährden, angreifen kann, dass der Rückzug problemlos möglich ist, erst dann schlägt er zu. Mit einem Satz ist er bei der Ente und setzt seinen Halsbiss. Blitzschnell, lautlos, tödlich. Er lässt ihr keine Zeit, einen Warnschrei auszustoßen. Ein ruckartiges Schütteln, Genickbruch. Loslassen, Nachfassen. Rückzug samt Beute. Aber nur ein paar Dutzend Meter. Beute deponieren, retour zu den anderen Enten. Dann schleppt der Fuchs alle vier Enten Richtung Bau. Immer eine nach der anderen, in kurzen Etappen. So bleibt kein Beutestück länger als eine halbe Minute sich selbst überlassen. Keine Chance für konkurrierende Räuber.

Während wir beim Haus des Fuchses waren, war er bei unserem. Während sein Revier uns beglückt hat, fand er im unsrigen sein Glück. Ich lerne:

Erstens, der Deal mit dieser Natur heißt: Du kriegst, aber du musst auch geben.

Zweitens, vergiss alle Regeln, die da gegolten haben, wo du herkommst. Dass die Füchse dort nur nachts zuschlagen, garantiert nicht, dass es hier auch so ist.

Drittens, fehlende Sorgfalt und Umsicht rächen sich sofort. Die Enten neben dem hohen Gras frei laufen zu lassen, das war eine Steilvorlage für jeden Räuber.

Ich nehme mir vor, diese Lektionen nicht zu vergessen. Im Stillen nenne ich sie «Das Entengesetz». Sonja und ich trösten uns mit dem Gedanken, dass der Verlust der Enten sozusagen unser Antrittsgeschenk an dieses Land ist, das uns so sehr in Verzückung versetzt hat. Wir subventionieren eine Fuchsfamilie. Unfreiwillig zwar, aber nachdem es nun mal geschehen ist: Lasst es euch schmecken, Reinekes!

Und jetzt setzt die Techno-Walze wieder ein ...

Dazwischen

Alles läuft rund auf meiner Fahrt ins alte Leben: Mein Jeep arbeitet die Autobahnkilometer souverän unter sich weg. Die Berner Sennenhündinnen pennen jetzt wahrscheinlich unter dem Kirschbaum im Garten von Amerika, in dessen Geäst sich vielleicht unsere Katzen räkeln, zufrieden, endlich nicht mehr eingesperrt zu sein.

Der große leere Hänger, den ich noch 600 Kilometer lang immer wieder sorgenvoll im Rückspiegel überwachen werde, läuft wie auf Schienen, der Verkehr ist überschaubar auf dem sechsspurigen Betonband, das mich durch meine neue Heimat zieht, meiner alten entgegen. Der Tempomat synchronisiert mich mit der Reisegeschwindigkeit der großen 70-Tonner.

Easy Driving.

Ich bin müde. Nicht gerade ideal für eine lange Autofahrt. Werde wohl öfter kleine Pausen einlegen müssen. Auch die zweite Nacht war nicht gerade von ländlicher Ruhe gesegnet gewesen. Die Techno-Party dröhnte im Zimmer zur Straße wirklich etwas weniger laut – bei geschlossener Dreifachverglasung –, aber eben nur etwas weniger. Wir sehnten uns regelrecht nach dem traulichen Gesang der Fußballclub-Kumpels, der fand ja irgendwann ein Ende.

Heute haben wir alles, was der Hänger noch hergab, in der Blümchentapetenwelt verteilt. Die paar Möbel, die Kleiderständer von Sonja wirkten wie erste tröstliche Vorboten unserer eigenen Identität, das bisschen Küchengerät, verloren in dieser Milhoff-Welt, die jetzt uns gehörte, aber noch so gar nicht *zu* uns. Sonja freute sich, nach ihrem Jahr fremdmöblierten Lebens in Berlin, wie ein Kind über jeden Gegenstand, hieß ihn lachend willkommen wie einen guten alten Freund.

Sonjas Mama ist angereist, sie wird tagsüber auf dem Hof nach dem Rechten sehen, damit ihre Tochter in Berlin den Rücken frei hat, um einen alkoholkranken Regisseur doch noch dazu zu bringen, seinen Film mit Anstand zu Ende zu drehen. Mein Job wird es sein, den letzten Auftrag in der Schweiz zu Ende zu bringen: unsere gefühlten tausend Tonnen Besitz zusammenzupacken und den Voralpen einen Abschiedskuss zuzuwerfen.

Und dann? Ich versuche, mir unsere Zukunft in Amerika auszumalen. Meine Phantasie liefert eine Unzahl von schrecklichen und wunderbaren Perspektiven, ein Durcheinander von Wenn-danns und Wenn-aber-danns. Ein wilder Strudel aus Euphorie, Angst, Hoffnung, Entschlossenheit und Schicksalsergebenheit.

Ich bin allein. Seltsames Gefühl, fremd. Ich bewege mich dorthin, wo ich nicht mehr sein werde, entferne mich von dort, wohin ich gehen werde. Das eine ist noch nicht vorbei, das andere hat noch nicht begonnen. Und ich? In Zeit und Raum dazwischen.

Natürlich kann ich in diesem Zeit-Raum-Kontinuum, im Sommer vor sechs Jahren, in meinem Jeep, diesem winzigen weißen Pünktchen auf der Landkarte, nicht ahnen, wie unglaublich reich uns Amerika mit Erlebnissen beschenken würde. Wie offen und klar uns die Menschen dieses Ortes aufnehmen, welch schöne

Freundschaften sich entwickeln, welche Fülle an Geschichten, erlebten und erzählten, wir kennenlernen würden. Wie sehr die fast verzweifelte Prophezeiung «Wir werden diesen Ort lieben, weil er uns formen und verändern wird» in Erfüllung gehen, wie schön der Hof tatsächlich wachsen und gedeihen würde. Dass wir natürlich Land pachten und kaufen konnten, dass der Flugbetrieb nebenan nur aus einigen wenigen ab und zu fliegenden Ultralights besteht, dass unser Dorf weiterhin von Blechlawinen verschont blieb und dass die Techno-Partys sich als eine vorübergehende Erscheinung herausstellen würden ... nein, all das ahne ich jetzt noch nicht, eingepfercht, allein in meinem mobilen Blech, das mich in die verkehrte Richtung bewegt. Zurück ins Alte statt vorwärts ins Neue.

Schlangenhaut

Nach der langen Fahrt zurück von Amerika auf den Hof in der Schweiz hat mich kein freudiges Hundegebell begrüßt, keine Katze sonnte sich auf dem Mäuerchen neben der Scheune. Der Eselstall leer, wie ein hölzernes Ei, aus dem das Küken längst geschlüpft ist. Der Teich ein totes Auge in der Wiese, kein Entengepaddel kräuselte seine Oberfläche. Keine Sonja öffnete die Tür und rief: «Da bist du ja, mein lieber Maaaaan!»

Stille. Unbeweglichkeit. Eine Filmkulisse ohne Darsteller.

Erschöpft, ausgebrannt, setzte ich mich auf die verwitterte Bank neben dem Teich. Langsam begann in meinem inneren Ohr das ewige Motorengebrumm der langen Fahrt abzuklingen. Die Sonne war bereits hinter dem westlichen Hügel abgetaucht. Ich dachte an den großen Himmel Brandenburgs, da würde sie jetzt noch drei weitere Stunden scheinen ... Heimweh nach Amerika, jetzt schon? «Kann nicht sein», dachte ich. «Es ist einfach nur zu still hier, mit mir allein.»

Ich unterdrückte den Impuls zu schreien, um zu hören, ob jemand antwortet. Saß auf der Bank und sah zu, wie sich nichts bewegte. Nur das Licht glitt hinüber vom Abend zur Nacht, die Farben verblassten, es wurde kühl. Ich ging ins Haus. Die Kaffeetasse, die ich vor meiner Abfahrt benutzt hatte, stand unverändert auf dem Küchentisch. Eine Fliege war im kleinen Kaffeerest ersoffen, die Flüssigkeit war inzwischen eingetrocknet. Ein im Krater eines fremden Planeten gestrandetes Mini-UFO. Machte zusammen mit mir zwei gestrandete UFOs.

Ein bosnischer Schriftsteller, der in die USA ausgewandert war, hat Heimat einmal so definiert: «Heimat ist dort, wo man es bemerkt, wenn du nicht da bist.» Hier hat nichts und niemand mein Wegsein bemerkt.

Ohne die gewohnten Gute-Nacht-Rituale – der letzte Gang mit den Hunden um den Hof, das letzte Schauen nach Eseln und Pferd, Katzenfutter kontrollieren, nachsehen, ob die Entenstalltür verriegelt ist –, ohne all diese Pflichten, die mir oft genug lästig gewesen waren und die ich jetzt so seltsam vermisste, stapfte ich die Treppe hinauf ins Schlafzimmer und fiel zerschlagen in das leere Bett.

Die folgende Zeit war, neben den letzten Arbeiten für das Schweizer Fernsehen, gefüllt mit Packen und Wegschmeißen. Letzteres war wie eine Befreiung. Jeden Gegenstand, jedes Gerät nahm ich in die Hand und fragte mich, wann hast du dieses Ding zuletzt gebraucht, wann hat es dich zuletzt erfreut, wird es dir fehlen, wenn es nicht mehr da ist? Und dann entschied ich: einpacken (*belastend*) oder weg (*entlastend*).

Besonders entlastend war das «weg» für Hunderte von Videokassetten. Hunderte von alten Sendungen, altem Info-Material für alte Sendungen, alten Auftritten, alten Filmen, unendlich viel alte Lebenszeit: weg! Die Entsorgung stellte sich jedoch als gar nicht so einfach heraus. In der Schweiz gibt es eine Institution, die sich «Brockenhaus» nennt. Das sind Secondhandläden für alles Mögliche, von Möbeln über Klamotten bis Schallplatten. Betreiber ist die

Heilsarmee. Alles, was irgendwie wiederverkäuflich scheint, bringt man als Spende zum Brockenhaus. In der Überzeugung, dass man sich dort über die vielen neuwertigen, wieder bespielbaren Videokassetten riesig freuen würde, stapelte ich die Dinger in ein halbes Dutzend Bananenschachteln und schaffte sie zur Annahmestelle des Brockenhauses.

Dort thronte eine resolute ältere Dame und blitzte mich durch ihre Omabrille kampfeslustig an. Gute Besetzung, dachte ich, an dieser Position muss ein Krokodil sitzen, welches den Leuten, die versuchen, hier ihren wertlosen alten Krempel zu entsorgen, unmissverständlich klarmacht, dass das keine Mülldeponie ist, sondern eine gemeinnützige Institution. Aber ich brachte ja keinen Müll, sondern leicht verkaufbare und daher wertvolle Ware. Ich entwaffnete das Krokodil gleich mit einem frisch geschmetterten «Grüezi, ich hab da was für euch».

«Das wird sich dann schon weisen, ob das was für uns ist, oder? Zeigen Sie mal.»

«Da.» Ich öffnete den Schachteldeckel.

«Aber das sind ja Videokassetten!»

«Genau, erst einmal bespielt, praktisch wie neu.»

«Sind das alles Videokassetten?»

«Nichts anderes, keine Angst, ich schmuggle Ihnen keinen Müll dazu.»

«So viele», rief sie ungläubig. Offensichtlich erkannte sie jetzt erst das geschäftliche Potential meiner Spende.

«Ja, so viele», sagte ich stolz. «Und im Auto habe ich noch viel, viel mehr!»

«Also, Sie, also ...» Sie wurde ganz aufgeregt vor Freude. Ich fühlte mich wie der Weihnachtsmann. Schließlich fand sie ihre Sprache wieder: «Also, das können wir doch wirklich nicht annehmen, Sie!»

«Doch, doch», sagte ich gönnerhaft, «ich brauche sie nicht mehr, wissen Sie, ich zügle jetzt ins Ausland.»

«Meinetwegen züglen Sie, wohin Sie wollen, aber nehmen Sie um Gottes willen diese Videokassetten wieder mit!»

«Ja, aber ...» Ich war ansatzweise verwirrt.

«Ja, was glauben Sie denn, hä?» Sie stemmte ihre kleinen Fäuste in die Seiten. «Das kennen wir schon, so was nehmen wir nicht. Den Fehler haben wir schon durchexerziert, oder, und dann waren da lauter so Sexfilmchen drauf! Also, was meinen Sie eigentlich, das geht doch nicht, wir sind die Heilsarmee, was denken Sie denn, was das für Schwierigkeiten gegeben hat, oder, und da kommen Sie ...»

«Aber», fuhr ich dazwischen, «da sind nur alte Fernsehsendungen drauf, ich schwöre es!»

«Ja, die bringen doch das gruusige Zeug mit den nackten Weibern und, also, ich kann doch nicht wochenlang Ihre schlüpfrigen Kassetten kontrollieren, was bilden Sie sich eigentlich ein?» Sie musterte mich angewidert von Kopf bis Fuß, als ob sie herausfinden wollte, ob ich mir vielleicht im nächsten Augenblick die Kleider vom Leib reißen und mich mit Brunftgeschrei auf sie stürzen würde. Mit hochrotem Kopf trollte ich mich samt meinem Karton. «Blöde Schachtel», murmelte ich.

«Was haben Sie gesagt? Wollen Sie jetzt auch noch frech werden?»

Ich drehte mich nach ihr um. «Blöde Schachtel, habe ich gesagt zu meiner blöden Schachtel. Weil sie schon total aus dem Leim geht.»

Ich lernte: Es gibt nichts Wertloseres als alte TV-Sendungen, auch wenn sie mit noch so viel Herzblut gemacht worden sind. Was bleibt am Ende eines Moderatorenlebens? Alte Sendungen. Mir wurde ganz schwach. So interessant, spannend, herausfordernd, ja, mitunter sogar lustvoll Fernseharbeit sein kann – kaum ausgestrahlt, wird sie, zack, vollkommen irrelevant.

Das offene Land, das ich in Amerika mit Sonja so bewundert hatte, tauchte vor meinem inneren Auge auf. Diesen Boden wieder urbar zu machen, weidende Tiere darauf stehen zu haben, einen Kreislauf in Gang zu setzen, der Brache in Kulturland verwandelt, kontinuierlich und dauerhaft – das wäre etwas ganz anderes. Der Zukunft zugewandt, wachsend, sich entwickelnd und vergrößernd. Bleibend. Das musste das Ziel in Amerika sein, das wurde mir mit gleißender Klarheit bewusst. Ich hatte keine Ahnung, wie wir das schaffen sollten, weder finanziell noch kräftemäßig noch organisatorisch. Aber wir mussten, wir mussten einfach. «Dieses Land, genau dieses werden wir bewirtschaften!», so ähnlich hatte es Sonja doch gesagt. Also, dann sollte es so sein!

Einige Tage später bekam mein naiver Optimismus einen Schlag von hinten verpasst. Baseballschlägermäßig. Ich hockte auf dem leeren Heuboden der Scheune und sortierte mal wieder. Kann weg, kann weg, kann weg, kann weg, kann weg, muss bleiben. Es ging um Papier, Tonnen von Papier. Alles, was sich im Laufe der Jahre in unserer TV-Produktionsfirma an Papier angehäuft hatte, war nach deren Auflösung hier oben zwischengespeichert worden. Nun war es an mir zu trennen: finanzamtrelevant, nicht finanzamtrelevant. Ich wühlte mich durch Berge von Sichtmäppchen, Recherchematerialien, Promi-Gast-Unterlagen, Sendungsabläufen, Organisationsplänen, Abrechnungen und abgerechneten Quittungen, als mein Handy piepste. «Sonja ruft an», stand auf dem Display.

«Hallo, mein Schatz», sagte ich freudig zum Handy, «schön, dass du von dir hören lässt. Wie geht es dir?»

«Und dir?», fragte Sonja zurück.

Ich ließ eine Suada über meine Nöte vom Stapel, dass mir das alles eigentlich zu viel sei, ich nicht wüsste, wo mir der Kopf stehe, ich in Panik sei, alles zu schaffen bis zum Umzugstermin, wie sehr ich diese Papierscheiße hassen würde, dass ich gar nicht daran denken dürfe, wie viel Kraft und Geld und Zeit und Einsatz es gekostet habe, diese Tausende von Blättern mit Inhalt zu füllen, der jetzt so was von wertlos sei, aber so was von superwertlos, und überhaupt, was für ein einsamer armer Mann ich doch sei und wie tapfer trotz allem und wie sehr ich den Tag herbeisehnen würde, wo das alles erledigt sei und wir den ganzen Krempel im neuen Zuhause wieder ausgepackt und eingeordnet haben würden. Wir beide gemeinsam.

Jetzt war mir leichter, mein Egoismus hatte sich ausgetobt, und endlich fiel mir ein, dass Sonja in Amerika im Provisorium lebte, alle Tiere an der Backe hatte und keine Zeit, in Ruhe den Ort und seine Bewohner kennenzulernen, weil sie ja «nebenbei» noch einen Film produzierte.

«Und wie geht es dir in Amerika und in Berlin, was macht der Film, sind die Hunde brav?», fragte ich schuldbewusst.

«Ach, im Moment geht es mir den Umständen entsprechend gut. Ich liege gerade.»

«Schön, dass du dich ein wenig ausruhen kannst.» Ich unterdrückte den leichten Anflug von Neid.

«Die OP ist gut gelaufen, schon in drei Tagen kann ich aus dem Bett», hörte ich Sonja sagen.

«Was, die OP ... wie, was meinst du mit ... wieso ...?»

«Dieter, ich hab mir gestern Nacht die Achillessehne gerissen, heute Morgen haben sie mich operiert.»

Mein Kopf verwandelte sich in Sekundenbruchteilen in ein Chaos aus hysterisch nach einem brauchbaren Kontakt suchenden Synapsen. In meinen Ohren pfiff ein Dauerton, mein Blick verengte sich. Eine winzige Spinne krabbelte meinen Ärmel hoch Richtung Handy. Ich schüttelte sie ab. Mit der Spinne flog das Handy in hohem Bogen Richtung Bodenluke, kam Zentimeter vor dem Abgrund zum Liegen. Ich stürzte vor, schnappte es mir, presste es wieder ans Ohr und hörte ... nichts. Drehte es richtig herum. «... drei bis vier Monaten kann ich wieder ohne Krücken gehen, sagt die Ärztin», kriegte ich gerade noch mit.

Nach zehn Minuten kannte ich die Geschichte zusammenhängend. Sonja war vom Gekreisch einer Katze geweckt worden. Die markerschütternden Töne konnte sie eindeutig einer unserer Katzen zuordnen, die inzwischen dabei waren, das fremde Terrain zu erobern. Wieder dieser grelle Schrei. Mit einem Satz war Sonja aus den Federn, rannte, den Umweg über die Haustür abkürzend, durch die offene Terrassentür nach draußen. Dort traten die Füße meiner tapferen Katzenretterin aber nicht auf die Holzplanken der noch nicht vorhandenen Terrasse, sondern auf ein achtzig Zentimeter tiefes Nichts. Der Aufprall war heftig, ein rasender Schmerz durchzuckte Sonjas Fußgelenk. Sie entdeckte die Katze, die zitternd im Gras kauerte, und trug sie humpelnd ins Haus, diesmal die Route via Treppe und Haustür wählend.

Drei Stunden später fand sie sich vor Schmerz windend in einer über holperige Sträßchen rumpelnden Ambulanz wieder. Spital, Untersuchung, Diagnose: Achillessehnenabriss, Operation, Punkt, Ende.

Fakt.

In alten Texten kann man öfter die Wendung lesen: «Da rief er die Götter an.» Nach diesem Telefonat wusste ich, wie das ist mit dem Götteranrufen. «Warum, warum, warum», rief ich, «warum jetzt, warum ausgerechnet dann, wenn es überhaupt ganz und gar nicht geht, dass einer von uns beiden ausfällt?» Ich rief den Göttern auch Schimpfnamen zu. Ich fragte sie, wie sie sich das vorstellten, verflucht nochmal, wie Sonja ihren Film machen solle mit einem kaputten Fuß, wie sie die Tiere versorgen solle, wenn ich nicht am Hof bin, weil ich doch, verflucht, auch meinen Job machen müsse, hätten sie das vergessen da oben? Ich würde vier Tage die Woche in Wien sein, Talkshow machen, wie solle das alles gehen, und überhaupt, «was ist denn das für ein beschissener Start in ein neues Leben, soll das etwa 'ne Prüfung sein, oder was?», rief ich. Sie an. «Oder ein Zeichen, soll das ein göttliches Zeichen sein, eine Botschaft?» So eine bescheuerte Botschaft könnten sie sich sonst wohin schmieren, die bräuchte ich nicht, diese Botschaft. So rief ich die Götter an, auf dem Heuboden in der Schweiz, inmitten eines Haufens nutzlos gewordenen Papiers. Womöglich habe ich sie eher angebrüllt als angerufen.

Und jetzt ist er da, der letzte Tag auf dem Hof in den Schweizer Voralpen. Soeben ist der riesenhafte Umzugstransportwagen samt ebenso riesenhaftem Umzugstransportanhänger den schmalen Feldweg talwärts gerumpelt. Ich stehe auf dem Kopfsteinpflaster vor dem Haus. So leer wie der Stall ist jetzt auch die Scheune, die kleine Einliegerwohnung, das alte Haus. Nichts mehr legt da drinnen Zeugnis davon ab, dass wir hier gelebt, geatmet, gelacht und geweint haben. Alles nur noch Erinnerung, die langsam verblassen wird, zusammenschrumpfen zu wenigen markanten Weißt-du-noch-Ereignissen:

Sonjas Freudentanz im Tiefschnee des ersten Winters hier oben. Der erste Sommer mit dem ersten selbstgemachten Heu. Die Geburt der Eselfohlen. Das Alphorn, das tatsächlich von der Käserei im Tal heraufscholl wie im Heidifilm. Die Freunde, die uns hier besucht haben, und die Freunde, die wir hier oben fanden. Der verlorene Kampf um den Erhalt des kleinen Bergschulhauses, der die Nachbarhöfe zu einer echten Gemeinschaft zusammengeschweißt hat. Das November-Nebelmeer, das nur wenige Meter unterhalb des Stalls waberte und das Tiefland mit deprimierendem Grau zudeckte, während wir uns hier oben unter blauem Himmel die Sonne auf die Bäuche scheinen lassen konnten. Die Weihnachtsfeier im verschneiten Wald, nur Sonja, die Hunde und ich, neben einer kleinen Tanne, auf die wir ein paar Kerzen gesteckt hatten. Der mächtige Sturm, der Tausende von Bäumen fällte, unserem Hof aber nichts antun konnte, weil der so geschützt in den Hang gekuschelt lag. Der Brand im Dach und die verzweifelten Versuche zu löschen, bis die Feuerwehr da war und alles, wenn auch knapp, nochmal gut ausging.

Danke, Hof, es war schön, mit dir leben zu dürfen. Und auf dir. Du hast uns viel gelehrt über die Macht der Natur, über Disziplin, über die Zufriedenheit des Tuns. Tschau und mach's gut. Tschau, Sonjas Garten. Viel Spaß noch, Salatköpfe, beim Ausschießen, tschau, ungepflückte Beeren. Tschau, Rosen, Sonja war so stolz auf euch. Vermehrt euch brav, grabt eure Wurzeln noch tiefer in den Berg, ihr seid die Erinnerung des Hofes an uns.

Ratlosigkeit macht sich in mir breit. Wie verabschiedet man sich von einem Lebensort? Man streift ihn ab wie die Schlange ihre zu klein gewordene Haut. Ich werfe einen letzten Blick zu den Bergen hinüber, winke zum Haus, als ob es jemand sehen könnte, und steige in den Jeep.

Gelandet

Wo sind meine Sachen!», schreit Sonja. Sie liegt auf einem Feldbett, Rückenlehne hochgeklappt, Kissen im Kreuz, zweites Kissen unter ihrem Unterschenkel, der fest umhüllt wird von einer bis unter den Rist reichenden supermodernen Polyesterkonstruktion mit stufenlos justierbarem Fußgelenks-Bewegungsbegrenzer.

«Wo sind meine Sachen?», ruft sie mit wachsendem Entsetzen. «Das kann doch nicht alles sein!» Sie versucht, sich an der Krücke aus der liegenden in eine stehende Position hochzustemmen. Verzieht das Gesicht vor Schmerz, gibt auf, lässt sich zurücksacken – «aua, so eine Gemeinheit.» Sie fuchtelt mit dem Krückstock in Richtung des riesenhaften Umzugstransportanhängers, der zirkelnd auf den Hof rangiert worden ist und der jetzt, wie ein Monster übermächtig Platz verdrängend, den Stall, das Haus, selbst die Scheune zu Niedlichkeiten schrumpfen lässt. Die Umzugsleute haben soeben die zweiflügelige Ladetür aufgeklappt.

«Der ist ja gar nicht voll, sieh doch, Ditaaaaa, warum ist der halb leer?» In der Tat sind nur 13 Meter des insgesamt 15 Meter langen Ungetüms bis unter das Dach mit unserem Hab und Gut vollgerammelt. Mir ist schon die ganze Herfahrt schlecht geworden, wenn ich nur daran dachte, wie viel Zeug wir mit nach Amerika schleppten. Sehnsuchtsvoll trauerte ich den Zeiten nach, wo ich das Prinzip «wer mehr besitzt, als in einen Ford Transit passt, hat zu viel» aktiv lebte.

Ich habe zwar großzügig ausgemistet, verschenkt, verklopft und auch tief befriedigt zugesehen, wie etliche Jeepladungen voll Altlast in dem riesigen Betontrichter der zentralen Groß-Abfallsammelstelle ins Nichts verschwanden, ich war auch durchaus dankbar, dass Sonja im fernen Amerika weilte und ich entsorgen konnte, was zu entsorgen war, ohne mit ihr um jedes Ding feilschen zu müssen – aber dennoch sind Tonnen über Tonnen verblieben, welche, dank professioneller Ladetechnik, die Reise nach Amerika geschafft haben und nun aufs Ausladen warten.

«Sonja, das ist erst der Anhänger, da steht doch noch der Lastwagen vor dem Haus, der ist genauso riesig und voll bis zum letzten Kubikzentimeter», beruhige ich meine leidende Frau. «Du wirst sehen, es ist alles da, glaub mir.»

Fehler. Ich kenne Sonja. Wenn sie «glaub mir» hört, schnellt ihr Unglaubepegel reflexartig von null auf einhundert von einhundert möglichen Punkten. Sie plustert sich auf ihrer Liege zu maximaler Größe auf, nagelt mich mit ihrem Blick von unten herauf an den blauen Himmel und fragt: «Was hast du alles weggeworfen?»

Auweia. Jetzt heißt es Vorsicht, was du sagst. «Sonja, ich hab nur weggegeben, was wir ganz bestimmt nie mehr brauchen werden. Nur Zeug, bei dem du dich gar nicht mehr daran erinnerst, dass wir es überhaupt mal hatten. Du wirst nichts vermissen ...»

«Ich erinnere mich an alles, was wir jemals hatten.»

Diese Behauptung klingt zwar angesichts der Masse von Dingen, die wir jemals hatten, unglaubwürdig, ich weiß. Aber unterschätzen Sie Sonjas diesbezügliche Gedächtnisleistung nicht ...

«Vorschlag, Sonja: Wir laden jetzt erst mal ab, und wenn du etwas bemerkst, das nicht da ist, dann sagst du's, und dann ... dann reden wir drüber, okay?»

Sie würdigt dieses unsinnige Angebot keinerlei Antwort.

«Männer, abladen», rufe ich und bin froh, vom Verhandeln nunmehr zum Handeln überzugehen.

Stundenlang schleppen wir ein Ding nach dem anderen, unsere gesamte irdische Habe, zuerst die aus dem Anhänger, dann die aus dem Lastwagen, an Sonjas Liegestatt vorbei. Und wie das bei Hausherrinnen so üblich ist, dirigiert sie zielsicher alles an seinen Platz. «Ins Wohnzimmer, rechte vordere Ecke.» – «Küche, zum Herd.» – «Keller.» – «In die Scheune, ganz nach hinten.» – «Ins Gerätehaus neben dem Stall.» – «Schlafzimmer, wenn Sie reinkommen, hintere linke Ecke.» Sie deutet jeweils mit dem Krückstock die grobe Richtung an. Davon könnten sich die Milhoffs ein Stück abschneiden, schade, dass sie jetzt nicht hier sind, denke ich.

Mit jedem Stück Besitztum, das an Sonja vorbeizieht, heitert sich ihre Laune auf. Und am Abend ist alles geschafft, der Lastwagen samt Hänger leer und weg, unsere Sachen da. Und ich auch. Zwar noch nicht so richtig angekommen in Amerika, aber da. Und ich schwöre mir: für immer. Schon wegen der Umzieherei. Das brauch ich ganz sicher nicht noch einmal.

Schlaflos in Amerika

In der Schweiz nennt man sie Schlafdörfer. Jene vergessenen Orte, in denen der Dorfladen pleitegegangen ist, die Bauern ihre Höfe aufgegeben haben, der Schreiner seinen Hobel in die Ecke geschmissen und der Wirt aus Verzweiflung über seine Zukunft als Autobahnraststätten-Kellner den letzten Schnapsvorrat selbst versoffen hat.

Diese Dörfer wurden erobert von smarten Anwälten, hippen Graphikern und politisch korrekten Medienleuten. Den Dorfladen haben sie zum Loft umgebaut, die Bauernhöfe zu «Schöner Wohnen»-Schaufenstern verarchitektet, die Schreinerei zum Atelier geadelt. Vor den Fenstern der alten Häuser hängen Geranien aus dem Gartencenter.

Das Alte darf wohldosiert und gezähmt weiterleben: In den ehemaligen *alten* Bauerngärten glitzern Weihnachtskugeln. Ein *alter* Pflug steht, akkurat mit Silberfarbe bepinselt, in der Hofeinfahrt. Das eine oder andere *alte* Pferdekummet hängt malerisch über dem Eingang. Der *alte* Dorfbrunnen plätschert, die *alte* Dorflinde daneben ist amtlich geschützt durch einen olivgrünen Eisenzaun, die neuen Parkplätze drum herum sind nummeriert und fix vermietet. Wehe, wenn da ein anderer …! Jede Meise und jedes Rotkehlchen hat ein eigenes, regelmäßig vom Verein der Singvögelfreunde gewartetes Vogelhäuschen, und nachdem sie zu Tode gefüttert sein werden, wird man sie unbemerkt ersetzen durch winzige Hightech-Lautsprecherchen, die dann in den Bäumen zwitschern.

An den Wochentagen herrscht in den Schlafdörfern eine unheimelige Ruhe.

Die Männer sind weg: Sie verdienen im Stadtbüro das Geld fürs Landleben.

Die Kinder sind weg: In der Schule der größeren Nachbargemeinde werden sie zugerichtet für die Herausforderungen des Lebens.

Die Frauen sind weg: Mit dem Zweitgeländewagen auf der Jagd nach noch mehr schönen *alten* Sachen, mit denen sich die schönen neuen Lofts und Ateliers hinter den schönen *alten* Fassaden noch schöner auf *alt* trimmen lassen.

Ruhe herrscht über allen Biberschwanzdächern bis zum Abend. Dann versammeln sich die von professionellen Paarberatern zusammengeschweißten Kleinfamilien an ihren echt alten Echtholztischen, genießen die bodenständigen Rösti aus dem Tiefkühler und die «backfertig vorgewürzten» Keulen von Hähnchen, die in irgendeinem Nicht-Schlafdorf gelebt haben, glücklich natürlich, weil «natürlich» glücklich macht. Dazu gibt es den Biosalat, den die Männer vom «Original-Bauernmarkt» aus der Stadt mitgebracht haben und den die Frauen in altem Balsamico aus Palermo und kaltgepresstem Olivenöl aus der Toscana ersäuft und mit jahrmillionenaltem Salz aus dem Himalaja noch gesünder gemacht haben. Nach Einverleibung solcher ökologisch und politisch korrekten Körper-fit-halte-Brennstoffe erstrahlen die Energiespar-Kunststoff-Sprossenfenster des Schlafdorfes für ein paar Stunden im traulichen Geflacker der Video-Beamer und Flachbildschirme: Feier-Abend.

Erbauung. Satt zufriedene Entspannung.

Sanft gleitet die Ruhe des Tages über in die Ruhe der Nacht. Gestört wird sie allenfalls durch eine vernünftig und rücksichtsvoll geführte Diskussion die wurmstichig morsche Küchenvitrine betreffend, welche die Frau sich wieder mal zu einem schamlosen Preis als «Antiquität» hat andrehen lassen. «Der Händler hat aber garantiert ...» – «Blödes Beeri, du gibscht sie morgen retour, gäll!»

Die Nachtruhe hält ohne weitere Dissonanzen an, bis am nächsten Morgen die italienischen Espressomaschinen den Kick für den Tag aus sich herausschwitzen, die Defenders und Range Rovers aus den schönen, echtbienenwachslackierten alten Holzschuppen mit den gutgeölten handgeschmiedeten alten Torscharnieren gefahren werden und die Öko-Waschgang-Geschirrspüler in verwaisten Edelstahlküchen diskret vor sich hin grummeln.

Tages-Ruhe. Den ganzen Tag. Jeden Tag.

Nur samstags pulsiert emsiges Leben: Da knattern wohltuend unpassend die Aufsitzrasenmäher und Laubstaubsauger. Von Punkt 13:30 bis Punkt 16:00 Uhr.

Am Sonntag herrscht die wichtigste und heiligste aller Schlafdorf-Ruhen: die Sonntagsruhe. Selbst die Kinder verstummen dann bis zur Nichtexistenz. Sie erleben, per Kopfhörer angepluggt an ihre PCs, endlich was Richtiges: Blut spritzt, Städte verglühen, Helden zerplatzen – der ganz normale virtuelle Ponyhof. Die lieben Kinderchen sind still und leis beschäftigt, und keinem Erwachsenen wird die Freude am Leben auf dem Lande durch Geräusche der Lebendigkeit verdorben.

Amerika ist KEIN Schlafdorf!

Es könnte vielleicht einmal eines werden, wenn die Amerikaner nicht aufpassen. Aber noch ist es nicht so weit. Es sind zwar die ersten Künstlerinnen hier, eine Schweizer Schriftstellerin, die drüben im Kutscherhaus des Schlosses wohnt, und eine preußische Fotografin, die sich jenseits der Pfuhle mit ihrer Lebensabschnittspartnerin in eine kleine Kate eingemietet hat. Aber alle drei sind (noch) nicht ausreichend etabliert, als dass von ihnen eine Gefahr der «Verschönerung» ausgehen würde.

Wenn, dann schon von diesem Berliner Architekten. Hat eine alte Scheune entkernt und schöne Gipswand-Appartements hineingeschachtelt, die tatsächlich in der Schweiz genauso zu Millionen existieren. Die ästhetische Globalisierung hat die Architektur fest im Griff. Eine andere Scheune hat er in noch kleinere Mini-Appartements parzelliert. Aber niemand will in diesen Touristenzellen «Ferien auf dem Land» machen. Seine Spekulation hat nicht funktioniert. Ist es nicht faszinierend, wie Architekten sich immer wieder aufs Neue wundern, warum die Menschen nicht freudig Geld ausgeben für ihre Kreativergüsse, die doch auf dem Millimeterpapier so vielversprechend ausgesehen haben?

Es gibt sie also, man kann es nicht leugnen, die ersten leisen Vorboten einer möglichen Verschlafdorfung. Aber dass Amerika in absehbarer Zeit verschweizert, ist dennoch unwahrscheinlich. Zum einen verhindert das die nicht totzukriegende Lebendigkeit der Amerikaner, zum anderen kostet es ziemlich viel Geld, eine Schlafdorf-Idylle zu kreieren. Und das hat hier niemand.

Der augenfälligste und schlagendste Beweis dafür, dass Amerika lebt, ist jedoch die Tatsache, der unumstößliche Fakt, dass es ... einen Dorfladen gibt! Ja, genau so einen, wie man ihn früher im Westen als Tante-Emma-Laden bezeichnet hat. Im Osten hieß das Konsum. Betonung auf dem «o», Sie erinnern sich, wie Müsebeck das ausgesprochen hat. Geführt, genauer gesagt: besetzt gehalten, wird der Laden von Frau Widdel, Vorname Waltraut, mit scharfen t, geborene Tessmann, ebenfalls mit scharfem T.

Wer den Laden betritt, der merkt sofort, das ist kein Geschäft, das man einfach so betritt. Man taucht ein. In eine andere Welt, in ein Universum, das sich über Jahrzehnte aus der Ursuppe von Angebot und Nachfrage herauskristallisiert hat. Und es gibt eine nach ihrem eigenen Ratschluss alles bestimmende Göttin in diesem Universum: Frau Widdel. Doch das ahne ich an meinem allerersten Montagmorgen in Amerika natürlich noch nicht ...

Hell, blond, dunkel

Ich bin unterwegs, «Beute zu machen», wie Sonja gerne sagt, wenn eingekauft wird. Meine Beute wird aus einem schönen, prächtigen, vielseitigen Frühstück bestehen. Ich werde sie nach Walhall tragen und meiner verletzt daniederliegenden Königin hinreichen. An der Pfuhle vorbei strebe ich über die Dorfwiese Richtung Dorfladen. Der bronzene Hengst glänzt in der Morgensonne. Sein kraftvolles Aufbäumen, die wehende Mähne, der zur Seite fliegende Schweif – es scheint wahrhaftig, als ob er voller Begeisterung den Tag begrüßte. Ich zolle ihm Tribut, indem ich stehen bleibe und ihn bewundernd betrachte.

«Dich werde ich ab nun jeden Morgen begrüßen, edler Hengst, durch das Küchenfenster. Ich wohne nämlich gleich gegenüber, in dem krankehundekackfarbenen Haus da.»

«Redest du neuerdings mit Bronzepferden? Peinlich, wenn dich einer sieht», sagt der kleine Schweizer in mir. Ich blicke mich um, keiner hat's gesehen. «Gott sei Dank», seufzt der kleine Schweizer.

Voll freudiger Erwartungen nähere ich mich dem Laden. Ich bin neugierig auf die Besitzerin. Sonja kennt sie natürlich längst.

Diese Frau Widdel sei «schon in Ordnung», meinte sie und fügte mit Geheimniskrämermiene hinzu: «Du wirst ja selber sehen.» Na, dann werde ich eben selber sehen …

Bevor ich Frau Widdels ansichtig werden kann, habe ich jedoch erst mal die Stufen zur Terrasse zu überwinden. Sie kennen doch die Veranden vor den Saloons in den alten Schwarzweiß-Western – so eine Terrasse ist das. Etwa bauchnabelhoch, umrüstet mit einem einfach gezimmerten Holzgeländer. Selbst die alten Männer in den Schaukelstühlen, die jeden Fremdling mit diesem typischen Blick aus Neugierde, Verachtung und Misstrauen aus ihren leicht zusammengekniffenen Augen heraus mustern, fehlen nicht. Nur dass diese hier nicht wirklich alt sind und dass sie keine Schaukelstühle haben. Sie lehnen teils cool an der Mauer, teils stehen sie breitbeinig an der Brüstung, die Ellbogen schwer auf das Geländer gestützt. Und statt Whiskey aus blechernen Flachmännern trinken sie Bier aus der Flasche.

Es kostet mich als Fremdling eine gewisse Überwindung, diese Terrasse zu entern und unter den Blicken der Tempelwächter da oben («aha, det is wohl der Neue») locker, aber nicht zu forsch die fünf Stufen hinauf zu nehmen. Das «Guten Tag» nehme ich mir vor, respektvoll, aber nicht devot, selbstsicher, aber nicht arrogant, höflich, aber nicht anbiedernd klingen zu lassen, ein «guten Tag» eben, das mir die Herzen der Biertrinker zufliegen lassen würde, ein Gruß, der sofort jedes Eis bräche, der jetzt und für immer klarmachen würde: Hier steht ein Mensch, öffne die Tür …

«Grüezi mitenand», rutscht es mir raus.

Die Blicke schalten blitzartig auf Verwunderung. «Wat?»

«Äh, ich meine guten Tag, die Herren», versuche ich zu retten.

«Tach och», brummt es zurück. Und nachgeschoben: «Aber Herren sind wa keene.»

«Na, da ist wohl das Österreichische mit mir durchgegangen», tiriliere ich. «Dort sagt man auch ‹die Herren›, wenn es keine sind.» Hüstel, hüstel.

«Sie sind doch aber Schweizer, haben wir gehört.»

«Ja, aber lange in Wien gelebt und ...»

«Ihre Frau ist Österreicherin, wissen wir. Die kennen wir nämlich schon.»

«Äh, ja, schön. Äh, wir sind da drüben eingezogen ...»

«Ist uns bekannt ...» Die wissen aber schon sehr gut Bescheid, die Jungs.

Mir wird klar: Die paar Einkäufe meiner Sonja haben genügt, dass jeder, der sich auch nur in entfernter Umlaufbahn des Ladens befand, alles weiß, was Sonja preisgegeben hat, und vielleicht auch noch das ein oder andere mehr. Das dörfliche Buschtelefon und seine effiziente Funktionsweise sind mir schon von der Schweizer Provinz her bestens bekannt. Aber so begierig dort auch Tratsch gesammelt und weitergegeben wird, das Objekt des Getuschels würde niemals erfahren, dass getuschelt wurde. Wären die Terrassenmänner Schweizer, hätten sie einen auf ahnungslos gemacht: «Ach so, also Sie sind jetzt ... Aha, Ihre Frau ist ... Ja, da schau her, da drüben sind Sie jetzt, ja, was Sie nicht sagen, ahaahhhh ...»

In Amerika wird offen dazu gestanden, dass jeder über jeden redet und dies auch jedem klar ist.

«Prost!» Vier Bierflaschen werden in meine Richtung geschwenkt.

In Ermangelung eines Getränks wedele ich unbeholfen mit der Hand: «Wohl bekomm's, d...!» – «die Herren» verschlucke ich gerade noch rechtzeitig.

Die organisieren sich, nach einem kräftigen Zug aus den Flaschen, wieder in ihre angestammten Körperhaltungen und beachten mich nicht weiter. Erledigt.

Neben der Ladentür hängt ein flacher, hölzerner Kasten mit

Glasscheibe. Darin, an die blaugestrichene Rückwand geklebt, Zettel und Zettelchen. Der nächste Gottesdienst findet in drei Wochen statt und wird von Pfarrer Soundso gefeiert, die Feuerwehr veranstaltet am Soundsovielten ihr jährliches Fest, Spenden für die Kinderweihnacht können jetzt schon ... und die Bürger-Sprechstunden von Bürgermeister Widdel sind immer mittwochs von 14 bis 16 Uhr im Clubhaus. Der Laden von Frau Widdel ist geöffnet von 8 bis 12 Uhr und von 15 bis 18 Uhr, sonnabends 8 bis 11 Uhr. Aha, die Ladenbesitzerin ist also zugleich die Bürgermeistersgattin.

An den «Bild»-Aufstellreitern mit den neuesten unglaublichen Schlagzeilen vorbei – «Die Sex-Falle», «So schröpfen uns die Scheichs», «Ich kann nicht mehr! Aus nach 20 Jahren» – schreite ich zu der leicht verwitterten Naturholztür mit den kleingeblümten Milchglasscheiben. Die Eisenklinke leistet Widerstand, ich drücke stärker, etwas knirscht im Inneren des Türblattes, ein Spalt öffnet sich, und ich schiebe die Pforte zum Widdel-Reich entschlossen auf.

Krachend donnert die nach innen schwingende Tür rechts in ein Zeitungsregal. Ich habe ihr Gewicht total überschätzt, das ist eine ganz normale Tür, ein wenig Holz, ein wenig Glas – fertig. Keine schweizerische Doppel-Sicherheits-querverleimte-Stahlkern-Brandschutz-«no entry»-«feel safe»-Bunkertür. Sondern eine ganz normale Tür-Tür.

Lachen von den Jungs auf der Terrasse.

Ich umrunde vorsichtig die offene Tür, um den Schaden, den ich angerichtet haben muss, zu begutachten. «Du bischt versichert, dir kann gar nichts passieren», beruhigt mich mein kleiner Schweizer. Trotzdem, zum Glück ist das Zeitungsregal aus gutem altem Krupp-Draht, der zwar empört gescheppert hat, aber heldenhafterweise nicht in sich zusammengebrochen ist. Ich trete näher heran und prüfe, ob die wertvollen Druck-Erzeugnisse nicht zu Schaden gekommen sind. Doch die ganze bunte News-Welt liegt wohl aufgefächert vor mir: Super-Illu, Bild der Frau des Sports des Autos, Schlüsselloch, Beauty-Brigitte, Rätselfreund und Kreuzwort-Spaß, Freizeit- und andere Revuen, Tele-Fernseh-Media-Blätter, Boobs, Hooters und Gaby-Girl einträchtig neben Kitty's Kinder-Freund mit Bastelbogen und den Pferdehof-Fortsetzungs-Fotoromanen.

«Na, na, na, junger Mann, lassen Se mal mein Laden heile!», tönt eine Frauenstimme hinter mir. Ich wirbele herum und sehe ... Blümchenglas, direkt vor meiner Nase. Ich schiebe die Tür vorsichtig in Position «geschlossen», und wie bei einer Wischblende im Film gibt das Blümchenglas den Blick frei auf die Szene dahinter.

Frau Widdel sitzt links neben dem Eingang hinter einem hüfthohen Resopalwändchen. Eine ökologisch korrekte Registrierkasse, sie funktioniert noch ohne Strom, hockt breit und fett in ihrem schmutzig grünen Bakelitpanzer vor Frau Widdel wie eine monströse Kröte und funkelt mit ihren aufgereihten Tastenaugen böse in die Welt.

Frau Widdel trägt eine dieser Kleiderschürzen, die in den Sechzigern wohl von irgendeinem Frauenhasser erfunden worden sind und die seither Myriaden von Frauen zu Putz-, Haus-, Aufräum-, Zugeh-, Küchenhilfs-, Kantinenessensausgabe-, kurz: zu Dienstfrauen verunstaltet haben. Sie wissen schon: 100 Prozent fleckneutralisierendes Polyester, winziges Deppenblümchenmuster in fleckneutralen Farben, der Rundhalsausschnitt und die ärmellosen Armlöcher, gerne in Rosa gesäumt, Knopfleiste vorn, kniescheibenlang, Sackschnitt. Der gleiche Verbrecher, der das erfand, hat übrigens auch beschlossen, dass Gesundheitsschuhe nur in der Farbe «Hornhaut» hergestellt werden. Er ist der Kerl, der es geschafft hat, Stützstrümpfe so zu designen, dass jedes Auge, das sie wahrnimmt, unweigerlich ans Hirn meldet: «Vorsicht, Körpergeruch!» Wenn ich mich nicht sehr täusche, nahm es ein gerechtes Ende mit ihm: Er ist als Chefdesigner einer Schnabeltassen-Fabrik beim Selbsttest erstickt.

Frau Widdels Gesicht ist das einer Frau, die schon lange nicht mehr träumt. Unter den Augen bläulich umrandete Tränensäckchen, längst geleert, die leicht hängenden Wangen mit roten Äderchen durchzogen. Ihre Mundwinkel sind ein wenig zusammengekniffen, als hätte ihr das Leben zu viele saure Drops verabreicht. Ihr Blick ruht auf mir. Sie lächelt nicht, sie zürnt nicht, sie guckt einfach. Guckt und wartet, was als Nächstes passiert. Sie würde nicht anders gucken, wenn jetzt ein nackter Weihnachtsmann hereingestürmt käme und «frohe Ostern» brüllte oder Brad Pitt im Smoking auf Knien vor sie rutschte und mit tausend roten Rosen im Arm Liebesschwüre stammelte. Wer guckt wie Frau Widdel, der kann in einen Atomblitz sehen, ohne Schaden zu nehmen.

«'tschuldigung», mache ich, «guten Tag.»

«Guten Tag», macht Frau Widdel. Singt ihn fast, diesen eingelernten Gruß, millionenfach wiederholt, Heerscharen von Kunden durch Jahrzehnte entgegengetönt. Das «Gu» mit hoher Stimme, gefolgt von einem etwas tieferen «ten», ausklingend mit einem noch tieferen, langgezogenen «Taaaaaaaaag». Wer das hört, weiß: Dieser Taaag wird alles, aber nicht gut. Dieser Taaag ist wie alle anderen davor und alle, die noch kommen werden – ein Hohn, ein Krüppelkind ablaufender Lebenszeit.

Frau Widdel ist in ihr bewegungsloses Gucken zurückgesunken. Unglaublich, dass diesem entschlossen geschlossenen Mund soeben ein Gruß entströmt sein soll.

«Ich wollte ... Ich bin der ... Wir sind neu in Amerika, und ich wollte ...» Also, mit den Jungs war's leichter. Frau Widdel erlöst mich nicht mit einem «Weiß ich schon». Sie guckt einfach weiter. Eigentlich müsste sie doch jetzt fragen, was mein Begehr sei, was sie für mich tun könne, was es denn sein dürfe, sie müsste sagen, dass sie ganz wunderbare Tomaten reinbekommen hat und dass die Eier frisch sind vom Hof nebenan. Sie müsste das Himalaja-Salz empfehlen und den alten Balsamico …

Ich werde immer nervös, wenn Menschen die ihnen zugeteilte Rolle einfach verweigern, einfach nicht mitspielen. Die Regeln außer Kraft setzen. Taxifahrer, die *mich* nach dem Weg fragen, zum Beispiel, oder Schaffner, die mein Ticket *nicht* sehen wollen, oder Kellner, die sagen: «Das würde ich an Ihrer Stelle nicht essen.» Und wie alles, was mich nervös macht, fasziniert es mich gleichzeitig. Ich werde neugierig, will das Rätsel knacken. Auf welchem Planeten bin ich gelandet, welches Koordinatensystem hat hier Gültigkeit?

Ich begreife: Auf dem «Planet Widdel» bietet nicht der Dienstleister (sie) einen Dienst an, sondern der Dienstleistungs-Nehmer (ich) hat um den Dienst zu bitten. Sofort teste ich meine Erkenntnis:

«Ich hätte gerne ein paar Strippen», lege ich mein Insiderwissen gleich mal knallhart auf den Tisch.

Frau Widdels Gesichtsausdruck verändert sich von neutral auf «Altersheimleiterin hat Geduld mit senilem Patienten».

«Wie jetzt … Strippen?», murmelt sie, eher so vor sich hin als an mich gewandt.

«Na, Strippen», sage ich, «so sechs Stück. Haben Sie keine mehr?» Jetzt will ich es aber wissen.

«Noch nie gehabt. Schnürsenkel hab ich, oder Bindfaden. Strippen hat hier noch keiner verlangt.»

«Aber meine Frau hat bei Ihnen Strippen gekauft, das weiß ich ganz genau», trumpfe ich auf.

Frau Widdel denkt nach. Zumindest vermute ich das, sie guckt nämlich jetzt nicht mehr mich an, sondern die Kassenkröte. Dann: «Das kann ich mir nicht vorstellen.»

Die Kasse ist unbeeindruckt, sagt nichts dazu. Also wendet

sich Frau Widdel wieder an mich. «Wofür brauchen Sie denn 'ne Strippe?»

«Na, fürs Frühstück», gebe ich Auskunft, obschon mein kleiner Schweizer eindeutig der Ansicht ist, dass es das Verkaufspersonal eigentlich nichts anzugehen hat, wie und wann das zu Verkaufende verköstigt wird.

«Sie wollen sie *essen*?» Jetzt mustert mich Frau Widdel zum ersten Mal mit echtem Interesse. Sie kennen ja den Witz, wo der Hase in die Bäckerei kommt und einen Liter Wurst bestellt – wie dieser Hase fühle ich mich jetzt.

«Äh, ja, was sonst, meine Frau sagt, Sie haben ganz hervorragende Strippen.»

«Strippen zum Essen ... hammwanich», sagt Frau Widdel. Ihre Mimik verwandelt sich in eine unzählige Male bewährte Variante nonverbaler Kunden-Ruhigstellung: 40 Prozent Schicksalsergebenheit, 40 Prozent Endgültigkeit und 20 Prozent Angenervtsein. Ergibt zusammen 100 Prozent Widdel'sches «Hammwanich-Gesicht». Was soll man darauf antworten? Ich antworte nicht.

Stille. Frau Widdel guckt mich an, ich mich im Laden um. Ich verschaffe mir Überblick. Systematisch im Uhrzeigersinn, wie es mir mein Vater beigebracht hat, wenn ich etwas einfach nicht finden konnte. «Geh das ganze Zimmer im Uhrzeigersinn durch, dann findest du es sicher!» Manche elterlichen Ratschläge funktionieren tatsächlich ...

Also: hinten, gegenüber der Eingangstür, ein Kühlregal mit unmutig brummendem Kompressor. Scheiblettenkäse in Plastik, Quark in Plastik, Frischkäse in Plastikbechern, Joghurtartiges in Plastikbechern, Leberwurst in Plastikhaut. Eier im Glas, Gurken im Glas, Mais im Glas, Rote Beete im Glas. Rechts über die Ecke: ein großes Regal mit Putzmitteln, Abwaschmitteln, Teppichpflegemitteln, Glasreinigungsmitteln, Backofenselbstreinigungsmitteln.

Sapperlot, Amerika muss ein sauberes Dorf sein – ich denk, ich bin in der Schweiz!

Wieder rechts daneben das Regal mit den Dosen. Fisch in Dosen, Kartoffeln in Dosen, Schwein in Dosen, Rind in Dosen, Wild in Dosen, Dosen in Dosen. Dann die Erwachsenenabteilung: Schnaps in der Flasche, Wein in der Flasche, Wein im Tetrapack, Bier in der Dose, Pils in der Dose. Wieder rechts um die nächste Ecke: das Regal mit allerlei. Billiges Kinderspielzeug, vornehmlich Mädchenkram in Rosarot, einige Bastei-Romane, Schuhcreme, Spielkarten, Wäscheklammern, Schnur, Grillanzünder, Schokolade, Bonbons, Kekse, Drops, Gummibärchen, Lakritzschlangen, Streichhölzer.

Der Zeitungsständer. Die Eingangstür. Frau Widdel. Die Kasse, definitiv krötig. Kröten verschlingende Kröte, hahaha.

Weiter: Eine Kühlvitrine mit etwas leiser brummendem Kompressor. Darin: Patisserie. Vier Sorten, jeweils vier Stück: Berliner, Cremeschnitte, Liebesknochen, Würfeltörtchen, rosa glasiert. Daneben Dauerwurst *ohne* Plastik. Daneben Schwarzwälder Schinken, fünf Scheiben in Plastik, Westfäler Schinken, fünf Scheiben in Plastik, Salami, 15 Scheiben in Plastik, Schwartenmagen, 300 Gramm im Plastiktöpfchen. Die Ecke zwischen Kühlvitrine und Kühlregal ist frei, da geht's nach hinten, ins Innerste von Frau Widdels Reich.

Inmitten des Raums: Stapel von Getränkekisten. Mineralwasser, Bier, Pils, Bier, Weißbier, Bier, Dunkelbier, Bier, Cola, Bier, Fanta, Bier, Sprudel und … Sprudel mit Citrusgeschmack.

«Haben Sie Milch?», frage ich. «Vor Ihnen», sagt Frau Widdel.

«Wo?», frage ich, zum Kühlregal blickend. «Vor Ihnen», wiederholt Frau Widdel.

«WO?», fragen meine Augen stumm. «Na, am Boden vor Ihnen», sagt Frau Widdels Mund eindringlich.

Tatsächlich: Da steht ein labbriger Karton mit Haltbarmilch-Tetrapacks. Oder Packen. Oder Päckitsches.

«Frische haben Sie nicht?»

«Das wird hier nicht verlangt.»

«Aha.»

«Das ist Haltbarmilch.»

«Frische schmeckt doch aber besser.»

«Haltbarmilch ist praktisch. Die ist haltbar.»

«Schon, aber schmeckt nicht so gut wie Frischmilch.»

«Wie gesagt, die Leute kaufen hier nur H-Milch.»

«Ich aber würde Frischmilch kaufen.»

«Nee! Hier nehmen *alle* H-Milch.»

«Aber Frischmilch ...»

«Haben wir nicht», sagt das Hammwanich-Gesicht. Was soll man darauf antworten? Ich antworte abermals nicht und nehme eben die Drecks-H-Milch aus dem Karton. Besser als keine, ich hasse Kaffee ohne Milch zum Frühstück.

«Sehen Sie», sagt Frau Widdel, weil ich jetzt auch dazugehöre, zu allen, die nur H-Milch kaufen.

«Dann nehme ich noch den Schinken mit», kaschiere ich meine Niederlage.

«Welchen?»

«Beide.»

Sie erhebt sich mit leisem Stöhnen von der Kasse, zwängt sich hinter die Vitrine und greift nach den je fünf Blatt Westfäler und Schwarzwälder in Plaste. «Nu ist der auch aus», murmelt sie. Ich kann nicht entscheiden, ob sie das vorwurfsvoll sagt, weil ich den andern Kunden den schönen Schinken wegkaufe, oder ob sie froh ist, dass die Ladenhüter endlich doch einen Trottel von Käufer gefunden haben. Beides wäre Grund genug, auf den Schinken zu verzichten, aber ich will Frühstück, verdammt.

«Haben Sie Brot?», frage ich gespannt.

«Weiß oder dunkel?», fragt Frau Widdel. Ein neuartiges, fremdes

Gefühl steigt in mir auf, ein Gefühl, das meine Großeltern vielleicht noch gekannt haben: Dankbarkeit, dass es Brot gibt. Brot! Ich kann mich nicht erinnern, wann ich das letzte Mal bei einem Einkauf solche Freude empfunden habe. Danke, Frau Widdel!

Sie hält in jeder Hand einen Brotlaib über ihre Schulter gestemmt. Von links nach rechts: Weißbrot, Widdel-Kopf, Dunkelbrot. Und nun sehe ich es, jetzt erst wird es mir bewusst, es knallt förmlich in meine Augen: hellbraun – knallblond – dunkelbraun. Frau Widdels Frisur steht im absolut ultimativen Megakontrast zur Kleiderschürze und ihrer Miene. Eine luftig geföhnte, sich wild türmende Haarpracht in intensiv leuchtendem Blond. Blondblond.

Und ihre Hände! Die Finger heben sich scharf von der Brotkruste ab, es sind schöne Finger, schlanke Finger, mit grellrot, beinahe orange lackierten Nägeln. Das haut mich um. Vielleicht hat diese Frau doch noch Träume! Zwanghaft wandert mein Blick nach unten, ich muss wissen, was da unterhalb der Blümchenschürze zum Vorschein kommt. Tigerleggings vielleicht oder sonnenstudiogebräunte Claudia-Schiffer-Unterschenkel oder genietete Rockerbraut-Fransenhosen? Durch das Glas der Kühlvitrine visiere ich, über die Liebesknochen hinweg, Frau Widdels Beine an. Sie trägt Jeans.

«Na?», fragt Frau Widdel. Ertappt.

«Äh, das Blonde bitte, ich meine das Hellere, also das Weißbrot bitte.»

Frau Widdel legt das dunkle Brot zurück in die Backwaren-Plastekiste, die hinter der Vitrine verborgen auf einem kleinen Tischchen steht.

«Schrippen dazu?», fragt sie gleichgültig.

«Bitte was?»

«Ob Sie auch Schrippen wollen zu Ihrem Frühstück.» Mit drei lackierten Fingern der jetzt freien Hand greift sie ein Brötchen und streckt es mir entgegen. Es verdeckt exakt ihr Gesicht. Ich sehe: ein knuspriges Brötchen mit einem wild-grellblonden Haarkranz.

«Ach, Schrippen heißen die, nicht Strippen, jetzt ist mir alles klar, haha.» Ich lache wie ein debiler Schuljunge.

Frau Widdel lacht nicht. Sie setzt sich ungerührt hinter ihre Kasse. «Sag ich doch, dass man Strippen nicht essen kann. Außerdem?»

«Danke, das reicht.»

Als ich wieder auf der Terrasse stehe, sind die Männer weg. Auf dem Gesims des Ladenfensters stehen, ordentlich aufgereiht, die leeren Bierflaschen. Es ist irgendwie gut, auf dieser Terrasse zu stehen. Man sieht leicht von oben herab in das Dorf hinein. Man sieht, wer kommt, wer geht und wer mit wem. Und wer gegen wen. Und wer was. Man ist dabei, hier oben. Und gleichzeitig schafft das Geländer angenehme Distanz. Die Terrasse ist Frau Widdels Bühne und gleichzeitig ihre Hafenmauer, das Bollwerk gegen die tagtäglich anbrandenden Wünsche ihrer Konsumenten. Könnte es sein, dass auch ich einmal lustvoll hier oben stehen werde, in Ruhe ein Morgenbierchen aus der Flasche zischend und einfach nur hineinguckend in dieses Amerika? «Nein, das könnte niemals sein», ruft der kleine Schweizer entsetzt. Ich nicke demütig.

Auf dem Weg zu unserem Haus kommt mir ein Gedanke: Vielleicht hat Frau Widdel nicht nur «doch noch Träume», vielleicht lebt sie sie auch … Ich bleibe auf Höhe des Hengstes stehen und blicke zurück zum Laden. Frau Widdel räumt die Bierflaschen rein.

Gartenzauber

Sonja hat es in der Rekordzeit von zwei Monaten geschafft, die Krücken loszuwerden. Sie machte ihren Film fertig, und ich jettete wöchentlich Berlin–Wien–Berlin. Die Tage, an denen wir beide nicht am Hof waren, konnten mit tatkräftiger Unterstützung unserer beiden Mütter und verschiedener Freundinnen und Freunde überbrückt werden. Es war ein Kommen und Gehen von Menschen aus Wien und aus der Schweiz, die Amerikaner werden sich gefragt haben, wer nun dazugehört und wer nicht. Die Hunde wussten schon nicht mehr, wer nun Herrchen und Frauchen sind, begannen, orientierungslos zu werden. Die Katzen, Gewohnheitstiere par excellence, mochten die Unruhe auch nicht. Zwei sind sang- und klanglos ausgezogen. Die eine fand ein neues Zuhause in einem Hangar hinten am Flughafen, die andere schloss sich einer Wildkatzenkolonie in der Nähe an. Beide habe ich nach langem Suchen gefunden und zum Hof zurückgebracht, beide sind umgehend wieder in ihre selbstgewählten Reviere abgehauen.

In dieser unruhigen Zeit hatten wir kaum Gelegenheit, Dorf und Menschen kennenzulernen, wussten nach Wochen immer noch nicht so richtig, wo wir eigentlich waren. Einzig Bauer Müsebeck hatte ich ein paarmal getroffen. Er war es, der wie vereinbart für uns das Heu von unserem Land erntete und es auf den Boden über dem Stall einbrachte.

Schließlich hatte Sonja ihren Job gut hinter sich gebracht, und so etwas wie ein gleichmäßiger Tagesablauf kehrte ein auf dem Hof. Ich war sehr froh, dass diese Phase des Durcheinanders nun zu Ende war.

Sonja traf die Entscheidung, das Film- und TV-Geschäft sich selbst zu überlassen und sich ganz auf den Hof und seine Weiterentwicklung zu konzentrieren. Sie würde sich zum Schulbankdrücken in der Bauernschule anmelden und die Ausbildung zur Diplomlandwirtin angehen. Der grobe Plan war einfach und klar: Sie treibt als Fachfrau den Hof voran, ich schaffe in der Medienwelt das Investitionskapital ran.

Es war einer unserer ersten gemeinsamen Hundespaziergänge durch Amerika, der uns die Gelegenheit brachte, nach Bauer Müsebeck einen weiteren Amerikaner näher kennenzulernen, genauer: eine Amerikanerin.

Hinter der Pfuhle, am uns entgegengesetzten Ende von Amerika, an dem unbefestigten Weg, der in den Schlosspark mündet, liegt ein kleiner ehemaliger Hof. Ein altes Haus, das den DDR-Allzweckgrobverputz und den krankehundekackfarbenen Einheitsanstrich nicht hat an sich rankommen lassen – wie auch immer das möglich gewesen ist. Blumen und kleine Büsche ranken sich an seinen Mauern hoch, die Dachrinnen münden in große Regentonnen. Zwei bescheidene Nebengebäude, ein Scheunchen und ein Stall, in den gerade vier Kühe gepasst hätten, komplettieren das Ensemble.

Die Hofstelle beherbergt einen Garten wie aus dem Bilderbuch. Gemüsebeete, Blumen, dazwischen einige Flecken Rasen, eine Holzbank, Flieder und Holunder und verstreut eine Handvoll

Obstbäume. Schubkarre, Gartenschlauch, Gießkannen, ein kleiner Geräteschuppen zeugen davon, dass jemand in diesem Garten tagtäglich einige Stunden arbeitet, ihn pflegt und gedeihen lässt. Die schmalen, ungekiesten Weglein zwischen den Beeten sind vom tausendmaligen Begangenwerden zu akkuraten Lehmsträßchen geebnet. Umfriedet ist das kleine Paradies mit einem einfachen, dunkelgrau gestrichenen Eisenzaun, wie man ihn von alten Schwarzweißfotografien aus der Provinz kennt.

Als Sonja und ich dort vorbeikamen, verlangsamten wir unweigerlich die Schritte. Was für ein schöner Anblick! Was da wuchs und gedieh, präsentierte sich in voller, sommerlicher Kraft, entfaltete eine schlichte, sich selbst genügende Pracht, die es nicht nötig hatte, hochdelüxt zu werden mit bunten Garten-Christbaumkugeln und silbrigen Antikpflügen. Wir blieben stehen und ließen unsere Blicke schweifen, sogen mit den Augen die Farben und Formen in uns auf, wie Kunstfreunde in der Sixtinischen Kapelle. Und wie Kunstfreunde kommentierten wir ehrfürchtig leise den Anblick, machten einander auf eine besonders gelungene Farbgebung aufmerksam, einen spannenden Kontrast und fachsimpelten, wie viel Können, Erfahrung und Liebe notwendig seien, so verschiedene Ebenen der Schönheit sich entfalten und sich gegenseitig verstärken zu lassen.

«Hier muss jemand ganz Spezielles wohnen», sagte Sonja und lächelte. «Würde ich gern kennenlernen.»

«Zum Kennenlernen sagt man bei uns erst mal guten Tag, junge Frau», tönte es aus dem Garten, und eine Gestalt trat seitlich von uns hinter einem Rosengestrüpp hervor, das den Zaun mannshoch überwucherte.

Sie trug feste Schnürschuhe, einen Rock aus erdfarbenem grobem Stoff und ein buntgemustertes Männerhemd, die Ärmel bis über die Ellbogen hochgekrempelt. Unmengen von Haar, mehr oder weniger erfolglos mit einem schwarzen Band im Nacken zusammengerafft, umfluteten ihr Gesicht. Eine Hand hielt den Stiel einer Gartenharke, mit der anderen wischte sie sich eine graue, mit Rostrot durchsetzte Strähne von der schweißglänzenden Stirn. Ihr Gesicht war über und über bedeckt mit Sommersprossen. Die von tiefen Lachfalten umrahmten Augen funkelten ihr Grün zu uns herüber.

«Da haben Sie recht, guten Tag!», antwortete Sonja lachend. «Wir haben Sie hinter Ihrem schönen Rosenbusch gar nicht gesehen.»

«Is ja gut, Sie sind sicher die Neuen, nicht? Ich bin Schwester Alma.»

Sind Sie schon mal einem Prominenten begegnet? Einem Menschen, der davon ausgeht, dass Sie ihn sicher kennen, weil er so berühmt ist? Diese Leute stellen sich ja auch gerne höflich vor – «Guten Tag, ich bin George Clooney» –, aber sie betonen dabei ihren Namen, als ob es eine überflüssige Floskel sei, wie der Papst im vollen Ornat sagen würde: «Ich bin der Papst.» Mit genau dieser Betonung sagte sie: «Ich bin Schwester Alma.»

Und ich tapste voll in den Fettnapf, wie es mir so oft bei Promis geschieht, die ich dann eben peinlicherweise doch nicht kenne. Der Tonfall der Frau signalisierte mir zwar, dass sie eine amerikanische Institution sein musste, aber natürlich hatte ich keinen Schimmer, welche. Ich konnte nur raten: Das heimelige Haus, der schöne Garten, ihre selbstsichere, gradlinige Art, die Ermahnung, die ihren Auftritt hinter dem Rosenbusch hervor begleitet hatte, ausgerechnet ein Rosenbusch ... all das würde einen Schweizer Dorfpfarrer wohl zieren.

«Guten Tag, Schwester Alma», machte ich artig, «es freut mich, die Seelsorgerin von Amerika kennenzulernen.»

Schwester Alma schaute mich kurz irritiert an und brach in Lachen aus: «Nee, nee, was denken Sie sich denn! Seelsorgerin, da komm ich ja ins Kichern. 'ne Seele hab ich zwar und Sorgen auch, aber mit dem bärtigen alten Mann da oben will ich nichts zu schaffen haben. Schon eher mit den kleinen Engeln, von denen sich so manch einer später in einen großen Satan verwandelt.» Sie schaute uns verschmitzt an.

Engel, die sich in Satan verwandeln, dachte ich, Schwester Alma ... war Alma nicht so eine antike Römergöttin, die Urmutter, die Nährende, die Lebensspenderin? Die «Alma Mater» der Universitäten, die Wissensdrüse ... sie wird doch kein Freak sein? Eine Berliner Eso-Tante, die sich selber «Alma» getauft hat, «Urmutter» von eigenen Gnaden, eine Sektenführerin, die immer zu Vollmond im Garten ihre Jünger um sich schart und ihnen mit ihrem heiligen Wedel linksgerührtes Wasser aus ihrer Regentonne über und über auf die Gewänder spritzt – nach dem Fruchtbarkeitstanz und vor der mysteriösen Rückverwandlung von Satan in Kompaktengel.

«Na, da grübeln Sie jetzt, was ich wohl für eine Schwester bin, wie?» Sie trat näher an den Zaun und reichte Sonja die Hand zum Gruß.

«Krankenschwester, natürlich», erwiderte Sonja und ergriff die dargebotene Hand. Dann war ich dran. Ein guter, fester Händedruck, ein Händedruck, wie ihn jeder Politiker gern hätte: vertrauenerweckend.

«Sag ich's doch, Frauen sind einfach pfiffiger», rief Schwester Alma mit Seitenblick zu mir. «Wollen Sie ein Glas Eistee? Dann hereinspaziert, nehmen Sie Ihre Hunde ruhig mit, da freut sich Sally.»

Und ehe wirs uns versahen, saßen wir bei Schwester Alma im Garten vor einem riesigen Krug selbstangesetzten kalten Holunderblütentees. Sally entpuppte sich als Schwester Almas Hund, ein charmantes, rotfelliges Temperamentsbündel. Sally wirbelte um die eigene Achse, sprang in die Luft, landete, duckte sich unvermittelt mit ihrem Vorderteil ins Gras, die Hüfte hochgereckt, die

Fuchsrute heftig hin- und herpeitschend, um dann mit einem explosionsartigen seitlichen Ausfallsprung ins Laufen zu kommen und in wildem Wirbel Momo und Zora zu umkreisen. Die nahmen die Spielaufforderung gerne an, und der Garten verwandelte sich für die drei Hunde in ein Fangenspielparadies.

Schwester Alma hielt sich nicht lang mit Smalltalk über Wetter, Hunde und Weltpolitik auf, wie das in der Schweiz üblich gewesen wäre. Sie nahm uns ohne Umschweife ins Verhör. Wer seid ihr, warum kommt ihr ausgerechnet nach Amerika, was habt ihr hier vor? Nach Bauer Müsebeck erhielten wir durch sie die zweite Lektion in Sachen brandenburgische Direktheit. Und wie Müsebeck wollte sie vor allem wissen, was mit dem Hof sein würde.

Als wir Andeutungen machten, dass wir versuchen wollten, den Hof langsam wieder zu reaktivieren, sagte sie:

«Dann machen Sie mal hin, meinen Segen dazu haben Sie! Sie müssen wissen, Ihr Hof war früher einer der reichsten im Ort, nach der Landwirtschaft vom Schloss natürlich. Außer Ihrem Hof gab es hier früher fast 20 weitere Bauern. Kleine Höfe zwar – reich ist da keiner geworden –, aber jeder hat sich sein Auskommen erwirtschaftet, und jeder war sein eigener Herr ...» Sie blickte nachdenklich zur kleinen Scheune, die den Garten zum offenen Feld hin abgrenzte. Dann seufzte sie und stellte fest: «Nu sind se alle weg. Wurden alle von der LPG aufgesaugt, und dann ging die ja nach der Wende selber pleite.»

«Und das hier», fragte Sonja, «war das der Hof Ihrer Eltern, damals?»

«Nein, wir hatten keine Bauern in der Familie. Hier haben die Eltern von meinem Hans gewirtschaftet. Er hat mir den Hof vererbt.»

«Ihr Mann war also Bauer?», fragte ich.

«Na, mein Mann in dem Sinne war er nicht direkt. Wir waren

unverheiratet. Nur zusammen.» Schwester Alma schaute uns geradeheraus an, prüfte unsere Reaktion. «Ich hab ihn sehr gern gehabt, meinen Hans», fuhr sie fort. «War ein guter Mann und hatte sein Herz am rechten Fleck. Und …» – jetzt breitete sich ein spitzbübisches Grinsen auf ihrem Gesicht aus – «er hat sich von keinem was sagen lassen, sich von keinem unterkriegen lassen. Von keinem!»

«Dann war er ein Ausnahmemensch, Ihr Hans», warf ich ein. «Von keinem …!»

«Das können Sie laut sagen», schnaubte Schwester Alma, «die meisten haben einfach zu viel Schiss. Zogen den Schwanz ein vor den Nazis, denn vor den Russen und jetzt vor den Wessis. Sie glauben ja nicht, wie schnell manch einer das braune Hemd auf den Müll warf und schwups mit 'ner roten Fahne auf der Dorfstraße herumstolzierte. Mein Hans nicht. Der nicht.»

Sie füllte unsere Teegläser nach. Und dann begann sie zu erzählen.

Hansens Rache

Schwester Alma hat immer schon großen Wert auf ihre Selbständigkeit als berufstätige Frau und alleinerziehende Mutter gelegt. Was aber nicht bedeutet, dass sie ihr Herz versteinern ließ und wie eine Nonne lebte. Sie hat eine langjährige Liebe in Amerika gehabt, eben Hans. Nach dem Krieg hatte er die kleine Landwirtschaft seines Vaters übernommen. Dieser war von der glorreichen Armee des Tausendjährigen Reiches eingezogen worden und nicht mehr heimgekommen. Verschollen. In den frühen fünfziger Jahren erklärte man ihn dann offiziell für tot.

Wie alle Bauern wurde auch Hans vom Arbeiter- und Bauernstaat heftig umworben, in die LPG, die Landwirtschaftliche Produktionsgenossenschaft, einzutreten. Doch Hans wollte davon rein gar nichts wissen. In Sachen Freiheitsliebe stand er Schwester Alma in nichts nach. Er liebte es, den Hof in Eigenregie zu betreiben – wohl auch im Andenken an seinen Vater –, auf eigenem Grund und Boden zu wirtschaften und damit sein Auskommen zu bestreiten. Er wollte kein Lohnempfänger sein – und schon gar kein Befehlsempfänger.

Die Partei begann, Autos nach Amerika zu schicken, sogenannte Lautsprecherwagen. Die fuhren im Schritttempo an jedem einzelnen Haus vorbei und verkündeten zwischen Parteiparolen und Marschmusik penetrant dröhnend und scheppernd, dass der und der Bauer in Amerika sich nunmehr entschlossen habe, seinen Beitrag für die strahlende Zukunft des Arbeiter- und Bauernstaates zu leisten und als vorbildlicher Genosse um Aufnahme in die LPG gebeten hätte. Leider seien jedoch diese und jene Hofbesitzer noch nicht zur rechten Einsicht gekommen, die Partei sei aber zuversichtlich, dass auch diese Zögerer und Boykotteure in Bälde überzeugt werden könnten, dass nur die modernen Maschinen und Methoden der LPG eine ausreichende Ernährung für das werktätige Volk der Deutschen Demokratischen Republik sicherstellen könnten und es daher einem Verbrechen am Volke gleichkomme, sich weiterhin dem Fortschritt zu verschließen und diesen aus niedrigen Beweggründen des Eigennutzes zu sabotieren.

Das ging stundenlang so, tagelang. Einer nach dem anderen knickte ein. Es war einfach nicht auszuhalten, jeden einzelnen Tag immer wieder aufs Neue ohnmächtig ertragen zu müssen, wie der eigene Name öffentlich verunglimpft wurde, das überstieg die Kräfte fast aller. Bis schließlich Hans als einziger frei wirtschaftender Bauer übrig blieb.

Irgendwann fuhr der Lautsprecherwagen nicht mehr im Dorf umher. Er parkte direkt vor Hans' Hof und dröhnte ihn den ganzen Tag lang mit «Überzeugungs»-Propaganda zu. Am Ende kamen sie auch nachts. Spielten willkürlich irgendetwas ab: Reden von hohen Funktionären, Musik, Hörspiele, egal was, es ging nicht mehr um Inhalte, es ging nur noch um Lärmterror.

Hans bewies übermenschliches Stehvermögen. Scheinbar ungerührt trieb er demonstrativ seine Schweinchen durchs Dorf auf die Weide, lieferte seine paar Liter Milch im Laden ab, tuckerte mit dem alten Einzylinder-Schwungrad-Traktor über seine Äcker. Selbst als ihm die Nachbarn drohten, seinen Hof bald anzünden zu müssen, weil sie einfach den Lärm nicht mehr ertragen konnten, blieb Hans stur.

Die Partei gab schließlich auf. Der Versuch, Hans zum «freiwilligen» Beitritt zu bewegen, war gescheitert. Sie haben ihn dann einfach zwangsenteignet. Ganz ohne schönen Schein. Sie holten seine Tiere aus dem Stall, überpflügten seine Äcker, räumten seine Scheune aus. Immerhin, er durfte in seinem Haus wohnen bleiben. Vorläufig, wie es hieß. Aber mit dem Bauernberuf war es vorbei. Sie steckten ihn zur Reichsbahn, in den Geleisebau.

Nach der Wende hat Hans natürlich sofort Rückübereignung beantragt. Es folgten Jahre der Antragstellerei, Beweisführerei, erneuten Antragstellerei. Eines Tages erhielt er ein Einschreiben, eine Einladung, dann und dann in diesem und jenem Amtsbüro zu erscheinen. Zwecks abschließender Erledigung seines Rückübereignungsantrags.

Der Zufall wollte es, dass sich Hans bei seinem Erscheinen ausgerechnet dem Beamten gegenübersah, der ihm damals das Enteignungsdokument überreicht hatte. Dieser teilte ihm mit, seinem Antrag sei nunmehr stattgegeben worden, sein ehemaliger Hof samt Ländereien sei ihm wieder zu überschreiben. Das entsprechende Dokument schmiss er nachlässig, als wäre es irgendein Dreckswisch, über den Tisch hinweg Richtung Hans und sagte hämisch: «Na, du alter Sack. Was nützt dir denn jetzt noch dein Scheißhof, hä? Bist doch inzwischen viel zu tatterig zum Bauern, du Wrack!»

Hans nahm das Dokument, faltete es sorgfältig einmal, dann noch einmal zusammen und schob es ganz ruhig in die Innentasche seiner Jacke. Er beugte sich über den Tisch, bis er den schlechten Atem des Beamten roch, und sagte: «Ich hab mir gestern 'n Trecker gekauft.»

Mit dem knatterte Hans fortan stolz durch Amerika. Grüßte lachend vom Fahrersitz herunter all jene, die ihm nicht zugetraut hatten, dass er es wirklich nochmal packen würde. Er zerrte Pflug, Egge, Grubber und Sämaschine aus der Scheune, wo sie all die Zeit still rostend vor sich hin gedämmert hatten, und küsste sie wach. Mit Schraubenschlüssel, Hammer und Schweißgerät. Er bestellte wieder seine alten Felder, schaffte sich Hühner an, bald darauf auch Schweine. Und als ob die lange Zeit des Enteignetseins nur eine kaum erwähnenswerte Episode gewesen wäre, trippelte das Borstenvieh genau wie früher vor Hans her durchs Dorf, morgens auf die Weide, abends zurück in den Stall.

«Wisst ihr, manche im Dorf haben den Kopf geschüttelt über Hans, den Sturschädel», sagte Schwester Alma und schenkte sich das Glas voll. Nach einem großen Schluck, gefolgt von einem genussvollen Seufzer, fuhr sie fort: «Aber ich bin sicher, eigentlich haben sie ihn bewundert.» Sie stellte das Glas auf den Tisch und umschloss es fest mit beiden Händen. «Denn eigentlich hat mein Hans ihnen doch Mut gemacht. Hat ihnen gezeigt, welche Kraft da drin steckt, im Sich-nicht-unterkriegen-Lassen.»

Dies seien die glücklichsten Jahre gewesen im Leben ihres Hans. Es seien ihm zwar nur noch fünf vergönnt gewesen, aber in denen sei er so aufgeblüht, dass er rückwärts gealtert sei. Und am Ende habe er um etliche Jahre jünger gewirkt, als er eigentlich auf dem Buckel hatte. Selbst der Sensenmann sei ihm wohlgesinnt gewesen, ihrem Hans. Ohne jede Vorankündigung habe er ihn im Schlaf ins Jenseits herübergezogen. Hirnschlag.

Schwester Alma schilderte, wie überrascht sie war, als man ein Testament fand, in welchem Hans ihr den Hof vermachte, in Ermangelung von Nachkommen. Und dann habe sie eben getan, wogegen sie sich die vielen Jahre gesträubt hatte: Sie sei bei Hans eingezogen, nun doch noch. Und jetzt sei sie hier. Mit Sally.

«Erstaunlich», raunte mir mein kleiner Schweizer zu, «dieser Hans, oder, der ist ja fast aus dem gleichen Holz geschnitzt wie unser Wilhelm Tell. Eine Art Freiheitsheld, oder!»

«Fast», dachte ich, «*fast* aus dem gleichen Holz. Anders als Tell hätte sich Schwester Almas Hans Gesslers Befehl widersetzt, auf seinen eigenen Sohn zu schießen!»

Freie Aussicht

Warum lieben alle deutschsprachigen Europäer die deutsche Tanne? Wegen des Weihnachtslieds mit dem sensationellen Vers «Du grünst so grün?». Wegen Grimms Märchen, in denen der «dunkle, dunkle Tannenwald» immer irgendwelches lichtscheue Gesindel beherbergt? Ich weiß es nicht. Ich weiß nur, dass praktisch sämtliche Gärten und Gärtchen Mitteleuropas mit Tannen zugestellt sind. Kaum darf der Germane ein Stückchen Land sein Eigen nennen, und sei es noch so klein: Tanne drauf. Markieren. Mit einer Tanne. Oder besser einem Tannenwald aus drei Tannen – Nordmanntanne, Rottanne, Weißtanne. Der Schweizer Germane verstärkt die dominante optische Wirkung der Tanne gerne zusätzlich mit einem Fahnenmast aus Tannenholz und wehendem Schweizer Kreuz.

Tannen sind das reine Unkraut. Man pflanzt ein harmloses kleines Tannilein, damit sich die Gartenzwerge wo unterstellen können, und ehe man sichs versieht, schwups, nadelt ein 10 Meter hohes Monster die Dachrinne zu, vernichtet mit seinem sauren Abwurf jede andere Pflanze, verstellt die Aussicht, verdunkelt den Himmel.

Und das auch im Winter, im Gegensatz zu den anständigen Bäumen, die ihr Laub netterweise im Herbst abwerfen, damit das spärliche Wintersonnenlicht eine Chance auf Bodenkontakt hat. Muss ich noch erwähnen, dass ich kein Tannenfreund bin?

Die Weißtanne hinter unserem Haus, die jemand leichtsinnigerweise in wenigen Metern Abstand direkt vor die zum Garten führende Tür gesetzt hatte, nadelte, verdunkelte, versperrte und versäuerte nach Herzenslust. Ich wollte sie weghaben, Sonja wollte sie behalten. Ich argumentierte, ich bettelte, ich stöhnte, ich heulte. Sonja blieb stur. «Du wirst hier nicht einfach herkommen und diesen Baum» – sie nannte die Tanne tatsächlich Baum – «... und diesen Baum, der da schon länger steht, als du überhaupt schnaufst, einfach wegradieren, bloß weil er ein wenig Schatten macht. Wenn du keinen Schatten magst, wir haben genug freies Land!»

Ich versuchte es mit schrittweiser, oder sagen wir schnittweiser Überzeugungstaktik. Zuerst sägte ich die Äste in Kniehöhe ab. Wow, jetzt konnte man den Boden sehen. Sonja nahm es hin. Einige Tage später sägte ich alle Äste in Bauchnabelhöhe weg. Ich ließ Sonja Zeit, sich an die neue, luftigere Optik zu gewöhnen, dann sägte ich in Brusthöhe. Als ich schließlich die Säge über Kopf ansetzen wollte, damit man wenigstens unter der blöden Tanne durchgehen konnte, statt sie immer weiträumig umschiffen zu müssen, schritt Sonja ein. «Nicht weiter rauf abasten, Dieter, wie sieht denn das aus?»

«Na, wie ein Tannenstamm mit drannen Tannenästen. Weiter oben hat's ja noch 15 Meter hoch Nadelspender», gab ich zurück. «Wie eine Tanne, unter der man durchgehen kann, so sieht das aus.»

«Dieter, ich bitte dich, diese Tanne jetzt in Ruhe zu lassen.»

«Na gut», sagte ich und beschloss, das Nadelmonster hinter Sonjas Rücken zu meucheln.

Die Gelegenheit ließ nicht lange auf sich warten. Schon am nächsten Tag fuhr Sonja nach Schmachthagen, Großeinkauf machen und beim Gemeindehaus vorbeischauen wegen der Anmeldung der Landwirtschaft. Sie würde mindestens vier Stunden weg sein, lange genug, damit ich meinen teuflischen Plan in die Tat umsetzen konnte.

Als ich die Kettensäge in den Händen hatte, wurde mir doch leicht mulmig. Wenn das Monster nicht so fiel, wie ich wollte, wenn es gegen das Haus krachte und es unter sich begrub, oder noch schlimmer, Sonjas frisch bereiteten Gemüsegarten plattmachte ... Ich hatte zwar schon Bäume gefällt, aber so ein Riesending?

Also, der Wind kommt von ... nirgends. Windstille, sehr gut. Mit klopfendem Herzen setzte ich den ersten Schnitt. Aus der Richtung, in der die Tanne fallen sollte, leicht schräg nach unten bis knapp zur Mitte des Stammes. Das Sägeblatt fraß sich durch das Holz wie durch Butter. Geht ja leichter, als ich dachte. Weicheibaum! Ich setzte etwas unterhalb des ersten Schnitts noch einmal an, diesmal sägte ich waagerecht. Sauber brach der Keil aus dem Stamm. Nun der Final-Cut: Von der gegenüberliegenden Seite aus möglichst exakt auf die Spitze der herausgesägten Keillücke zu. Der Motor jaulte auf, Späne flogen.

Langsam jetzt, vorsichtig! Ein Knirschen, ein Knacken, die Tanne begann ganz langsam zu kippen, dann immer schneller, bis sie genau in vorgesehener Richtung zu Boden krachte. Und es ward Licht. Ich konnte in die Weite der Wiesen hinter dem Garten sehen. Gewonnen! Ich klopfte mir selber auf die Schulter und genoss das warme Gefühl tiefster Zufriedenheit. Das Leben konnte herrlich sein!

Von meinem Sieg beflügelt, ratzte ich in Windeseile die Äste vom Stamm und zersägte denselbigen zu kurzen, zylinderförmigen Stücken. Spalten werde ich später, das wird wunderbares Feuerholz. Wie ein Berserker, keuchend und schwitzend, schleppte ich die zerstückelte Tannenleiche hinter den Stall. Dort stapelte ich die Äste fein säuberlich auf einen Haufen, die Rundhözer an die Wand. «Saubere Sache», jubelte der kleine Schweizer.

Jetzt wandte ich mich dem Tatort zu. Versorgte die Kettensäge, rechte Späne, Tannenzapfen und Nadeln auf einen Haufen, den ich per Schubkarre zu den anderen Tannenresten verfrachtete. Danach erst mal den Schweiß runterduschen, die harzverklebte Hose in die Wäsche, frisches Hemd. Der Tannenmörder beseitigt die Spuren seiner ruchlosen Tat. Und nun?

Nun begann der schwierigste Teil. Die mentale Vorbereitung auf Sonjas entsetzte Reaktion. Alibi hatte ich keins. «Nein, Frau Kommissar, ich bin mit den Hunden spazieren gewesen, und als ich zurückkam, war die Tanne weg. Ich weiß auch nicht, wo sie hingegangen ist. Jedenfalls lebte sie noch, als ich sie zuletzt gesehen habe.» Ausrede hatte ich auch keine. «Ich schwöre, Frau Kommissar, ich wollte das nicht. Mir ist die laufende Kettensäge ausgerutscht und hat sich in den Baum gefräst. Ich wollte es noch verhindern, aber alles ging so schnell ...»

Die Schuld auf jemand anderen abwälzen funktionierte wohl auch eher nicht. «Plötzlich stand ein Maskierter auf dem Hof und bedrohte mich mit einer Kettensäge. ‹Freie Sicht auf Brandenburg›, schrie er und ‹Rache für den Mischwald›, und dann massakrierte er die schöne Tanne. Ich stehe noch immer unter Schock, Frau Kommissar, bitte gehen Sie jetzt, ich muss das alleine verarbeiten.»

Nein, es blieb mir keine Wahl: Ich musste zu dem stehen, was ich getan hatte. Ich spielte Dutzende von Dialogvarianten durch:

– Sonja bricht weinend zusammen, Dieter tröstet sie mit superguten, vernünftigen Argumenten. Sonja sieht ein, dass er recht hat, und alles wird gut.

– Sonja ist tief enttäuscht und spricht von Vertrauensbruch,

Dieter sagt, er hätte ja nie versprochen, die Tanne nicht zu fällen. Sonja sieht ein, dass er recht hat, und alles wird gut.

– Sonja ist wütend, schimpft und tobt, Dieter schreit zurück und verzieht sich beleidigt nach Berlin. Sonja sieht ein, dass er recht hat, und alles wird gut.

– Sonja sagt gar nichts, wird nur bleich, steigt ins Auto und verlässt Dieter. Monate später erhält er eine Postkarte, auf der ihm Sonja mitteilt, dass sie in der Karibik eine Baumschule für Weißtannen gegründet hat. Es ginge ihr gut, jetzt. Sie wolle ihn nie wieder sehen, denn er sei im Unrecht.

Nach einer Stunde sah ich ein: Auf das, was nach Sonjas Rückkehr geschehen würde, gab es keine mentale Vorbereitung. Also trank ich Kaffee. Taperte ziellos auf dem Hof herum. Streichelte die Hunde. Trank noch einen Kaffee. Reinigte den Eseln und dem Pferd die Hufe. Schaute nach, ob Post gekommen war. Es war keine Post gekommen.

Ich saß gerade auf der Toilette, als ich hörte, wie der Jeep auf den Hof gefahren wurde. Schlechtes Timing. Gleich würde die Badezimmertür aufgeschlagen, und Sonja, der Racheengel, würde darin erscheinen und ich mit runtergelassener Hose ... Hastig richtete ich meine Kleider, da hörte ich sie schon: «Hallooooo, bin wieder dahaaa!» Ich trat auf den Flur, Sonja war dabei, ihre Einkäufe Richtung Küche zu schleppen. «Hilfst du mir reintragen, mein Schatz?»

«Aber ... äh ... klar doch.»

Wir waren bestimmt schon drei- oder viermal mit Einkaufstüten bepackt am Baumstrunk vorbeigelatscht, als Sonja plötzlich stehen blieb, durch die nicht mehr vorhandene Tanne blickte und sagte: «Schau, ist das nicht ein schönes Land, dahinten?»

«Jetzt fällt es mir auch auf – jetzt, wo man es endlich sieht.»

Sonja blickte mich verständnislos an. Ich deutete auf den Tannenstrunk.

«Ditaaaaaaaaaaaa!!!!» Ein gellender Schrei. «Du hast … und ich hab's nicht mal bemerkt. Dieter, ich schwöre dir, es ist mir nicht aufgefallen, dass die Tanne …» Sie lachte. «Das ist ja der Hammer, das hätte ich mir nie gedacht!» Sie stellte sich auf den Strunk, breitete leicht die Arme aus und drehte sich langsam 360 Grad um die eigene Achse. Dann sagte sie: «Ist besser, ohne die Tanne, du hattest recht.» Warum habe ich mich mental nicht einfach auf diese Variante vorbereitet?

Jedenfalls, nach der Tannengeschichte durfte ich auch die morsche Mauer, die hinter dem Stall den Blick verstellte, abräumen. Die diversen anderen Tännchen, die Herr Milhoff schön in Reih und Glied rund um die Hofstelle gepflanzt hatte, habe ich – nein, nicht gekillt, sondern – ausgegraben und verschenkt. Sollen sich in 20 Jahren auch ein paar Geschlechtsgenossen gut fühlen beim Fällen. Von dieser Stelle, Männer, herzlichen Gruß in die Zukunft!

Blöd

Ich gebe zu, ich war verwöhnt. In der Schweiz konnte man selbst in den entlegensten Provinzfilialen der Großverteiler gutes Essen einkaufen. Saisonal, regional, Bio. Und das in einem breiten Angebot. Nach der ersten Erfahrung bei Frau Widdel unternahm ich natürlich weitere Einkaufsentdeckungsfahrten in die Supermärkte der Umgebung. Es war nicht lustig. Beim Grillhähnchen suchte ich vergeblich die Information, auf welchem Hof das Tier aufgezogen worden war und vor allem wie. Ich fand lediglich einen kleingedruckten Text, in dem ein gewisser Dr. X mit seiner gedruckten Unterschrift dafür garantierte, dass der Genuss dieses Hähnchens keinerlei Gesundheitsrisiken berge. Ich verzichtete darauf, die Probe aufs Exempel zu machen.

In einem anderen Supermarkt erkundigte ich mich bei der Fachfrau hinter der Fleischtheke, woher denn das Rindfleisch käme. Sie schaute mich fassungslos an und erklärte mir dann in einem Ton, der vielleicht an einen Vierjährigen richtig adressiert gewesen wäre: «Ja also, wissen Se, da wird ein kleines Kalb gemästet, und denn wird dat groß, und denn kommt es zum Schlachter, und der macht dann

Fleisch daraus, und denn kriegen wir dat und bieten dat denn an.» Als ich ihr überflüssigerweise auseinandersetzte, dass mich interessiert hätte, *wer* der Bauer und *wer* der Schlachter gewesen sei und *wie* das Rind denn so gelebt habe, in Massenhaltung oder artgerecht, und *wie* es gefüttert worden sei, Turbofutter oder naturnah, da griff sie mit schreckgeweiteten Augen entschlossen zum Telefonhörer. Wen sie anrief und was sie mitzuteilen hatte, weiß ich leider nicht, ich hatte den Supermarkt bereits verlassen.

Auch was Gemüse betraf, sah es ähnlich trübe aus. Der Ursprung der Lebensmittel und auf welche Weise sie hergestellt worden waren, das interessierte hier offensichtlich keinen Menschen. Mir wurde zweierlei klar: Wenn wir unsere Ansprüche nicht radikal herabschraubten, würden wir verhungern. Und, zweitens, es musste schnell gehen mit dem Bauernhof. Fleisch von eigenen Tieren, Gemüse aus eigenem Anbau, ich freute mich jetzt schon darauf! Und wer immer Interesse an gutem Essen hatte, würde uns unsere Produkte aus der Hand reißen.

Damit kein falscher Eindruck entsteht: Das waren damals, als wir frisch in Amerika waren, meine allerersten Einkaufserfahrungen. Natürlich entdeckten wir später einzelne kleine Geschäfte, in denen gute Qualität zu haben ist. Und Sonja ist heute Teil eines dichten Netzwerkes von anderen Biobauern und naturnah arbeitenden Kollegen. Sprich, wir sind weder verhungert, noch mussten wir auf die Qualität natürlich hergestellten Essens verzichten.

Doch tauchen wir zurück in die Erinnerung an jene kulinarisch deprimierende Anfangszeit. Im elfeinhalb Kilometer weiter gelegenen Schmachthagen kann man einigermaßen einkaufen, was man für den täglichen Bedarf so braucht. Es gibt die Zigarettenmarke, nach der man süchtig ist, es gibt den einen oder anderen *nicht* vorgescheibletteten und vorabgepackten Käse, sogar schweizerischen. Man kriegt mit etwas Glück auch ein Biohähnchen und frisches

Gemüse, so frisch es im Supermarkt eben ist. Das Servicepersonal dieser Kettenläden ist dahingehend instruiert, dass sich «Hammwanich-Gesichter» negativ auf den Umsatz auswirken.

Fast alle Amerikaner fahren nach Schmachthagen, um sich konsummäßig einzudecken. Was für den Konsum von Frau Widdel einigermaßen blöd ist. Nur die Tatsache, dass nicht alle Amerikaner ein Auto besitzen, der Bus nach Schmachthagen sehr spärlich verkehrt und die Bahnlinie überhaupt ganz stillgelegt wurde, rettet Frau Widdel gerade noch über jene Umsatzschwelle hinweg, unterhalb deren sie wohl aufgeben müsste.

Was sie außerdem rettet: ihre Schrippen. Die sind wirklich unschlagbar. Obwohl sie vom Bäcker aus Schmachthagen jeden Morgen frisch angeliefert werden, schmecken sie bei Frau Widdel gekauft besser, als wenn man sie direkt von diesem Bäcker bezieht. Vielleicht ist es der Transport im Zweitakter des Bäckers, der den Schrippen ihren besonderen Hautgout verleiht. Vielleicht kennt Frau Widdel aber auch einen amerikanischen Trick, wie man aus Brötchen Delikatessen zaubert? In Kaffeedampf schwenken und dann drei Minuten in die Morgensonne legen, was weiß denn ich! Jedenfalls werden die Schrippen traditionell bei Frau Widdel gekauft. Sogar von den Autobesitzern.

Und wo kauft Frau Widdel ein? Auch in Schmachthagen. Für sich und für den Laden. Sie bezieht die Ware zum Grossistenpreis, rechnet dann ihren Aufwand und Gewinn hinzu und erhält so den Preis, den sie ihren Kunden abverlangt. Im Schnitt etwa ein Fünftel mehr als im Supermarkt. So rechnet Frau Widdel. Und womit? Mit Recht, denn sie muss ja von etwas leben.

Blöd ist nur, dass die Kunden ebenfalls rechnen können und die meisten auch müssen. Und womit? Mit Recht, denn warum sollten sie ihr sauer verdientes Geld im Dorfladen verschleudern, wo doch dasselbe im Supermarkt billiger zu haben ist?

Blöd ist das nur für die alteingesessenen Amerikanerinnen ohne Führerschein sowie für einige Klienten, die den ihrigen alkoholbedingt «verloren» haben. Diese Restkunden können zwar auch rechnen, aber es nützt ihnen nix. Sie sind auf Gedeih und Verderb auf die einzig vorhandene Nächstversorgung angewiesen. Auf Frau Widdel. Deren Preis- und Sortimentsgestaltung ist für sie unabänderliches Schicksal. Ganz wie früher, in den guten alten Konsum-Glamourjahren.

Blöd ist nur, dass, ich will's mal so sagen, dass diese Klientel ein natürliches Ablaufdatum hat. Sie schmilzt schneller dahin als Schweizer Gletscher. Bald wird sie weg sein. Es ist gewissermaßen ein zeitlicher Wettlauf zwischen dem biologisch bedingten Abschmelzen der restlichen Stammkundschaft und von Frau Widdels Erreichen ihres wohlverdienten Restlebens als Renterin. Und Frau Widdel hält die Lebensdauer ihrer Kundschaft für deren Privatsache ...

Alles zusammengefasst, besteht leider die realistische Möglichkeit, dass der Dorfladen in Amerika sich nicht mehr lange wird tragen können, Frau Widdel in Frührente geht und wir einen großen Schubser näher vor dem Abgrund zum Schlafdorf stehen. Es sei denn ... alle, wirklich alle Amerikaner kaufen bei Frau Widdel ein auf Teufel komm raus, aus Solidarität, aus Mikropatriotismus. Rettet den Laden, rettet die amerikanische Schrippe, rettet die Führerscheinlosen vor dem Hungertod! Schon mit ein wenig Idealismus könnte das klappen. Idealismus ist ein schönes, ein berauschendes Gefühl, es ist wie Verliebtsein. Etwas Wunderbares, ohne Idealismus wäre das Leben hienieden trostlos und grau.

Blöd ist nur, dass auch hehre Gefühle nicht uneigennützig sind. Kein Verliebter vermag seine romantischen Gefühle längerfristig zu befeuern, wenn er nicht irgendwann auf Gegenliebe zumindest hoffen darf. Zwar wird er sich tapfer bemühen, reinen Herzens und selbstlos zu lieben. Er wird sich jene verbotene Frage verkneifen, die alles zerstört und deren Antwort er daher fürchtet wie der Teufel das Weihwasser. Doch über kurz oder kürzer wird sie von ihm wie langsam wirkendes Gift Besitz ergreifen, die Killerfrage. Sie lautet: «Was hab ich eigentlich davon?» Und die grausame Antwort wird sein: «Nichts.» Und er wird erkennen, dass er sich zum Deppen gemacht hat. Und er wird sich dafür schämen. Und er wird sich schwören: Nie, nie wieder ... So, ganz genau so, ist das auch mit dem Idealismus. Tut mir leid, liebe Leser.

Jedenfalls wollten wir uns mit dem realistisch drohenden Niedergang des Dorfladens nicht abfinden. Mit Geduld, Spucke und viel Nachsicht, so nahmen wir uns vor, würden wir den Laden retten. Frau Widdel würde durch unsere konsequent angewandten idealistischen Maßnahmen das schöne Erfolgserlebnis haben, dass Erfüllung von Kundenbedürfnissen unweigerlich zur Erfüllung ihrer Kasse führt.

Rückblickend rührt mich unsere Naivität.

Wir hatten einfach nicht bedacht, dass Frau Widdel die zu erfüllende Kasse, von der sie Tag für Tag, Stunde um Stunde böse angefunkelt wird, dass sie diese Kasse in Wahrheit hasst. Dass sie diese Bakelitkröte aushungern will. So lange, bis sie ihr die endlich vollends leere Geldlade zum unwiderruflich letzten Mal in ihren fettglänzenden, schmutzig grünen Bauch schieben würde. Anders kann ich mir die Beharrlichkeit, mit der Frau Widdel sich unserem edlen Ladenrettungsprogramm widersetzte, einfach nicht erklären.

Aber der Reihe nach. Unser Langzeitprojekt «Ladenrettung» begann – so ist es immer, bevor man sich auf einen Schicksalskampf einlässt – mit Hoffnung.

Prinzip Hoffnung

Die Hoffnung keimte an einem frühlingshaften Samstag Ende April. Frühling ist bekanntlich die Jahreszeit der Hoffnung. Darum wird ja auch so gerne im Frühling geheiratet, obwohl von diesen Ehen statistisch genauso viele zum Scheitern verurteilt sind wie von den im November geschlossenen. Aber wir reden ja hier nicht über Wahrscheinlichkeitsrechnung, wir reden vom Prinzip Hoffnung.

Also: Wir hatten unseren ersten Winter in Amerika gut überstanden. Er war relativ mild ausgefallen und hatte uns freundlicherweise mit für diese Gegend untypisch viel Schnee beglückt, sodass wir den Klimawechsel von den Schweizer Voralpen ins Tiefland Brandenburgs gar nicht so sehr als Wechsel empfunden haben. Jetzt waren die Tage wieder merklich länger geworden, heute war es sogar schon angenehm warm, und die Blütenpracht unseres Kirschbaums stellte jede Gartenschau in den Schatten. Begleitet von Vogelgezwitscher, Sonne im Gesicht, wanderte ich, nein, schwebte ich Richtung Laden, hüpfte die Terrasse hoch und landete, ohne Schaden anzurichten, in Frau Widdels Reich. Täuschte ich mich, oder klang ihr «Guten Taaag» heute eine Nuance frischer als sonst, leuchtete ihr Haar eine oder zwei Nuancen blonder?

«Das wird ein schönes Wochenende werden, nicht?», warf ich ihr übermütig hin, während sie meine Schrippen abzählte.

«Kommt drauf an, was Sie vorhaben», erwiderte Frau Widdel. «Acht Stück, wie immer. So!»

«Wissen Sie, was ich vorhabe, Frau Widdel? Nichts hab ich vor, das ist ja das Tolle, ein ganzes Wochenende voll mit Nichts.»

«Jedem das Seine. Anschreiben oder bar?»

Dass sie aber auch immer dieses «Anschreiben oder bar» so durch den Laden blöken musste. Schwester Alma, die gerade ihre Wochenendration H-Milch zur Kasse balancierte, guckte schon. Die musste doch denken, wir wären pleite und hätten es nötig, anschreiben zu lassen! Wegen ein paar Schrippen, ich bitte Sie! Dabei war es gerade umgekehrt. Wir zahlten immer mal wieder einen Betrag im *Voraus*, damit wir jederzeit schnell etwas holen konnten, ohne immer daran denken zu müssen, Geld einzustecken. Deshalb hätte Frau Widdel doch fragen können: «Darf ich es dann von Ihrem Konto abbuchen, Herr Moor?» Das könnte man doch erwarten, meine ich, oder?

«Ja, buchen Sie es von unserem Guthaben ab, wie immer», antwortete ich, «Guthaben» extra prononciert, angewandte Sprechtechnik, gelernt ist gelernt. Und ich legte nach, halb in Richtung Schwester Alma:

«Es müsste ja noch was drauf sein ...?»

«Da müsste ich nachschauen im Büchlein», hatte ich als Antwort erwartet, so was in der Richtung. Aber Frau Widdel überraschte mich. «Ja, klar, machen Sie sich keine Sorgen, da ist mehr als genug drauf.» Und jetzt geschah ein Wunder, sie verzog den Mund ansatzweise zu einem Lächeln und sagte: «Wir sind doch noch immer klargekommen, *wir* zwei, nicht?» Seitenblick zu Schwester Alma und dann mir voll ins Gesicht: «Genießen Sie Ihr Frühstück, Herr Moor!»

Hä, war das Frau Widdel? Unsere Frau Widdel? Oder war sie über Nacht von Außerirdischen entführt und durch einen Humanoiden ersetzt worden, dessen Programmierung einen Virus hat, den Freundlichkeitsvirus? Ist sie jetzt ein Konsum-Terminator? Ich scanne Frau Widdel ab, auf der Suche nach einer versteckten Funkantenne in der blondierten Frisurkunst, fokussiere ihre Stirn, ob da eine überschminkte Steckerbuchse wahrzunehmen wäre ... Doppelte Fehlanzeige. Vielleicht hatte sie ja eine verdächtige Leuchtdiode im Genick? Doch der Blick darauf war mir leider verwehrt. Meine Augen zoomten zurück von Makro auf Halbtotale: Da saß Frau Widdel und *lächelte mich an* ... der Frühling ist voller Wunder. «Genießen Sie Ihr Frühstück», hatte sie tatsächlich gesagt, sie beherrschte Freundlichsprech.

«Das werde ich, Frau Widdel», charmierte ich zurück, «mit Ihren Schrippen ist Genuss doch garantiert.»

Und verführerisch stieg es auf, vor meinem geistigen Auge, das genussvolle Frühstück: Brotkörbchen, dampfender Kaffee, Speck, Käse, Marmelade, alles, was eben dazugehört, ausgebreitet auf dem Tisch unter dem Kirschbaum, jawohl, das wird das erste Frühstück des Jahres im Freien, mit freiem Blick über das knospende Land! Und was darf keinesfalls fehlen bei so einem Werbespot-Frühstück in idyllischem Grün? Die Zeitung natürlich, und zwar eine von diesen dicken fetten Wochenendausgaben voll großer weiter Welt, Reisen, Wohnen, Essen, Motor, Feuilleton, Politik, Wirtschaft, Kommentar, Leute ... und dem Sportteil fürs Katzenklo. Das ist Lebensart, das ist Frühling!

«Haben Sie eigentlich auch so was wie 'ne Tageszeitung, Frau Widdel?», frage ich, dem Prinzip Hoffnung frönend.

«Die BamS liegt da unten vor den Illus.»

Tja, was habe ich erwartet? «Haben Sie auch richtige Zeitungen?»

«Märkische Oder-Zeitung. Aber da müsste doch noch was mehr liegen, so gucken Sie doch einfach mal.»

Na gut, dachte ich, dann eben die «Märkische», besser als nix. Lokal-Info hat ja durchaus einen gewissen skurrilen Reiz. Ich näherte mich demütig dem Krupp-Draht-Gitter. Schob ein wenig an den kleinen Stapeln rum und fand: eine Frankfurter Allgemeine Zeitung! Und: eine Süddeutsche und ... jetzt haut's dem Fass den Boden aus: Die Zeit! Genug High-end-Lesestoff für mindestens zehn Frühstücke in Serie.

«Das ist ja toll, was Sie da für eine Auswahl haben, Frau Widdel, alle Achtung!» Es war wie Ostern und Weihnachten zusammen. Ich griff mir Lektüre in Telefonbuchdicke und fragte: «Wer liest denn diese Zeitungen in Amerika?»

«Na, der Herr Schönemann vom Kutscherhaus beim Schloss drüben. Der wollte die immer.»

«Ach, dann sind die reserviert?», fragte ich enttäuscht.

«Nee, der Schönemann ist doch nicht mehr. Herzschlag aus heiterem Himmel. Kurz nachdem *Sie* nach Amerika gekommen sind. Das war vielleicht ein Schreck. Wirklich schade um ihn. So ein gebildeter Mann und überhaupt nicht von oben herab oder so, ein sehr, sehr netter Herr.»

Frau Widdel verstummte. Blickte ins Leere. Trauerte sie?

«Und der hat ...», hakte ich vorsichtig nach.

«Na, der war doch Wissenschaftsjournalist gewesen, vor seiner Rente, der musste doch auf dem Laufenden sein, da hat er doch dauernd so was lesen müssen. Das wurde dann eben Gewohnheit bei ihm, konnte er ja nicht einfach so wieder abschalten, nur weil er auf Rente musste.» Frau Widdel ließ eine richtige Verteidigungsrede vom Stapel, als wäre das Lesen von guten Zeitungen etwas Verwerfliches. «Der hat ja auch noch an seinem Buch gearbeitet, bis zuletzt! Über die geschichtliche Historie von unserem Schloss.»

«Und für diesen Herrn äh, Schön-Dings», fragte ich, «haben Sie dann Ihr Zeitungssortiment erweitert, obschon sonst niemand in Amerika ...?»

«Schö-ne-mann! Na, wo er sie doch so unbedingt haben musste, seine Zeitungen ...»

«Aber sonst verlangt die keiner hier, oder?»

«Ich führ sie jetzt eben weiter, auch wenn der Schönemann sie nicht mehr holt. Kann sie ja zurückgehen lassen, wenn sie liegenbleiben.»

«Bleiben sie diesmal nicht, Frau Widdel, ich nehme sie.»

«Wenn Sie meinen, bitte ...»

Kirschblütenträume

Sonja hatte inzwischen den Tisch gedeckt. «Mein lieber Maaaan, es ist schon richtig warm draußen, wir nehmen es unterm Kirschbaum, das Frühstück», jubelte sie.

«Gedankenübertragung», erwiderte ich und legte meine Einkäufe dazu.

«Warum warst denn du in Schmachthagen, wo du doch Frau Widdels Schrippen so gut findest?»

«Das sind Widdel-Schrippen.»

«Echt? Und du bist nur wegen der Zeitungen nach Schmachthagen ...»

«Die Zeitungen sind auch von Frau Widdel.»

Wenn Sonja etwas vernimmt, das sie, erstens, richtig, richtig gut findet, und zweitens niemals nie für möglich gehalten hätte, wenn also völlig überraschend ein Wunder geschieht, dann hat sie eine Sonja-spezifische Standardreaktion: Sie reckt den Kopf so weit wie möglich waagerecht nach vorn, was bei ihrer Halslänge sehr weit ist, verwandelt ihre Augen in basedowsche Billardkugeln und schaltet ihren Stimm-Synthesizer auf «Motor-Yacht, volle Kraft voraus». In dieser Frequenz schiebt sie alsdann, aus den Tiefen ihrer tiefsten Eingeweide aufsteigend, ein langgezogenes «neeeeee» durch die Kehle. Ich beschreibe das hier so ausführlich, weil Wunder naturgemäß nicht oft geschehen und es gut sein könnte, dass Sie keine Gelegenheit haben werden, das mal im Original von Sonja selbst zu hören.

«Neeeeee», machte Sonja.

«Doooch», machte ich.

«Aber wie kann das sein? Wer kauft die denn?»

«Na ich, zum Beispiel.»

«Ich meine, wer von den normalen Amerikanern kauft die?»

«Bin ich nicht normal?»

«Nein, bist du nicht, du bist etwas ganz unnormal Besonderes.» Ich will ja nicht prahlen, aber wann hat der Mensch an Ihrer Seite zuletzt so etwas über Sie gesagt?

Ich gab ihr einen Unnormal-unmoral-Samstagsfrühstück-im-Grünen-Kuss und erzählte von Frau Widdels Arrangement mit dem verstorbenen Herrn Schönemann.

«... und das bedeutet», schloss ich, «Frau Widdel erweitert ihr Sortiment unter *gewissen* Umständen und für *gewisse* Kunden. Die Frage ist: Wie hat Schönemann das hingekriegt?»

«Um das herauszufinden, müssen wir uns also fragen: Was hatte der selige Wissenschaftsjournalist, was wir nicht haben?», folgerte mein Weib messerscharf.

Ich machte einen ersten Versuch: «Er war ein Intellektueller?»

«Irrelevant», sagte Sonja, «interessiert Frau Widdel so viel, wie wenn in Schöps Nebraska ein Fahrrad umfällt.»

«Also lautet die Frage: Was hatte Schönemann, was wir nicht haben und Frau Widdel interessieren würde?», grenzte ich die Suchkriterien ein.

Sonja begann, laut nachzudenken. «Ich hab von der Ursina, du weißt, das ist die Schriftstellerin, die Schönemanns Wohnung im Kutscherhaus übernommen hat ...» – ich wusste natürlich wieder mal gar nichts, behielt das aber für mich und nickte nur –, «... also von ihr hab ich gehört, ihr sei erzählt worden, er habe eine Katze gehabt ...»

«Katzenfutter hatte Frau Widdel immer schon im Sortiment ...», warf ich ein.

«Wart mal schnell», unterbrach sie mich.

«Wie soll ich das machen: schnell warten?»

«Ditaaa, jetzt lass ...» Sonja kam in Fahrt. «Außerdem sei er wirklich ein sehr kultivierter Mensch gewesen, so alte Schule, du verstehst», sagte sie bedeutungsvoll. «Er soll seinem Namen entsprechend ausgesehen haben, der Schönemann: blendend für sein Alter. Und: Er war ein alleinstehender Witwer!»

Auf einmal hörte ich laut das vielstimmige Summen der Bienen in den Kirschbaumblüten über uns.

Ihre Fruchtbarkeitssinfonie.

Dirigiert von den warmen Strahlen der Sonne.

Kirschrot sind Frau Widdels Nägel, sonnengelb ist ihr Haar ...

Sollten die Ladenbesitzerin und der freundliche Herr miteinander ...?

«Du meinst ...», stotterte ich. Schon die pure Vorstellung brachte mein Koordinatensystem durcheinander. «Frau Widdel ist verheiratet, wo denkst du hin ...»

«Ich meine gar nichts», sagte Sonja in einem Ton, der deutlich bewies, dass sie sehr viel meinte. «Ich versuche nur aufzuzählen, was er hatte, was wir nicht haben. Ein gutaussehender alleinstehender Witwer, das bist du schon mal nicht.»

«Na», sagte ich, «dann liefere ich mich umgehend in eine Beauty-Farm ein und lasse mich umschnippeln zum Clooney-Klon. Und nachdem ich dann auch den Benimmkurs ‹Alte Schule› mit Diplom abgeschlossen habe, falle ich mit roten Rosen vor Frau Widdel auf die Knie und teile ihr mit, dass ich statt H-Milch ganz dringend Frischmilch brauche. Zuallererst aber lade ich dich, mein Schatz, ein zu einer kleinen Bergwanderung in meiner Heimat, von der ich dann leider nur alleine zurückkehren werde, als alleinstehender Witwer. Sehr gut, ja, gefällt mir: Es gibt Leute, die müssen einiges mehr tun, um an Frischmilch zu kommen.»

«Dieser Plan gefällt mir nicht», rief Sonja mit gespielter Empörung und stellte fest: «Welche geheimen Zauberkräfte Herr Schönemann bei Frau Widdel auch immer eingesetzt haben mag, uns stehen sie leider nicht zur Verfügung.»

«Schade, eigentlich. Frischmilch und die richtigen Zigaretten ... ich hatte schon gehofft. Na, dann geht der Laden eben vor die Hunde, genießen wir die Widdel-Schrippen, solange es sie noch gibt!», sagte ich und ließ es krachen, indem ich meine Zähne herzhaft in eine knusprige Schrippe rammte.

«Ganz sicher nicht werde ich jetzt die Hoffnung aufgeben», konterte Sonja. «Wir haben doch jetzt den Beweis: Frau Widdel hat sehr wohl ein Herz für Kunden. Das ist sogar richtig romantisch von ihr, dass sie die Zeitungen nicht aus dem Sortiment genommen hat, obwohl die Zielgruppe, genauer gesagt *der* Zielgrupperich, vom Schlag getroffen wurde.»

«Romantik? Reine Gewohnheit», wiegelte ich ab. «Die blonden Haare und die roten Nägel sind ja auch noch da, obwohl der Zielgrupperich ...»

«Jetzt sei nicht so, wer sagt, dass ihr Look mit ihm etwas zu tun hat, also wirklich, du bööööser Maaaan, du.»

Da haben wir's wieder, dachte ich, erst setzt sie mir eine Grille ins Ohr, und wenn ich sie dann aufnehme ...

«Wer ist hier bööööse», sagte ich, «erst setzt du mir eine Grille ins Ohr, und dann ...»

«Schau, das ist doch jetzt Blunzn.» Sonja kam richtig in Fahrt. «Wir haben folgende Fakten: Erstens, Frau Widdel hat einem Kundenwunsch entsprochen. Zweitens, es ist für Kunden grundsätzlich möglich, sie zu beeinflussen. Drittens, wir sind Kunden. Also?»

«Also?», fragte ich gespannt.

«Also fangen wir mit der Frischmilch an.»

«Und machen weiter mit den richtigen Zigaretten.»

«Und dann kommt das frische Gemüse.»

«Und die Bio-Produkt-Linie.»

«Und frische Fruchtsäfte und Brandenburger Spezialitäten aus der Region», schwärmte Sonja.

Ich schwärmte mit: «Genau! Und dann kommen Tische auf die Terrasse, und da gibt es selbstgemachte belegte Schrippen und einen guten heißen Kaffee mit Frischmilch. Oder Eis nach eigenem Rezept aus der Milch der Kühe, die wir dann haben. Und der Laden hat auch am Wochenende geöffnet, und bei Ausflüglern aus Berlin wird er als Geheimtipp gehandelt, das Ganze entwickelt sich zur Goldgrube, Frau Widdel vergibt das Konzept franchisemäßig an alle Ex-Konsums im ganzen Land, ‹Mein Amerika-Laden› heißt die Kette, und die Widdel stirbt nach vielen erfolgreichen Jahren als uralte, stinkreiche Blondine und wird unsterblich als Stifterin eines hochdotierten Förderpreises für junge Wissenschaftsjournalisten, und Amerika geht in die deutsche Wirtschaftswundergeschichte ein.»

Sonja sah mich todernst an. «Genauso wird es sein», stellte sie fest. «Also fangen wir an!»

«Womit?»

«Na, mit der Frischmilch. Dann sehen wir weiter. Ein Schritt nach dem anderen.» Auch so eines von Sonjas Lieblingsmottos.

Und so geschah es. Bei jedem, aber auch konsequent bei *jedem* Schrippenkauf fragten wir Frau Widdel hinterhältig-freundlich, ob sie vielleicht heute zufällig Frischmilch hätte. Frau Widdel entpuppte sich als variantenreiche Meisterin im Erfinden von zum «Hammwanich-Gesicht» passenden Texten. Nach dem bekannten «Frischmilch wird hier nicht verlangt» wechselte sie zu «Ich hab Frischmilch mal ausprobiert, und dann ist sie mir im Regal schlecht geworden». Es folgte «Frischmilch ist nicht immer frisch, im Sommer wird die schnell schlecht, und dann wären Sie ja auch nicht zufrieden» und schließlich: «Wer ersetzt mir denn den Schaden, wenn ich am Freitag die Milch nicht verkaufen kann, und Montag ist sie dann über dem Ablaufdatum?»

Jetzt war der Moment gekommen, ihr unser strategisches Kooperationsangebot zu unterbreiten. Wir gaben ihr eine Abnahmegarantie. «Frau Widdel, wir konsumieren im Schnitt drei Liter Frischmilch am Tag, wenn Sie tatsächlich welche nicht verkaufen können sollten, würden wir sie Ihnen auf jeden Fall abnehmen. Garantiert. Sie gehen kein Risiko ein.»

Zack, jetzt hatten wir sie, jetzt konnte sie sich unmöglich länger gegen Frischmilch sperren. Frau Widdel meinte: «Na gut, wenn das so ist, dann bring ich demnächst mal welche mit, dann werden wir ja sehen ...»

Sieg! Das bedeutete Sieg!

Dachten wir.

«Zu blöd, jetzt hab ich ganz vergessen, Ihre Frischmilch mitzubringen», oder: «Ich hab an Ihre Frischmilch gedacht, aber bis zum Ablaufdatum waren es nur noch vier Tage, da hab ich keine gekauft», oder: «Ich hatte so viel zu transportieren, da war einfach kein Platz für zusätzliche Frischmilch.»

Die Wochen vergingen, es wurde Sommer, und im Reich der Frau Widdel wurde weiterhin von allen ausschließlich H-Milch gekauft. Sie zeigte uns so richtig, wo der Hammer hängt, die gute Frau Widdel. Nämlich ganz eindeutig bei ihr.

Teddy

«Wofür braucht man denn Esel?», fragt der große Mann, an dem alles rund ist: runder Leib, runde Handrücken, kugelrunder Kurzhaarschädel, runde Gesichtsform mit runden Wangen, flankiert von runden Ohren mit kugeligen Ohrläppchen, runde Nase und kleine runde Augen. Auf rund 130 Kilo schätze ich sein kompaktes Gewicht. Satte Kraft, nix Schwabbeliges dran. Ein praller Mensch. Behände ist er die Leiter runtergeklettert, um Wasser zu holen, für seinen Bruder, den Dachdecker, damit der da oben in luftiger Höhe seinen Mörtel anrühren kann: Die Ziegelsteine unter den schweren Trägerbalken des Dachstuhls müssen neu gesetzt und verfugt werden.

Die Erneuerung des Scheunendachs ist unsere erste Baumaßnahme am Hof. Nicht die krankehundekackfarbene Fassade, nicht das hässliche eiserne Gefängnishoftor werden verschönt, nicht die Terasse gebaut, die Scheune ist wichtiger. «Erst die Scheune, damit wir Futter und Gerät trocken lagern können, dann der Stall und erst dann das Haus», hat die Bäuerin verkündet. Lernt man so etwas in der Landwirtschaftsschule?

Also, zuerst das Scheunendach. Der Dachdeckermeister von Amerika ist mit seinem Bautrupp angerückt. Mit dabei: einer seiner vier Brüder. Ebender Runde, der jetzt mit seinem Eimer in den Stall geschlendert gekommen ist, wo ich gerade am Ausmisten bin. Er hat den Eimer unter den Wasserhahn gehängt, das Ventil geöffnet und wartet, bis er vollgelaufen ist. Zeit für ein Schwätzchen.

«Wofür man Esel braucht?», echoe ich. Was sollte ich ihm antworten? Zum Liebhaben? Der würde doch einen Lachkrampf kriegen. Tiere hält man für etwas, nicht einfach nur so. Pferde zum Reiten, Hunde zum Wachen, Katzen wegen der Mäuse. Schafe, Schweine und Karnickel zum Essen. Kühe auch und die zusätzlich noch wegen der Milch. Und Federvieh zum Grillen, wegen der Eier und wegen der Daunen. Aber Esel? Wofür braucht man Esel?

Soll ich ihm jetzt erzählen, dass wir den jungen Eselhengst aufgenommen haben, weil er sonst in die Wurst gekommen wäre, und dass wir die Eselin gekauft haben, weil ein Esel allein nicht geht? Und dass die beiden dann eben noch zwei weitere Eselchen gemacht haben? Die man genauso wenig für etwas gebrauchen kann? Außer, um sich an ihnen zu freuen?

Steh doch einfach dazu, sage ich mir, das Schlimmste, was passieren kann, ist, dass er denkt, wir haben einen Sprung in der Schüssel. Womit er ja nicht unrecht hätte. (Bitte beachten Sie, liebe Leser, an dieser Stelle, womit sich ein Schweizer beschäftigt, bevor er auf eine einfache Frage eine ehrliche Antwort zu geben in der Lage ist. Darum sind wir so langsam.)

«Also, äh, Esel braucht man heutzutage eigentlich für nichts mehr so wirklich. Wir halten sie einfach, weil wir ... an Eseln Freude haben.»

«Wegen der Freude, wa?», macht der runde Mann. Hat er meinen Sprung in der Schüssel schon geortet, oder wartet er einfach auf mehr Info?

«Ja», fühle ich mich bemüßigt zu ergänzen. «Ich bin überzeugt, dass Esel wesentlich klüger sind als Pferde. Wir hatten auf dem letzten Hof so Riegel an den Scheunentoren, so spezielle, die kein Pferd aufkriegt. Die Esel schon. Die stellen sich vor die Riegel und probieren mit einer Engelsgeduld, stundenlang, tagelang, bis sie die verdammten Dinger offen haben. Sie brachen in unsere Scheune ein und richteten ein heilloses Chaos an. Ich hab sicher drei Riegelvarianten ausprobiert, die Esel haben alle drei geknackt. Bis ich von innen verschloss, da hatten sie dann keine Chance mehr. Aber wir konnten künftig auch nicht mehr einfach in die Scheune und mussten jedes Mal um das ganze Ding rumlaufen und durchs halbe Haus, um über den Hausdurchgang in die Scheune zu kommen und die Innenriegel zu öffnen.»

«Sind clever, die Biester, wa? Und stur.» Der Runde hängt den vollen Eimer ab, lässt ihn, den Henkel in seiner halbgeschlossenen Faust, hin und her baumeln. «Sagt man doch so allgemein, wa? Dass die stur sind, die Esel.»

«Na ja, wie man's nimmt. Ich denke, sie sind aus Klugheit stur. Wenn einem Esel etwas nicht geheuer ist, dann bleibt er erst mal stehen und denkt nach. So nach dem Motto, lieber nix machen als was Falsches, jeder Schritt kann tödlich sein. Ein Pferd hingegen kriegt Panik und rennt ohne Sinn und Verstand drauflos. Wenn es Pech hat, direkt in sein Verderben.»

«Der Mensch will lenken, aber der Esel tut denken, wa?», sagt er und lacht. Auch das Lachen ist rund, herzhaft. Da hat mir dieser Mann mal eben ganz nebenbei die schönste und stimmigste Definition des Wesens der Esel geliefert, die ich kenne.

«Sie haben den Nagel auf den Kopf getroffen. Ein Pferd kann man zwingen, einen Esel muss man überzeugen.»

«Det gefällt mir.» Wieder lacht er. «Denn ist det ja ein Kompliment, wenn einer ‹Esel› zu dir sagen tut.»

«He, Teddy, hast du dich zu den andern Eseln ins Stroh gelegt?», tönt es vom Scheunendach herunter. «Wo bleibt das Wasser?»

«Nu ma langsam mit die Gäule», ruft Teddy zurück und brummt halb zu sich, halb zu mir: «Da hat der Leithengst wohl 'n bisschen gewiehert ...»

Teddy, eigentlich Theo, wird nicht zum letzten Mal auf unserem Hof geholfen haben. Er ist ein Mann von Prinzipien. Eines dieser Prinzipien lautet: Wer Charakter haben tut, der redet, wie ihm der Schnabel gewachsen ist. Und daran hält sich Teddy eisern. Spricht, wie von Muttern gelernt. Brandenburgisch. Und die hat eben nicht gesagt: «Wenn du zu viel Eis isst, wird dir schlecht werden», sondern: «Dir wird schlecht, wenn de zu viel Eis essen tust.» Alte Sprache, die Teddy noch lebt. Und wenn andere denken tun, er kann kein richtiges Deutsch nicht, tut ihm das piepegal sein.

Einmal, Teddy hatte ein Loch für eine Verzweigung der Hofwasserleitung gebuddelt, fragte er mich: «Wo willst de denn die janzen Klamotten hinhaben?»

«Welche Klamotten?»

«Na, da sind 'n paar dolle Klamotten in die Erde drinne.»

Ich dachte mir: «Wer hat denn da Kleider vergraben auf dem Hof?», und witterte schon einen sensationellen historischen Fund. Dann fiel mir ein, hier war ja Krieg, Amerika hatte gebrannt, Hitlers letztes Aufgebot von Kindersoldaten und Greisen hatte in der Gegend noch wenige Tage vor der Kapitulation fanatisch rumgeballert. Es wurde nochmal so richtig sinnlos drauflosgestorben. Waren die Klamotten, die Teddy da gefunden hatte, vielleicht Uniformen von damals eilig verbuddelten «Helden»? Gänsehaut kroch mir über den Rücken.

«Zeig mir mal diese Klamotten, Teddy.»

Wir gingen zum Erdloch. «Wo sind sie?», fragte ich.

«Na da.» Teddy zeigte neben die Grube.

«Ich seh sie nicht», gab ich zu und fragte mich, welcher von uns beiden jetzt schleunigst eingeliefert werden sollte. «Ich sehe nur dein Loch und ein paar Feldsteine daneben!»

«Sach ich doch, und wo willste se jetzt hinhaben, die Klamotten, 'tschuldigung, die *Feld-stei-nö*?»

Steine heißen tatsächlich ursprünglich Klamotten. Wer wann warum auf die hirnrissige Idee kam, Kleider als «Steine», also als «Klamotten» zu bezeichnen, ich weiß es nicht.

Ähnliche Sprachverwirrung gab es, als Teddy uns später einmal bei der Heuernte half. «Dieter, haste ma 'ne Forke für mich?» Ich begriff nicht, was Teddy jetzt, mitten auf der Heuwiese, mit einer Forke wollte. Forken verwendet man in der Schweiz, um in Gartenbeeten das Unkraut fein säuberlich herauszuhäckeln. Hier in Amerika jedoch ist eine Forke, wie sich herausstellte, eine Gabel. Wie ja übrigens auch drüben in England. «Fork».

Ein weiteres seiner Prinzipien stellt Teddy gerne auf seiner breiten Brust zur Schau. In großen roten Buchstaben prangt auf seinem Lieblings-T-Shirt «No woman, no cry». Was Teddy übersetzt mit: «Keene Frau, keen Geschrei». Teddy ist der einzige, wirklich der einzige Mann, den ich kenne, der Junggeselle ist, weil er Junggeselle sein will. Er hat so seine Erfahrungen gemacht, und ihm «reicht's mit die Weiber», wie er sagt.

«Nichts als Unruhe und Ärger. Die wollen dir immer erziehen. Und wenn de nicht machen tust, wie die wollen, denn ist det nicht gut und det ist schlimm und so biste nicht richtig und andersrum biste och falsch. Und für all den Scheiß sollste auch noch dankbar sein. Nee, dat lohnt nich für dat bisschen Vögeln, wa? Det lass ich denn lieber einfach weg, den ganzen Rotz, und hab meene Ruhe.»

Teddy ist auch der einzige, wirklich einzige mir bekannte Mann, der unbeweibt lebt, zusätzlich keine feste Anstellung hat und dennoch, auch nach vielen Jahren, nie ins Verschmoddern gerutscht ist.

Teddy hat seinen Alltag souverän im Griff. Um fünf Uhr morgens Tagwache, dann gemütlich einen Kaffee, dann Körper und Wohnung reinigen. Teddys Zuhause ist jederzeit picobello in Schuss. «Wenn de vor lauter Spinnweben die Glühlampe an der Decke nicht mehr sehen tust, denn weeßt de, jetzt bist de ganz unten angekommen, wa?»

Nach dem Saubermachen: Schrippen holen bei Frau Widdel, Frühstück und dann Arbeit. Fast immer ist was zu tun, mal für den einen, mal für den anderen oder jenen. Teddy ist die Paradebesetzung einer gutgemanagten Ich-AG. Kann alles, macht alles, jammert nicht. Brummelt nur beim «Rinklotzen» so ein wenig vor sich hin.

Nach Feierabend versorgt er seine Karnickel, und danach ist erst mal Ausruhen angesagt. Da liegt er dann auf seinem bequemen Sofa. Das er mit gefühlten 170 Teddybären teilt, die ihm alle erdenklichen Freunde und Bekannten in vielen Jahren geschenkt haben. Obwohl er gar nicht auf Teddys steht. Aber sein Schicksal ist eben, dass man ihn Teddy nennt. Weil er nun mal denselben Vornamen trägt wie Präsident Roosevelt, den nannten sie ja auch Teddy. Und dieser Teddy Roosevelt hatte sich ja bekanntlich auf einer Jagdgesellschaft geweigert, einen putzigen Jungbären, den man ihm vor die Flinte gesetzt hatte, zu erschießen. Worauf dieser Bär nach Roosevelt «Teddy» genannt wurde, was ein Zeitungskarikaturist als berichtenswerten Vorfall in eine Zeichnung bannte.

Dieser gezeichnete kleine Bär wiederum kam bei Roosevelts Volk so gut an, dass der Karikaturist die Figur weiter verwendete und sie zur Symbolfigur für den Präsidenten machte. Worauf ein geschäftstüchtiges russisches Einwandererpaar kleine Stoffbären bastelte und damit das Schaufenster seines Ladens ausstaffierte. Die Stoffbären fanden reißenden Absatz, und das Einwandererpaar erhielt von Roosevelt höchstselbst die Erlaubnis, den Verkaufsschlager «Teddy's Bear» zu nennen. Seither ist der Kurzname Teddy untrennbar mit Stoffbären verknüpft.

Das zeitigt Folgen auch im gegenwärtigen Leben *unseres* Teddys in *unserem* Amerika. Alle finden es nämlich ganz wahnsinnig originell, Teddy einen Teddy zu schenken. «Na, Teddy, wat sagst du nun? Ein Teddy für Teddy, hahaha.» Teddy lacht nur gutmütig sein rundes Lachen und sagt, höflich wie er ist, nichts. Und wieder wird es auf seinem Sofa etwas enger, aber Geschenke gibt man nun mal nicht weg. Und die Stoffbären fressen ja kein Heu und auch keinen Honig, was soll's also.

Wesentlich mehr Sammelleidenschaft als in seine Stoffbären investiert Teddy in seine maßstabgetreue Truck-Modell-Sammlung. Sie umfasst schon über 200 Stück. «Manche haben ein Laster, manche auch zwei. Ich hab Hunderte!», sagte Teddy gerne. Es sind wirklich alle erdenklichen Laster: DDR-Trucks, Russen-Trucks, Ami-Trucks, alle Marken, alle Sorten: Hänger, Sattelzug, 3-Achser bis 8-Achser. Alles, was groß, schwer und stark ist. Allesamt glänzen sie, fein säuberlich abgestaubt, in einem liebevoll selbstgefertigten Holzregal, das die gesamte Wand hinter dem Sofa einnimmt. Teddy kann stundenlang seine Trucks betrachten, so wie andere fernsehen. Jeder Laster hat seine Geschichte. Wo Teddy ihn herhat, wann das war, wie er ihn gefunden hat und natürlich die Geschichten der großen Vorbilder: gebaut von, in Serie gewesen von bis, Achslast, Nutzlast, Motorisierung, Reichweite, Spezielles.

Die Aufschriften auf den kleinen Planen seiner Modelle werben für Firmen, die kennt heute kein Mensch mehr. Teddy macht sich so seine Gedanken, wie es kommt, dass ehemalige Top-Marken einfach sang- und klanglos von der Bildfläche verschwinden tun und andere wie aus dem Nichts plötzlich da sind …

Nach dem Ausruhen auf der Couch macht sich Teddy nochmal auf die Socken. Geht um in Amerika. Jeder kennt ihn, jeder freut sich, wenn Teddy mal eben kurz reinschneit auf ein Schwätzchen, am Wochenende gerne auch auf ein Bierchen oder einfach nur so. Teddy hat nicht wenige Amerikaner zu seiner Wahlverwandtschaft erkoren. Und wie das unter guten Verwandten eben üblich ist, schaut man öfter mal auf einen Sprung rein, ist nicht böse, wenn es gerade nicht passt, und achtet darauf, nie über die Zeit auf dem Stuhl kleben zu bleiben. «So, denn zieh ich ma ein Haus weiter, tschüs, haut rinn.» Teddys Abgänge sind ebenso unkompliziert spontan wie seine Auftritte.

Noch ein Teddy-Prinzip: Das Wochenende ist für ihn eisern Freizeit. Und das bedeutet, dass er sich jede Freiheit gestattet, die ihm mit einer Lebensgefährtin an der Backe verwehrt gewesen wäre. Pennen, bis der Arzt kommt. Frühschoppen, ruhen und abends viel essen. Und viele Biere trinken, ohne dass jemand nachzählt. Feiern mit den Kumpels vom Fußballclub oder Durst löschen mit der Freiwilligen Feuerwehr, ohne dass jemand nölt, er solle endlich nach Hause kommen. Unter der Woche trinkt Teddy keinen Tropfen. Aber Wochenende ist Freizeit, Freiheit, Freibier.

Teddy ist der einzige, wirklich der einzige Mann, den ich kenne, der sich unter Einfluss von Alkohol nicht negativ verändert. Sondern gar nicht verändert. Er wird vielleicht eine Spur philosophischer, erzählt eine Spur persönlichere Geschichten und wird in seinem «Brann'nbugisch» für Schweizer Ohren eine Spur unverständlicher. Aber Teddy bleibt original Teddy, auch wenn er sturzstern-hagel-voll ist. Was beweist, dass Teddy ganz genau der Teddy ist, der er zu sein vorgibt.

Zum Prinzip «Wochenende ist Freizeit» gibt es natürlich auch das Pendant: Arbeit ist Arbeit. Wenn Teddy arbeiten tut, dann ist er zu einhundert Prozent Arbeiter. Von ihm hab ich gelernt, was richtiges Arbeiten ist: unter anderem langsam. Und stetig. Ich neigte früher sehr dazu, bei körperlicher Arbeit wie ein Wahnsinniger reinzuklotzen, als ob es darum ginge, einen Akkordrekord zu brechen. Wir Schweizer neigen dazu, so eine Art Show-Arbeiten zu veranstalten. Es könnte es ja jemand sehen, und dann soll derjenige möglichst in die Knie gehen vor Bewunderung über sooo *viel* Einsatz. Natürlich rinnt einem der Saft schon nach Minuten in Bächen runter, die Knie zittern, der Puls rast. Man braucht dringend, ja existenziell eine Pause. Sprich, eine Ausrede für eine Pause.

«Du, ich schau nur mal schnell dahinten, da ist mir vorher was aufgefallen, das möchte ich da noch schnell kontrollieren, ob ... bin dann sofort wieder ... hä.»

Man wankt um die Ecke und versucht, außer Sichtweite, nach Kräften wieder zu Kräften zu kommen. Sich für die nächste Kurzeinheit Show-Working zu präparieren. Man hat gute Chancen, nicht allzu lange allein zu bleiben, in der Außer-Sichtweite-Zone. Der nächste Mit-Arbeiter gesellt sich schwer atmend dazu.

«Wollte nur mal schnell kontrollieren, was du denn da kontrollierst, und fragen, ob du vielleicht Hilfe brauchst, dabei?»

Um jetzt das Gesicht nicht zu verlieren, muss man sehr spontan etwas zu Kontrollierendes finden. «Ja, weißt du, ich habe mich vorhin nur gefragt, oder, da ist mir aufgefallen, diese Dings da, diese Fundamentsteine da in der Mauer, siehst du, die da.»

«Ja, jetzt sehe ich es auch, du, da sind ja Fundamentsteine in der Mauer, hä», sagt der andere, dankbar, dass man jetzt ganz wichtige *geistige* Arbeit einschieben muss, bevor man wieder zur körperlichen zurückkehrt, vor der man sich natürlich überhaupt nicht drücken will, nur eben vorher noch schnell was klären muss.

«Ja, eben, oder, diese Steine da, ich habe mich gefragt, ob wir, wenn wir dann das Loch fertig haben und der Stutzen montiert ist, ob es da, bevor wir dann das Loch wieder zumachen, oder, ob es da nicht gut wäre, ein paar von diesen Fundamentsteinen vorher in das Loch ...»

«Ja, du, eben, das ist eine Möglichkeit, hä, tatsächlich. Nur müssten wir ja dann vorher die Fundamentsteine irgendwie aus dieser Mauer da herausbekommen.»

«Eben. Und da wollte ich jetzt kontrollieren, ob das der Mauer dann schaden könnte, wenn wir nachher die Fundamentsteine da herausnehmen. Ich wollte nur, dass es dann keine bösen Überraschungen gibt, womöglich, oder. Einfach zur Sicherheit.»

«Ja, du, das ist gut, dass du da, bevor da noch etwas, oder ... Die Frage wäre ja dann auch noch, *wie* man die Fundamentsteine herausbekommen könnte, wenn man sie herausnehmen würde, nachher dann.»

«Eben, das kommt noch hinzu. Man müsste eben herausfinden, welches Werkzeug da ... und wo wir es allenfalls herbekommen.»

Und schon hat man wunderbar viele Probleme geschaffen, deren Lösungsmöglichkeiten zu besprechen man über Stunden hinziehen kann. Während das nicht geschaufelte Loch still, bis zum Abend ein Unloch bleibt. Trotz vier bis fünf sehr eindrücklicher, minutenlanger, wilder Grabattacken.

Teddy braucht keine Ausrede für eine Pause. Weil Teddy keine Pausen braucht. Weil er langsam arbeitet. Schauen wir Teddy doch mal zu, wie er jede Bewegung sehr bedächtig, überlegt und fast in Zeitlupe ausführt.

Das Graben eines Erdlochs. Teddy ergreift ruhig die Schaufel, umfasst mit seinen Pranken sehr kontrolliert, wie ein Zen-Meister, den Stiel. Hebt die Schaufel. Prüft den Schwerpunkt. Setzt die Schaufel mit der Spitze leicht auf das Erdreich. Verlagert jetzt langsam seine 130 Kilo nach vorn. Dabei sind seine Arme locker. Erst kurz bevor er vornüberkippen würde, straffen sich seine Muskeln, seine Vorwärtsbewegung überträgt sich auf den Schaufelstiel, über diesen auf das Stahlblatt und zuletzt auf die Erde, die dem Druck des scharfen Eisens nicht standhalten kann. Mit einem kurzen

Schleifgeräusch dringt die Schaufel tief in sie ein. Durch den kurzen Widerstand des Bodens ist Teddys Körper wieder nach hinten geschoben worden, wo er, ohne Kraftaufwand, exakt im Lot steht. Jetzt verschiebt Teddy seine Hände den Stiel entlang nach unten, und zwar genau um so viel, dass die vordere Hand präzise auf Höhe des zu erwartenden Schwerpunktes der nunmehr beladenen Schaufel liegt. Nun schiebt er seine Hüfte ebenfalls in Richtung dieses Schwerpunktes, indem er seine Knie um eine Winzigkeit biegt. In einem entschlossenen Ruck federt er aus den Knien heraus wieder nach oben. Die volle Schaufel hebt sich mit dem Erdgut und hängt jetzt an seinem ausgestreckten (!) Vorderarm, dem Trägerarm. Der hintere Arm ist gebogen und balanciert nur leicht aus. Nun dreht sich Teddy wie ein Lastkran um die eigene Achse, ohne dabei die Füße vom Boden zu lösen, gleichzeitig drückt der Balancearm den Schaufelstiel sanft nach unten, wodurch sich das andere Ende mit der Erde emporhebt. Genau bis auf Schubkarrenhöhe. In dem Moment, wo sich die Erde über der Schubkarre befindet, kehrt Teddy wie ein Breakdancer seine Drehrichtung unvermittelt um, mit dem Effekt, dass die Erde diesen Richtungswechsel aufgrund ihres Beharrungsvermögens nicht nachvollziehen kann und, der Schaufelblatt-Unterlage beraubt, von der Gravitation senkrecht nach unten gezogen wird, wo die Schubkarre sie empfängt. Nun setzt Teddy die Schaufel mit der Spitze leicht auf das Erdreich. Verlagert langsam seine 130 Kilo nach vorn … und so weiter und weiter und immer weiter.

Wenn Sie jemals vorhaben sollten, ein Loch zu graben, machen Sie's nach der Teddy-Methode. Sie werden feststellen, dass Sie mit dieser Langsamkeit ungefähr dreimal schneller fertig sind als die Vergleichsperson im Nachbargarten. Und dass diese außerdem, wenn sie dann endlich fertig geworden ist, viel fertiger ist als Sie.

Hürlimann

Das Gras auf der Weide wuchs prächtig, wir würden wunderbares Heu einbringen können. Dazu war es dringend notwendig, sich nach entsprechendem Gerät umzusehen. Also machte ich mich auf die Suche nach gebrauchten und daher günstigen Heuerntemaschinen. Und ich wurde fündig: im Internet, in der Kleinanzeigenspalte der Bauernzeitung und bei einem Landmaschinenhändler nahe der polnischen Grenze. So trudelten nach und nach Heuwender, Schwader, Ballenpresse und Mähwerk bei uns ein. Das Einzige, was noch fehlte, war jenes Ding, ohne das alle anderen Geräte nutzlos sind: ein Traktor. Oder 'n Trecker, wie man hier sagt. Das Allzweck-Arbeitstier, ohne das nichts, aber auch gar nichts zum Laufen zu bringen ist.

Im Internet gab es Hunderte von Angeboten in jeder Preis- und Altersklasse. Für uns kam nur das allerbilligste Segment in Frage. Also ein altes Modell, aber dennoch zuverlässig. Die Wahl fiel schwer. Ich suchte und suchte und konnte mich nicht entscheiden. Ein Fehlkauf war schlicht verboten. Die Heuernte musste klappen, und wenn dann der Traktor streiken würde ... welche Blamage!

Wieder einmal saß ich vor dem Computerbildschirm und scrollte mich durch Unmengen von Treckern. Schöne, hässliche, überteuerte, Schnäppchen. Und dann sprang es mich förmlich an: «Hürlimann-Traktor zu verkaufen». Ein Hürlimann! Ich klickte das Bild groß: Tatsächlich, ein alter Hürlimann, feuerwehrautorot, viel Chrom am Kühlergrill, schnittiges Design, Baujahr 68.

Genau so einen Hürlimann hatte sich der Bauer Rotacher im schweizerischen Appenzellerland damals gekauft, der Nachbarsbauer meiner Lieblingstante Ruth. Viele Sommerwochen lang habe ich als kleiner Junge bei den Rotachers am Hof mithelfen dürfen. Ich erinnere mich gut, wie stolz der Rotacher war, als er sich einen waschechten fabrikneuen Hürlimann leisten konnte, eine Mordsanschaffung, der Rolls-Royce unter den Traktoren. Wenn man damals in der Schweiz eine Maschine als besonders zuverlässig beschreiben wollte, sagte man «läuft wie ein Hürlimann».

Diese Traktoren schaffte man einmal an, und dann liefen sie und liefen sie, ein Bauernleben lang. Tatsächlich ist die Firma Hürlimann pleitegegangen und an einen italienischen Traktorenhersteller verhökert worden, weil das Geschäft zusammenbrach, als praktisch alle Schweizer Bauern Hürlimänner hatten, die liefen und liefen und einfach nie kaputtgehen wollten, sodass niemand einen neuen Hürlimann kaufen musste. Die Hürlimann-Ingenieure hatten sich buchstäblich selber arbeitslos gemacht, indem sie zu gute Arbeit leisteten.

Als der Rotacher seinen Hürlimann persönlich im Traktorenwerk abholte, ging es der Firma noch prächtig, und es gab ein großes Fest auf dem Rotacherhof zu Ehren des neuen Familienmitglieds, des rot und chromglänzenden nigelnagelneuen Hürlimann. Gemeinsam mit den anderen Festgästen stand ich vor dem mit Blumen geschmückten Wunderding und staunte es an. Mein Bubenherz klopfte. Ich glaube, ich habe nie wieder einen Menschen so glühend bewundert und so heiß beneidet wie den Bauern Rotacher auf seinem Traktor. «So einen will ich auch einmal, wenn ich groß bin», meldete ich zu ihm hinauf. Er lachte, beugte sich von seinem Sitz tief zu mir herunter und sagte verschwörerisch: «Ja, wenn du ganz, ganz fleißig bist und viel lernst und die Arbeit nicht scheust, dann kannst du dir später gewiss auch mal einen Hürlimann kaufen!»

Jetzt war es also so weit, jetzt konnte ich diesen Traktor haben. Nicht irgendeinen, genau diesen. Ein Zeichen des Himmels! «Nimm den, das ist beste Schweizer Qualitätsarbeit», jubelte mein kleiner Schweizer, und ich jubelte mit. Was stand da? Viertausend Arbeitsstunden hat er erst runter? Das ist ja fast nichts. Für einen Hürlimann ist das sogar gar nichts. Praktisch neuwertig! Ich schlug zu.

Drei Wochen später kommt der Hürlimann, *mein* Hürlimann, an. Huckepack per Lastwagen. Der Transporteur schlägt die Plane zurück, und mein Herz tanzt Bocksprünge. Da steht er. Nicht ganz so glänzend wie damals auf dem Rotacherhof – er hat ja nun, wie auch ich, ein paar Jahre mehr auf dem Buckel –, aber er sieht noch immer prächtigst aus. Wenn ich mich auch so gut gehalten hätte, ich wäre zufrieden.

«So, dann laden wir doch mal ab», fordere ich den Fahrer auf.

«Mir soll's recht sein», sagt er. Macht aber keine Anstalten, aktiv zu werden, sondern sieht mich nur erwartungsvoll an.

«Was ist?», frage ich

«Ja, ich warte, bis Sie endlich abladen.»

«Ja, wie soll ich denn abladen – ich dachte, das erledigen Sie?»

«Nö.»

«Wie, nö? Sie müssen doch in der Lage sein, abzuladen!» Langsam werde ich ärgerlich.

«Ja, wie denn?», fragt er stupide.

«So, wie Sie aufgeladen haben. Irgendwie haben Sie das Ding doch auch auf Ihren Lastwagen raufbekommen, oder?»

«Ich hab den von der Deutschen Bahn übernommen. Die haben Rampen.»

«Ich bin aber nicht die Deutsche Bahn, und ich habe keine Rampe, und in meinem Liefervertrag steht ‹Frei Haus›!»

«Hab ich ja gemacht, ich steh doch vor Ihrem Haus.»

«Ja, Sie, aber nicht der Hürlimann.»

«Wer?»

«Der Trecker!»

«Doch, der Trecker steht auch vor Ihrem Haus, darum bin ich ja hergefahren.»

«Meines Erachtens, guter Mann, steht der Trecker erst dann vor meinem Haus, wenn er auf der Straße vor meinem Haus steht.»

«Steht denn, wo er stehen muss, auch in Ihrem Liefervertrag? Guter Mann?»

Mir wird das jetzt alles zu blöde. Jetzt ziehe ich andere Saiten auf, jetzt werden die Samthandschuhe in die Fehde geworfen, jetzt …

«Hören Sie, mir wird das alles zu blöde», stelle ich mit entschlossener, wenn auch leicht bebender Stimme fest. «Mir nützt der Traktor nichts, wenn ich nicht damit fahren kann, und ich kann damit nicht fahren, solange er auf Ihrem Laster steht. Und jetzt erzählen Sie mir nicht, dass der Traktor sehr wohl auch fährt, wenn Sie mit dem Lastwagen fahren! Er muss auf meinem Feld fahren, das heißt, er muss mit seinen eigenen Rädern Bodenkontakt haben, das heißt, er muss RUNTER VON IHREM LASTWAGEN!»

Erschöpft, von Frust überwältigt, breche ich ab. Zünde mir eine Zigarette an.

Pause.

«Kann ich Sie um eine anschnorren?», fragt der Fahrer. Wir rauchen. Friedenszigaretten.

«Gibt es denn hier keinen, der uns Auffahrrampen ausleihen könnte?», schlägt er vor.

Geistesblitz: Müsebeck. Ich rufe ihn an. Er hat Rampen, wir sollen rumkommen. Also klettere ich zum Fahrer in die Kabine, und wir rollen auf Müsebecks Hof. Der schiebt sich sein Lederhütchen in den Nacken und sagt: «Det wird nix.»

«Warum?», frage ich.

«Sie haben ja nicht gesagt, dass die Ladefläche so hoch ist. Da sind meine Rampen zu kurz, aber wir können's ja trotzdem probieren.»

Natürlich klappt es nicht mit Müsebecks Auffahrrampen. Als wir sie anlegen, zeigt sich, dass sie die Ladefläche in viel zu steilem Winkel mit dem Boden verbinden. Meinen Traktor da runterrollen zu lassen ist unmöglich.

«Bei der Deutschen Bahn die Rampen, das waren zwo fufziger. Das hier sind eins achtziger», lautet der extrem hilfreiche Kommentar des Transporteurs. «Und dem hast du eine Zigarette gegeben», mokiert sich der kleine Schweizer.

Zum Glück erweist sich Müsebeck als guter Improvisator. Er leitet uns an, den Laster rückwärts gegen einen kleinen Erdwall zu manövrieren. Indem wir die Rampen auf den Wall legen, verflacht sich der Winkel zur Ladefläche. Bingo!

Der Lastwagen ist schon längst von Müsebecks Hof gerollt, als wir beide noch immer um den Hürlimann streichen, wie zwei Jungs um ein neues Spielzeug. Ich, weil ich meine Anschaffung kennenlernen muss, Müsebeck, weil er von diesem ihm unbekannten Exoten fasziniert ist. Oberlenker, Unterlenker, Hydraulikanschluss, Anhängerflansch, Zapfwelle, Untersetzung, Standgashebel, Drehzahlmesser, Dieselpumpe, Sitzverstellung, Lenkstangenlager ... es gibt viel zu begutachten. Müsebeck schenkt mir, indem er den Hürlimann inspiziert, ganz nebenbei eine Eins-a-Lektion in Treckerkunde. Schließlich steige ich auf. Müsebeck lehnt sich seitlich gegen den Traktor, legt einen Arm über die Kühlerhaube und sagt:

«Denn meinen Sie es nu also ernst mit Ihrem Hof, wenn Sie sich einen Trecker anschaffen, wa?»

«Na ja, was wir machen können, das wollen wir schon machen», antwortete ich. «Mal sehen. Erst mal muss das Heu rein, und dann sehen wir weiter.»

Müsebeck nickt. «Eins nach dem anderen, sag ich auch immer», und dann tätschelt er mit der flachen Hand das Blech. «Schick. Sieht ganz brauchbar aus. Kommt gut, Ihr Hühlimann.» Er tippt grüßend an die Hutkrempe und dreht ab.

Sein Kompliment ist mir mindestens ebenso viel wert wie dem Schweizer Bauern Rotacher damals das Fest. Und als ich hoch zu Hürlimann durch Amerika nach Hause dröhne, höre ich ganz deutlich die Stimme vom alten Rotacher: «Siehst du, ich hab's dir ja gesagt!»

Heu

Der Hürli, wie ich ihn nun liebevoll nannte, machte seinem Ruf und Müsebecks Urteil alle Ehre. Er mähte, wendete, schwadete, sammelte, presste unser Heu ohne das kleinste Murren. Zur Heuernte reisten Bekannte und Freunde zuhauf an. Fernsehmenschen, Journalisten und Filmleute aus Berlin, alte Bekannte aus Wien und sogar unsere Nachbarn vom Hof in der Schweiz kamen und wollten mal schauen, wie das Heumachen sich im Flachland so anfühlt. Mit dabei natürlich und fast so unermüdlich wie der Hürli: Teddy, der seine «Forke» schwang. (Während sich die Auswärtigen mit Heugabeln behelfen mussten.)

Wer nie bei einer Heuernte dabei gewesen ist, wer nie diese große körperliche Anstrengung in der Sommerhitze durchlitten hat, nie das Jucken des Heustaubes auf der schweißnassen Haut erlebte und wie sich die Lungen im unverkennbaren Teeduft frischgetrockneter Wiesenkräuter weiten, wer nie staunend feststellte, zu welchen Anstrengungen er fähig ist, wenn das Heu noch nicht ganz unter Dach ist und sich am Horizont die bedrohliche graue Wand eines Sommergewitters auftürmt – der kann nicht nachvollziehen, wie groß der Jubel ist, wenn das letzte Bund eingefahren wurde und in der nächsten Minute die ersten fetten Regentropfen vom schwarzen Himmel knallen, wie riesig der Stolz jedes Einzelnen auf die eigene vollbrachte Leistung ist.

Mit wohlig schmerzenden Gliedern, pochenden Muskeln und zerstochenen Armen versammelte sich am Abend unserer ersten Heuernte die ganze Heu-Bande um zwei zusammengeschobene Tische im Garten. Das Gewitter hatte sich verzogen, die Sonne warf ihr rotes Abendlicht flach über die leergeerntete Wiese, aus der Scheune wehte uns der Heuduft in die Nasen. Wir schlemmten Wildschwein und Bratkartoffeln und frischen Salat und dunkles Brot und Alpenkäse ... es war paradiesisch. Jeder erzählte von seinen Heu-Heldentaten, es wurde viel gelacht, und für diesen einen Abend waren all diese völlig verschiedenen Menschen aus verschiedenen Ländern, mit verschiedenen Berufen und Mentalitäten eine eingeschworene Gemeinschaft.

An diesem Abend erfuhren wir von Teddy, wer unsere Bekannte mit dem schönen Garten und dem freundlichen fuchsroten Hund, wer Schwester Alma eigentlich ist. «Es gibt keinen Amerikaner unter dreißig, wo Schwester Alma dem seinen Hintern nicht getätschelt hat, det sach ich euch ...», begann Teddy.

Schwester Alma

Es gibt keinen Amerikaner unter dreißig, dessen nackten Hintern Schwester Alma nicht getätschelt hätte. Mit der flachen Hand, bis zum Schreien. Bis sie sicher sein konnte, dass das jetzt klappt mit der Atmerei. Unter den sicheren Griffen ihrer Hände haben sie alle schreiend ihren Weg ins Diesseits angetreten.

Schwester Alma ist früher die Dorfhebamme gewesen. Und bei einer Geburt können sich die Menschen nicht verstellen. Weder die vor Schmerz wimmernden Mütter noch die hilflos-nervösen Väter und schon gar nicht die kleinen glitschig-verschmierten Würmer bei ihren ersten Schnaufern. Wenn es um Leben und Tod geht (und das tut es nun mal bei einer Geburt), sind die Menschen ganz sie selbst. Ungeschminkt. Pur. Und darum braucht Schwester Alma nur zu gucken, wenn ihr einer krummkommt. Und schon erinnert sich der Betreffende, was diese Augen gesehen haben, welche Intimität man mit dieser Frau teilt. Nein, da hilft kein Prahlen und kein Trompeten, Schwester Almas Blick stutzt jeden auf das zurück, was er ist: ein Menschlein, das kommt, eine Weile lang schnauft und dann vergeht.

Schwester Alma ist eine Autorität geblieben im Dorf, obwohl sie jetzt schon viele Jahre nicht mehr als Hebamme wirkt, sondern im nahegelegenen Kreiskrankenhaus arbeitet. Nach der Wende hatte sie sich nämlich weiterbilden lassen. Zur OP-Schwester.

Und wer weiß, es kann ja gut sein, du liegst eines schlimmen Tages vor ihr auf der Bahre. Bewusst- und willenlos, niedergespritzt für die Operation. Und Schwester Alma betrachtet dich in aller Ruhe, sieht dir mit ihren grünen Augen bis in die Seele, hinter deine leblos-schlaffe Narkosefresse, und lässt vielleicht nochmal ihre letzte Begegnung mit dir Revue passieren, wo du sie womöglich angeblafft hast, und denkt sich vielleicht, na, nun liegst du da, vor mir, in deinem Spitalskittelchen, babyklein und bescheiden, und machst keinen Piepser mehr, du Würmchen. Und dann schnippst der Chirurg vielleicht mit den Fingern, und sie greift sich das Skalpell und legt es, vielleicht mit einem seltsamen Lächeln, in seinen Latexhandschuh, und dann … Nö, also vor Schwester Alma wahrt man besser einen gewissen Respekt.

Dieser Respekt wird aber auch zu einem guten Teil genährt durch die Geschichten, die man sich über Schwester Alma erzählt. Zum Beispiel, dass sie ihre Tochter selbst entbunden hat. Ohne Hebamme, oder besser gesagt, mit sich selbst als Hebamme. Die Nachbarin hatte Schwester Alma schreien und stöhnen gehört, war rübergelaufen und fand sie in ihrem Schlafzimmer auf dem Bett in Wehenkrämpfen. Alles für die Geburt Notwendige war um das Bett herum drapiert. Griffbereit. Tücher, in einem großen Topf das berühmte heiße Wasser, eine Gummimatte, Watte, eine Chirurgenschere. Auch ein Spritzbesteck samt einiger Ampullen fehlte nicht.

«Wo ist denn die Hebamme hin?», fragte die Nachbarin, entsetzt über die Verantwortungslosigkeit, die Gebärende ausgerechnet in der Zielgeraden im Stich zu lassen.

«Die Hebamme bin doch ich, Dummerchen», stöhnte Schwester Alma.

Die Nachbarin konnte es nicht fassen «Du kannst doch nicht hier ganz allein … Warum hast du keine holen lassen?»

Schwester Alma wurde von einer Schmerzwelle überrollt. Sie presste etwas von «nicht ins Handwerk pfuschen lassen» zwischen ihren zusammengepressten Zähnen hervor.

«Aber das geht so doch nicht, du musst doch … Ich hol den Doktor.» Die Nachbarin war schon bei der Tür.

«Wenn du das machst, dann …» Schwester Alma schrie sich über die Schmerzwelle hinweg. Die Nachbarin hielt das nicht aus, wollte raus, Hilfe holen, doch sie wurde gestoppt von Schwester Almas scharfem «Bleib!». Die Wehe verebbte, Schwester Alma atmete schwer. «Du musst mir zur Hand gehen. Mach einfach nur, was ich dir sage, stell keine Fragen und vor allem, mach dir nicht ins Hemd.»

«Aber …»

«Einfach nur Schnauze halten und machen, was ich dir sage!»

«Aber ich kann so was nicht!», jammerte die Nachbarin.

«Was heißt hier: Ich kann nicht? Du musst! Ich hab ja auch können, bei dir!»

Wieder eine Welle, Schwester Alma fluchte hemmungslos. «Stell dich hinter mich, zieh mich hoch, ja, so, mehr, höher, jaaaaa, das ist gut, gut so, fester, fester, ja, ja, ja, jaaaaaaaa! Na, es geht doch, sag ich's doch. Du bleibst, hörst du? Es ist gleich so-wei-iiiiiiiiiihhhh. DU BLEIBST!»

Natürlich blieb die Nachbarin bei Schwester Alma.

Das kleine Mädchen, von der erschöpften Mutter selbst fachgerecht abgenabelt und mit der ihr eigenen Hand-Po-Behandlung zum Schreien und Atmen gebracht, war ein glatter Volltreffer. Von Schwester Alma wurde sie Helena getauft und wuchs zu einem selbstbewussten Wildfang heran. Sie hatte die grünen Augen, die Sommersprossen und die feuerrote Haarmähne von ihrer Mutter geerbt. Bei der Körpergröße haben sich wohl die Gene ihres Vaters durchgesetzt, schon mit einsetzender Pubertät war Helena mit Schwester Alma auf Augenhöhe, und wenige Jahre später überragte sie sie fast um einen Kopf. Helena machte ihrem Namen alle Ehre. Es war leicht möglich, dass Zeus selbst sie gezeugt haben könnte, so wie sie aussah. Wer ihr irdischer Vater war, hat Helena nie erfahren. «Ein Irrtum, vergiss ihn», das war alles, was sich Schwester Alma entlocken ließ.

Helena nahm es hin und vermisste ihn nicht, hatte sie doch in ihrer Mutter den schlagenden Beweis, dass es sich auch ohne Gatten und Erzeuger sehr gut leben ließ. So wurde Helena zu einer großen, stolzen und aufrechten Frau. Von niemandem und von nichts ließ sie sich einschränken oder einschüchtern. Weder von den Amerikanern – da hat sie natürlich vom Status ihrer Mutter profitiert – noch von irgendwelchen Klugschwätzern der Partei oder, nach der Wende, aus dem Westen. Helena ist das Paradeexemplar der souveränen, selbstbewussten «Ostfrau». Duckt sich nicht, fürchtet sich nicht und macht keine Kompromisse, wenn sie etwas für richtig hält.

Daher wunderte es niemanden wirklich, dass Helena zur Chefin der Freiwilligen Feuerwehr Amerikas aufstieg. Am Anfang machte das die Mannen an den Schläuchen zwar etwas muffig, aber sie hat auf der ganzen Linie gewonnen. Ist niemandem hinten reingekrochen, hat sich nicht angebiedert, sondern ihr Ding einfach durchgezogen. «Es heißt ja ‹freiwillige› Feuerwehr», meinte sie nur. «Wer mit mir als Chefin nicht kann, der muss ja nicht.»

Sie hat die Männer bei ihrem Stolz gepackt, hat sie mit Fachwissen, Zuverlässigkeit und ihrem blendenden Organisationstalent überzeugt. In puncto Respektsperson ist sie zu 100 Prozent in die

Fußstapfen ihrer Mutter getreten. Die Jungs lassen auf ihre Helena inzwischen nichts mehr kommen und würden für sie durchs Feuer gehen – wenn sie damit nicht ihren Zorn auf sich zögen, weil sie Feuer ja löschen sollen, statt durchzugehen.

Und vielleicht träumt der eine oder andere nachts, wenn er allein zwischen den Laken liegt, ganz heimlich und ohne dass er es jemals zugeben würde, von Helenas wallendem Rotschopf, ihren langen Beinen und ihren von den Göttern gestalteten Formen. Ach … es ist nicht immer leicht, Gefolgsmann einer Halbgöttin zu sein.

Brauchen und haben

An jenem Abend der vielen Geschichten und des üppigen Gelages nach der ersten Heuernte kam das Gespräch, wen wundert es, auch auf gutes und schlechtes Essen. Es wurde heftig debattiert über Vor- und Nachteile von Fertiggerichten, über den wirklichen oder, wie ein Moderatorenkollege felsenfest glaubte, eingebildeten Gesundheitskoeffizienten von Biogemüse. Man sprach über Genuss und Freuden des Selberkochens und darüber, wie viel Arbeit es halt leider mache.

«Weit überschätzt, das mit der vielen Arbeit. Ich habe doch auch den ganzen Tag Heu gemacht und euch Hungerbäuchen jetzt dennoch ein Essen auf den Tisch gestellt, oder?», warf Sonja ein. «Den Wildschweinbraten habe ich heute Vormittag in die Röhre geschoben, der hat in niedriger Temperatur bis jetzt vor sich hin geschmort, die Kartoffeln habe ich gestern während des Essens gekocht, die musste ich nur noch mit ein wenig Zwiebel anbraten, der Salat geht auch ruck, zuck, Essig, Öl, Gewürze, ein paar Kräuter, fertig. Und der Käse, das Brot und der Rest mussten ja nur ausgepackt werden. Wo ist das Problem?» Das leuchtete ein, und man kam zu dem Schluss, dass nicht das Selberkochen das Problem sei, sondern das zeitraubende Einkaufen. Wann kommt man dazu, wo kriegt man was, und wie soll man planen.

Teddy hatte die ganze Zeit nur still zugehört und sich an seiner Bierflasche festgehalten. Doch jetzt meldete er sich zurück: «Ihr habt vielleicht Probleme, ihr Wessis. Wat heißt hier keine Zeit zum Einkaufen? Wir haben doch früher stundenlang Schlange gestanden, wenn's was Gutes zu kaufen gab. Sind von hier nach da gelaufen, um an ein Stück Speck zu kommen. Oder haben selber ein Ferkel großgezogen oder 'n paar Schafe gehalten. Das kostet Zeit, Freunde, das zu organisieren. Det Einkaufen heutzutage, det is doch Pillepalle.»

«Wie war denn das mit dem Einkaufen früher in der DDR?», wollte jemand wissen. Teddy fixierte die Fragerin. «Det war ganz einfach, junge Frau.» Die nicht mehr ganz junge Frau lächelte ihn erwartungsvoll an. «Wir wussten nämlich, unser Konsum hat ein eisernes Prinzip, und wenn de dich dadran halten tust, denn haste keine Probleme.» Natürlich wollten wir jetzt alle erfahren, wie dieses einfache Prinzip lautete. «Det hat unser damaliger Bürgermeister, der Herr Widdel, höchstpersönlich fein säuberlich auf den oberen Querbalken der Zarge gepinselt. Mit schwarzer Ölfarbe und Buchstabenschablonen. Im Auftrag seiner Gattin. Ist noch 'n Bier da?»

«Das hat er da hingemalt? Ist noch 'n Bier da?», fragte der Hochhausarchitekt.

«Nee», lachte Teddy, «ich frage, ob noch 'n Bierchen da ist. Mit euch Typen tu ich mir ja den Mund ganz fusselig reden, det macht Durst.»

Als Teddy sein Bierchen hatte und uns den Sinnspruch von Widdels Laden vorsagte, glaubten wir an einen Scherz. Es war zu absurd. Die schweizerischen Werbesprüche der Lebensmittelläden haben das Ziel, Erwartungen zu wecken und alles zu versprechen. «Wir haben alles unter einem Dach!», «Wir haben, was Sie wollen!», «Was wir nicht haben, gibt es nicht!» oder «Wenn wir's nicht haben, hat es keiner!» und ähnlich. Der Kunde ist König, und es wird beschafft, was die Majestäten zu haben wünschen. Zumindest wird es versprochen. Frau Widdels Türspruch klatscht all diese Verheißungen souverän an die Wand. Er ist genial, einfach und zugleich realistisch. Er sorgt mit seiner klaren Botschaft sowohl auf Kunden- wie auf Verkäuferseite für eine allzeit problemlose Koexistenz.

Am folgenden Abend, Frau Widdel hatte schon geschlossen, aber es war noch hell, schlich ich mich zum Laden. Ich musste einfach Gewissheit haben, musste mit eigenen Augen bestätigt sehen, was uns Teddy verraten hatte. Ich sah mich um. Niemand unterwegs, ich war unbeobachtet. Lautlos, panthergleich, bewegte ich mich auf die vereinsamte Terrasse. Tatsächlich. Da, über der Tür, waren sie noch zu erahnen, die schwarzen Lettern. Adrenalin schoss mir in die Adern, ich fühlte mich wie ein Archäologe, der gerade eine antike Papyrusrolle ausgegraben hat, mit der er das Geheimnis des Fluches der Pharaonen lüften wird. Die Schriftfarbe war größtenteils abgeblättert, aber dort, wo sie jahrelang geklebt hatte, war das Holz um einen Hauch weniger wettergegerbt als der Rest des Balkens. Und weil mir der Spruch ja bereits geläufig war, gelang es mir auch, die Schrift – mit Mühe zwar, aber eben doch zweifelsfrei – zu entziffern. Teddy hatte nicht gescherzt. Hier stand:

WAS WIR NICHT HABEN, BRAUCHEN SIE NICHT.

Fremdes Heu

In kleinen Orten ist gegenseitige Hilfe, wenn es denn nottut, selbstverständlich. Auch in Amerika ist das ein ungeschriebenes Gesetz, von dem alle profitieren und an das sich daher auch alle gerne halten. Darum war es für mich das Normalste der Welt, als kurz nach unserer Heuernte Bauer Müsebeck um Hilfe bat. Er stand plötzlich auf dem Hof und erkundigte sich bei Sonja, ob denn der Mann zu sprechen sei. Ich war gerade aus Wien zurückgekommen und begrüßte ihn noch in «Stadtkleidung». Ich wunderte mich, dass mein Outfit offenbar eine sehr hemmende Wirkung auf Müsebeck hatte. Er druckste richtig rum. Verdammt, und ich dachte, man kennt sich inzwischen.

«Ja, Herr Moor, nun sind wir ja auch am Heumachen, und unsere Hochdruckpresse, die wollte heute Mittag nicht mehr so richtig. Nun hab ich seit 'ner Stunde daran herumgeschraubt, aber da ist wohl die Hauptwelle im Eimer. Ihre hat ja noch Keilriemen, hab ich gesehen, meine ist ein wenig neuer, schon mit Gelenkwelle. Ist zwar besser, aber wenn se hin ist, denn ist das eben mit der Ausbauerei und bis die neue Welle da ist und denn wieder reingefriemelt ...»

Er stockte. Müsebeck stockte! Das gibt es doch nicht, dachte ich mir, was macht den denn so unsicher? Und dann begriff ich, dass ihm meine Kleider vollkommen wurscht waren. Der Mann hatte ein Problem, weil er dabei war, mich um Hilfe zu bitten. Er mich.

«Ich kann gerne morgen rüberkommen und Ihnen das restliche Heu pressen», sagte ich schnell.

«Det wäre nett. Übermorgen soll's ja Regen geben, drum.»

«Herr Müsebeck, gar kein Thema, ich hab Zeit, und ich mache das sehr gerne.»

«Wir dachten, wir fangen so um zehne an, wenn der Tau abgetrocknet ist, denn müssten wir zu Mittach fertig sein.»

«Von mir aus kann's auch Abend werden, ich habe morgen frei. Bin um Punkt zehn Uhr bei Ihnen.»

«Jut», sagte Müsebeck, tippte an seinen Hut, und weg war er.

Am nächsten Tag war ich mit Hürli und Heupresse genau «am zäni» vor Ort. Der kleine Schweizer gab mir hundert Pünktlichkeitspunkte.

«Schon da?», begrüßte mich Müsebeck. «Na, denn wollen wir mal.»

Und wir pressten. Um sechzehn Uhr zwölf, also genau «zu Mittach», waren wir fertig.

Einige Tage später klopfte Müsebeck wieder an. Nach dem knappen Tag gemeinsamer Arbeit waren wir einander vertraut geworden. Sonja bot ihm Kaffee an, den er nicht ausschlug, wir setzten uns unter den Kirschbaum. Es war zwar derselbe Platz wie bei Müsebecks erstem Besuch, dennoch war alles ganz anders. Tisch und Stuhl aus Holz statt Plaste, keine Unsicherheiten, keine mühsame Konversation. Keine Horrormeldungen. «Tja, ich wollte mich mal ehrlich machen», eröffnete Müsebeck.

Ich schaute verwirrt zu Sonja. Sie begriff offenbar auch nicht, was er meinte.

«Ja, gerne», sagte ich aufs Geratewohl, «äh, was können wir denn für Sie tun?»

Nun war er seinerseits verwirrt. «Wieso Sie für mich? *Ich* wollte mich doch ehrlich machen, wegen dem Heu!»

Meine Gedanken rasten. Was könnte denn beim Heu nicht ehrlich gelaufen sein? Sollte ich bei unserer eigenen Ernte in der Euphorie über mein Land hinaus gemäht haben, in sein Stück hinein? Kaum, da hat mein kleiner Schweizer viel zu gut aufgepasst. Oder hatten wir etwa vergessen, das Heu, das er letztes Jahr für uns eingebracht hatte, zu bezahlen?

«Ist denn da vom letzten Jahr noch was offen?», fragte ich halb zu Sonja, halb zu Müsebeck.

«Soviel ich weiß, nicht», sagte Sonja bestimmt.

«Warum vom letzten Jahr?», fragte Müsebeck. «Det hab *ich* doch für Sie eingebracht. Es geht um das Heu von neulich!»

«Was ist damit?», fragte wieder ich.

«Na, det haben ja *Sie* für *mich* gepresst, da muss ich mich doch jetzt ehrlich machen.»

Endlich fiel bei mir der Groschen. «Ach, jetzt versteh ich erst, Herr Müsebeck. Ich kannte den Ausdruck ‹ehrlich machen› nicht. Nein, um Himmels willen, das habe ich gerne gemacht. Das bisschen Pressen, das geht doch unter ‹Nachbarschaftshilfe›, das ist doch klar. Da nehm ich sicher nichts dafür.»

«Na, denn bedank ich mich. Hab mir schon gedacht, dass Sie so reagieren. Also, wenn ich mal was für euch tun kann, lasst es mich wissen.»

«Machen wir ohne Zögern», versprach ich.

«Und nun könnte man ja auch diese Sie-Sagerei allmählich lassen, wenn ihr nichts dagegen habt», sagte Müsebeck und streckte Sonja die Rechte entgegen. «Ich bin Godehardt.»

«Sonja», sagte Sonja, «freut mich sehr, Godehardt.»

«Mich auch, Godehardt. Dieter», sagte ich und schüttelte seine Hand.

«Wein?», fragte Sonja

«Jo», sagten Müsebeck, äh ... Godehardt und ich im Chor.

Es wurden zwei Flaschen. Und es wurde ein sehr schöner Abend. Als Godehardt seinen Hut aufsetzte und aufbrechen wollte, stoppte ich ihn. «Einen Moment noch. Ich hab eine Bitte, Godehardt.»

«Sag an, Dieter.» Er schaute mich erwartungsvoll an.

«Also, ich wollte dich fragen, Godehardt, ob ich, obwohl wir jetzt per Du sind, weiter ‹Müsebeck› zu dir sagen darf.»

«Nur zu.» Er zuckte mit den Schultern. «Das machen alle so. Versteh gar nicht, warum.» Sagte er, tippte an seinen Hut und war weg.

Als ich leicht beduselt im Bett lag, gingen mir die Geschichten, die Müsebeck erzählt hatte, noch lange im Kopf herum. Die vom Altbauern, der seine Scheune dreimal gebaut hat: das erste Mal neu, das zweite Mal, nachdem sie abgebrannt war, und das dritte Mal, nachdem sie die Russen zerschossen hatten. Und dann kam die einzige Windhose seit Menschengedenken, fräste eine schmale Schneise durch die Äcker und streifte auch Amerika. Ganz am Rande. Genau dort, wo die dreimal gebaute Scheune stand. Der Bauer hat sich noch in derselben Nacht am einzigen verbliebenen Querbalken erhängt.

Und die Geschichte vom wertvollen Trakehnerhengst, der in die Jauchegrube gefallen war, weil die nicht gesichert war und das Pferd keine Chance hatte, da wieder herauszukommen, und fast ersoffen wär, wenn Müsebeck nach dem flehenden Hilferuf der adeligen Frau des Schlossbesitzers nicht den Mistkran an den Trecker gehängt hätte und zu Hilfe geeilt wäre. Wie Müsebeck, weil alle anderen sich nicht trauten oder sich zu gut waren, persönlich in die Jauchebrühe springen musste, um dem panischen Tier die Tragegurte unter dem Leib durchziehen zu können, was leider nicht ohne Tauchen möglich war. Wie er das Pferd mit knapper Not aus der Gülle hieven konnte, wobei der Kranarm fast eingeknickt wäre, und wie er dann, vom Scheitel bis in die Stiefel triefend vor stinkender Jauche, zum Schloss hochschaute und dort, hinter der Brüstung des Balkons, den Wessi-Banker entdeckte.

Aber die Geschichte, die mich bis in den Schlaf hinein verfolgte, war die Geschichte von Müsebecks langjähriger Bekannter Waltraut. Die Geschichte von Frau Widdel.

Waltraut

Waltraut», hatte Müsebeck berichtet, «Waltraut kam zu DDR-Zeiten in der Mittagspause des Konsum immer in unsere LPG-Kantine zum Essen.» Man hat sich gut kennengelernt, und so kam es, dass man einiges wusste über das Leben des anderen.

Über die Jahre hat Frau Widdel Müsebeck erzählt, wie sie als Tochter des weit herum geachteten Pferdegutbesitzers und Züchters Tessmann aufgewachsen war, als einzige Tochter neben vier Brüdern. Wie hart sie arbeiten musste, als ältestes der fünf Kinder. Wie sie dem Vater auf dem Hof und der Mutter mit den kleinen Brüdern unter die Arme greifen musste. Wie müde sie daher in der Schule immer war, wie sie aus dem Fenster der Schulstube direkt auf die graue Ostsee hinausblickte, sich vorstellte, sie wäre ein Möwe und flöge in die Freiheit, rüber nach England oder Amerika. Sie ahnte ja noch nicht, dass sie später tatsächlich in Amerika leben würde, in diesem Amerika-Kaff, hahaha. Sie erinnerte sich genau, wie sie in diesen Traum hineinflog, aus dem sie unsanft abgeschossen wurde durch einen peitschenden Knall, wenn der strenge Lehrer seine Weidenrute wieder mal auf ihr Pult schlug oder – ob aus Versehen oder Absicht, weiß sie bis heute nicht – auf ihre Hand. Sodass sie tagelang die Zügel nicht halten konnte beim Reiten. Und dann, anstatt mit wehendem Haar den Strand entlangzugaloppieren, im Wettrennen mit den Möwen, mit ihren Freudenschreien das Tosen der Wellen übertönend, die Salzgischt, von den wirbelnden Hufen hochgeschleudert, auf ihren Lippen schmeckend, verschmelzend mit dem kraftvollen Rhythmus des Tieres unter ihr, sich auflösend in der Sehnsucht nach Freiheit, in diesen Moment des Glücks ... wie sie sich stattdessen mühen musste, mit vor Schmerz pochender Hand fünfzigmal zu schreiben: «Es ist verboten, während des Unterrichts zu träumen.»

Besonders gern erzählte Frau Widdel, wie eines Tages ohne Vorwarnung die Tür zur Schulstube krachend aufflog und den Blick frei machte auf ihren Vater, den Pferdegutbesitzer Tessmann, der stumm auf der Schwelle stand, mächtig, den Rahmen ganz ausfüllend. Und den Lehrer anstarrte. Und wie diesem, unter dem zornigen Augengeblitze des Eindringlings, sein «Na, hören Sie mal ...» im schrumpeligen Truthahnhals erstickte. Wie der Vater bedächtig auf den Lehrer zuging und wie dieser sich nun, vor den staunenden Kindergesichtern, verwandelte vom übermächtigen Tyrannen in einen hilflosen Gnom. Wie der Vater ihn beim Kragen packte, mit nur einer Faust, die andere Hand hing entspannt neben der geschwungenen Seitennaht der Reithose, wie er ihn mit dieser einen Faust hochstemmte, sodass die schwarzglänzenden, penibel polierten Schuhe des Lehrers mit hängenden Spitzen eine Handbreit über dem gleichfalls glänzenden Parkett schwebten.

Wie der Vater, nunmehr Auge in Auge mit der jetzt leicht beschlagenen Nickelbrille des Lehrers, wortlos zum Fenster ging, zu jenem Fenster, durch das sie sich immer weggeträumt hatte. Wie er dann mit seiner freien Hand den Drehgriff umklammerte, mit einem Ruck das geschlossene Fenster aus dem Rahmen riss, es kurz auf gleicher Höhe neben dem Lehrer balancierte, das ganze Fenster, als ob es nur ein leichtes Stück Pappe wäre, es sodann in einer lässigen Drehbewegung hinter sich führte, wo es sich auf dem Parkett krachend in ein tausendteiliges Zerstörungsmosaik aus Holz, Glassplittern und Kittbröckchen verwandelte.

Wie der Lehrer, nun schon mit dunkelrotem Gesicht nach Luft ringend, sich gurgelnd zu artikulieren versuchte, wie er sich mühte, seine langfingerigen Hände gegen den Vater zu erheben, wie er es nicht konnte, weil das von des Vaters Faust zusammengezogene Schulmeisterjäckchen zur Zwangsjacke geworden war. Wie der Lehrer dann resigniert erschlaffte. Wie sich in seinem Gesicht Verwunderung breitmachte, als er bemerkte, dass er hinaufschwebte, immer höher und höher, dann durch das leere Fensterloch nach draußen geschoben wurde und jetzt frei schwebte, drei Stockwerke über dem Katzenkopfpflaster des Schulhofs.

Wie sie selbst, die eben noch stumm gefleht hatte, nun von Panik erfasst wurde, dass ausgerechnet jetzt ihr Flehen erhört würde und sie schuld wäre, wenn der Lehrer plötzlich aus dem Fensterrahmen verschwände, abwärts, ein letztes Mal Luft in seine befreiten Lungen saugend, um sie sofort als Schrei wieder herauszupressen. Wie sie noch intensiver flehte: «Lieber Gott, mach, dass er ihn *nicht* loslässt», wie sie gar nicht mehr hinsehen mochte, aber ihren entsetzten Blick dennoch nicht losreißen konnte von dem, was sich da unmöglich abspielen konnte, unausdenkbar, und was sich dennoch abspielte.

Wie sie registrierte, dass die Gesichtsfarbe des schwebenden Lehrers von Rot zu Blau wechselte. Wie ihr die Redewendung «sein blaues Wunder erleben» durch den Kopf schoss. Wie sie bemerkte, dass auch sie den Atem angehalten hatte, solidarisch mit dem Lehrer, und jetzt nach Luft rang. Wie sie die Stille im Klassenzimmer unter dem tosenden Rauschen in ihren Ohren kaum aushielt. Wie die Zeit stehenblieb: eingefroren der Arm des Vaters im Fensterloch, das Glitzern der Glasscherben auf dem Boden, kein Ton von der Klasse, selbst das Ticken der Uhr über der Wandtafel verstummt, die Wogen der Ostsee hinter dem Lehrer zu blauen Dünen gefroren.

Dann, nach einer Ewigkeit: eine winzige Bewegung. Zaghaft. Der Arm des Vaters beugte sich im Ellbogen, der Lehrer näherte sich wieder dem Fenstersims, langsam, behutsam. Die Schuhe schrammten über das Gesims, baumelten wieder über dem sicheren Parkett. Die Fensterreste knirschten unter den Reitstiefeln des Vaters, als der sich rückwärts zum Lehrerpult bewegte, sich um die eigene Achse drehte, wie ein Tangotänzer beim Schlussakkord, und den Lehrer auf das Pult setzte.

Frau Widdel erzählte, wie der Vater den Schraubstock seiner Faust öffnete, wie der Lehrer endlich pfeifend nach Luft rang. Wie der Vater sich zu ihm hinabbeugte, sodass sich die Nasenspitzen fast berührten, wie er ihn lange anstarrte. Wie Pferdegutbesitzer Tessmann, ohne ein einziges Wort gesprochen zu haben, das Klassenzimmer leise verließ, die Tür sanft hinter sich zuziehend.

Wie der Lehrer noch eine ganze Weile auf seinem Pult sitzen blieb, seine dünnen weißen Unterschenkel entblößt zwischen den hochgerutschten Hosenbeinen und der Ziehharmonika der grauen Wollsocken, die blauen Gebirgszüge seiner Krampfadern den Blicken der Zöglinge ausgesetzt.

Wie sie nicht wusste, was nun werden würde. Wie niemand wusste, was nun werden würde. Wie selbst der Lehrer zum ersten Mal nicht wusste, was nun werden würde. Wie die Kinder auf ihre schweißnassen, ineinander verkrallten Hände starrten. Wie sie, nach des Lehrers leisem «Der Unterricht fällt heute aus», den Scherben ausweichend aus dem Schulzimmer schlichen. Wie geprügelte Hunde, als hätten sie etwas Schlimmes getan und nicht der Vater, als hätten sie über dem Schulhof gehangen und nicht der Lehrer. Wie sie sich nicht in die Augen schauten.

Und dann erzählte Frau Widdel vom Glücksgefühl, das sie auf dem Nachhauseweg überfiel, weil sie merkte, dass der Vater es für sie getan hatte, dass er auf ihrer Seite war. Wie sie fast platzte vor Stolz auf ihn, wie sie ihn für seine Tat liebte.

Und wie enttäuscht sie war, als sie am nächsten Tag von ihm doch wieder in die Schule geschickt wurde. Als ob nichts gewesen wäre. Und wie verwundert sie dort war, das Fenster repariert, das Parkett unbeschädigt und den Lehrer in alter Form anzutreffen. Als ob nichts gewesen wäre.

Eine Zeitlang ist sie nicht mehr eingeschlafen in der Schule. Aber dann passierte es ihr eben doch wieder. Und dann immer öfter. Und dann war auch diesbezüglich wieder alles, als ob nichts gewesen wäre. Nur der Lehrer hat es, wenn sie einschlief, geflissentlich nie wieder bemerkt.

Eigentlich hätte aus der kleinen Waltraut eine Pferdesportlerin werden müssen, eine weltberühmte Military-Reiterin. Vielleicht aber auch eine Pferdeflüsterin, deren Ratgeber und Fachpublikationen von den Bestsellerlisten gar nicht mehr heruntergekommen wären.

Oder sie wäre in die Fußstapfen ihres Vaters getreten und hätte als Züchterin mit ihrer speziellen Warmblutlinie «Tessmann» international Furore gemacht. Sie wäre in der ganzen Welt herumgereist, als geachtete und respektierte Institution auf allen Rennplätzen von Ascot über Baden-Baden bis Dubai. Der mondäne Jetset der Ölscheichs und Pharmamilliardäre wäre ihre Arena gewesen, ihr Gestüt an der Ostsee hätte die ganze Region zum Drehkreuz von prominenten Pferdefans gemacht. Für einen Fingerhut voll Sperma ihrer Hengste wären Summen bezahlt worden, die ein normal arbeitender Mensch in zehn Jahren nicht verdient. Man hätte ihre Lebensgeschichte in Hollywood verfilmt. «Wild Ride» wäre ein Oscar-Erfolg geworden, die ganze Welt hätte miterlebt, wie es die kleine Waltraut Tessmann vom träumenden Schulmädchen zur Milliardärin, zur Besitzerin eines ganzen Pferdeimperiums gebracht hätte.

Aber ach ...

Der alte Tessmann hätte vor seinem denkwürdigen Schulbesuch bedenken sollen, mit wem der Lehrer Umgang pflegte, mit welchen Parteikadern er jeden Samstag Strategien für den Triumph des real existierenden Sozialismus besprach. Und spätestens, als er die Ehrennadel des Ministeriums für Volksbildung am Revers der Lehrerjacke blitzen sah, hätte er innehalten müssen, hätte er dem Schulmeister auf die Schulter klopfen und ihn zu einem freundlichen Gespräch über die verträumte Tochter bei einem schönen Abendbrot auf das Gut einladen müssen.

Im Arbeiter- und Bauernstaat konnte man dem Tessmann solch gutsherrliches Verhalten keinesfalls durchgehen lassen. Schon gar nicht gegenüber einem verdienten Parteimitglied. Das grenzte schon an Volkszersetzung, ganz abgesehen von der mutwilligen Zerstörung von Volkseigentum. Das Gut ihres Vaters wurde in das Volkseigentum überführt, und um das Volk vor nachträglichen Ansprüchen der Erbin zu schützen, wurde Klein Waltraut später nicht zum Studium der Veterinärmedizin, Fachrichtung Genetik, zugelassen.

Im Arbeiter- und Bauernstaat wurden Arbeiter gerne zu Bauern und Bauern zu Arbeitern gemacht. Tessmann wurde in einen Volkseigenen Produktionsbetrieb für Fensterfertigung (!) integriert, und ein ehemaliger Dreher übernahm die Leitung des Gestüts. Ob die Qualität der DDR-Fenster deswegen merklich nachließ, ist nicht überliefert, aber das Gestüt ging rasant den Bach runter und wurde zu einer Schweinemastanlage umfunktioniert. Zwar konnte das vorgeschriebene Schweinehälften-Jahres-Soll nicht annähernd erfüllt werden, aber Schweine passen einfach besser zum Sozialismus: Wozu braucht das Volk schließlich Rennpferde?

Im Arbeiter- und Bauernstaat wurden ehemals potentielle Milliardärinnen nicht sonderlich gefördert. Trotz befriedigender Schulnoten, was beim doch eher angespannten Verhältnis zwischen Waltraut und dem Lehrer einiges hieß. Auch ihrem Antrag um Aufnahme in die Deutsche Hochschule für Körperkultur (DHfK) in Leipzig konnte leider ebenso wenig entsprochen werden wie dem auf Zulassung zum Verterinärmedizinstudium. «Die Genossin Tessmann, Waltraut, konnte nicht hinlänglich glaubhaft machen, dass sie den Geist dieser Volkseigenen Anstalt zum Nutzen der Deutschen Demokratischen Republik zu verinnerlichen und weiterzutragen willens und in der Lage wäre.» Man hatte im Gegenteil begründete Bedenken, die im Wesentlichen ihrer bürgerlich-feudalistischen Erziehung geschuldet waren, die sie sich als Gutsbesitzerstochter hatte angedeihen lassen.

So wurde aus Waltraut eine Lebensmitteleinzelhandels-Fachkraft. Die Lehre beim Konsum brachte sie mit Anstand hinter sich, lernte, bescheiden zu sein, nicht aufzufallen und sich an die gegebenen Strukturen anzupassen wie Isolierschaum. Jedem Konsum-Laden wurde von der Zentrale zugewiesen, was die statistisch erfassten Bürgerinnen und Bürger an Lebensmitteln, Kleidung und anderen Konsumgütern zur Bestreitung des täglichen Bedarfs nach ebendieser Statistik benötigten. So stellte der Konsum sicher, dass immer und überall alles vorhanden war, was das Volk brauchte. Und das Volk brauchte ja bekanntlich nur, was der Konsum hatte!

Iwan der Schreckliche

Unsere Berner Sennenhunde haben sich in Amerika schon einen guten Ruf erhechelt. Fast täglich ist Sonja mit ihnen im Dorf unterwegs. Die Kinder rufen schon von weitem «Mooomo, Zooora!», wenn sie die hampelpampeligen Zotteltiere sehen. Und die Erwachsenen schütteln nicht mehr die Köpfe, wenn wir die braunen Hinterlassenschaften der beiden fein säuberlich in einem kleinen Plastiksäckchen entsorgen – sehr zum Wohlgefallen des kleinen Schweizers. «Wir haben es schließlich erfunden, oder, das Patent mit den Plastiksäcken als mobilen Hundeschyssi.»

Am meisten von allen aber freut sich Sally, der Hund von Schwester Alma, über das Auftauchen von Momo und Zora. Und sie darf sich oft freuen, die meisten unserer Hundespaziergänge führen fast zwangsläufig an Schwester Almas Haus vorbei. Und manchmal, wenn Frauchen gerade auch im Garten ist, bittet sie uns herein, dann freuen sich die Hunde an ihrer Freundschaft, und die Menschen freuen sich an der Freude der Hunde, und ehe sie sichs versehen, haben sie es den Tieren nachgemacht und freuen sich aneinander.

So sitzen wir wieder einmal in Schwester Almas Blumenpracht und berichten einander über die Streiche und Eigenarten unserer Hunde, da überrascht sie uns mit einem Geständnis: «Nie hätte ich gedacht, dass ich einmal einen Hund so lieb haben könnte wie Sally. Ich hatte es früher nämlich nicht so mit Hunden, hätte ja auch gar keinen halten können, neben der Arbeit und dem Kind.» Sie nimmt Sallys Kopf in die Hände, schaut ihr tief in die Augen und sagt: «Und meine erste nähere Begegnung mit einem deiner Artgenossen war auch nicht von Pappe.»

So hören Sonja und ich die Geschichte von Schwester Alma und dem großen Hund beim ersten Mal von der Protagonistin selbst. Später sollten wir sie von anderen Amerikanern noch in weiteren Varianten hören. Es ist eben eine dieser Schwester-Alma-Geschichten, die man sich im Dorf immer wieder gerne erzählt. Mal ausführlicher, mal kürzer als «weißt du noch»-Geschichte, mal als Drama, mal als lustige Anekdote. Aus all diesen Varianten ist in meinem Kopf die Geschichte von «Iwan dem Schrecklichen» entstanden, wie sie sich in Wahrheit zugetragen haben muss. Zumindest in meiner Wahrheit.

Sie ereignete sich vor vielen Jahren, als Schwester Alma noch Dorfhebamme war und es in Amerika neben dem Gasthaus, in welchem Sonja ihre erste «Strippe» gegessen hat, noch drei weitere Lokale gab, unter anderem den «Wilden Eber». Der urige Name passte zu den Gästen und deren Gepflogenheiten. Der Ton war rau und direkt, die russischen Soldaten kamen regelmäßig vom nahen Flugplatz herüber auf ein Gläschen Wodka, gerne auch auf ein paar mehr. Die Wirtin hieß eigentlich Lotte, wurde von den Russen aber Babuschka gerufen und bald auch von den Amerikanern so genannt. Die Babuschka verstand sich auf russische Gepflogenheiten und schenkte das Hochprozentige nicht in diesen lächerlichen Fingerhütchen aus, die man in der Schweiz «Schnapsgläsli» nennt, sondern in richtigen Gläsern – solchen, wie sie in helvetischen Badezimmern auf der Ablage vom «Lavobo» stehen, mit der Zahnbürste drin. Die Mundhygienegröße der Gläser im «Wilden Eber» zog natürlich auch die ganzen Kerls aus Amerika an, falls sie denn ganze Kerls waren.

Dass es im «Wilden Eber» oft laut wurde und immer spät, wird niemanden erstaunen. Doch erstaunlich war, wie selten es zu ernsthaften Raufereien kam. Was zum einen an Babuschkas imposanter Erscheinung lag: Sie hatte eine veritable Holzfällerinnenpostur und Kraft wie drei Kerls zusammen. Sie konnte, wenn es sein musste, ohne auch nur schneller zu atmen, jeden Gast mit der einen Pranke am Hemdkragen, mit der anderen am Hosenboden packen und schwungvoll an die frische Luft segeln lassen. Auch durch die geschlossene Tür.

Zum anderen hatte die Babuschka einen Verbündeten, der ihr niemals von der Seite wich und eine womöglich noch respektablere Erscheinung abgab als sie selbst. Er hieß Iwan, nach «Iwan dem Schrecklichen». Iwan war ein riesenhafter Schäferhund. Wenn jemand so unvorsichtig war, die Wirtin auch nur leise zu berühren, und sei es ein kumpelhaftes Klopfen auf ihre massige Schulter, fuhr Iwan wie ein Blitz dazwischen und fletschte drohend sein beeindruckendes Gebiss. Sein tiefes Knurren ließ keinen Zweifel aufkommen: Für die Babuschka war er bereit zu töten. «Ist gut, Süßer, gib Ruhe», sagte sie dann, und das Tier verwandelte sich vom blutgierigen Monster zurück in Babuschkas zahmes Hündchen.

Es muss kurz vor der Wende gewesen sein, die Rote Armee war sozusagen pleite, die niedrigen Ränge erhielten ihren spärlichen Sold nur noch unregelmäßig, wenn überhaupt. Für die Familien dieser Männer, zu Hause in Russland, war das eine Katastrophe. Sie mussten frieren und hatten kaum etwas zu beißen. Darüber waren die Soldaten hier, im fernen Amerika, entsprechend verzweifelt. Und im gleichen Verhältnis mit ihrem wachsenden Frust schwollen die Wodka-Bäche an, die sie bei der Babuschka durch ihre Kehlen rauschen ließen.

Es geschah an einem der seltenen Abende, an denen wieder mal Sold ausbezahlt worden war. Bei der Babuschka herrschte Hochbetrieb, die Männer machten sich ehrlich, beglichen, was sie hatten anschreiben lassen, und legten noch was obendrauf für künftige Trinkgelage. Die Kasse der Babuschka, eine stählerne Schatulle mit Schloss, war so prall gefüllt wie selten. Mit immer neuen Liedern und immer noch einer Runde Wodka wurde die Sperrstunde tiefer und tiefer in die Nacht verschoben, bis schließlich der Morgen leise zu grauen begann.

Als die Soldaten endlich über die Felder Richtung Kaserne torkelten, da wurde einer von ihnen vom Mitleid übermannt. Vom Mitleid mit seiner Familie zu Hause, die fror und hungerte und auf seinen Sold wartete. Der aber lag in der Stahlschatulle der Babuschka. Zusammen mit dem ganzen Sold seiner Kameraden. Unmengen von Rubelchen. War das gerecht? Was machte die Babuschka mit dem Geld seiner armen Frau? Sollten seine Kinderchen verhungern, damit die Babuschka ihren fetten Köter mästen konnte? Nein, das durfte er nicht zulassen, ein Mann hat seine Familie zu verteidigen.

Also wankte er zurück nach Amerika, polterte an die Tür vom «Wilden Eber» und schrie nach der Babuschka. Die war gerade mit der Abrechnung fertig geworden, wollte die Kasse verstauen und hatte nicht die geringste Lust, dem krakeelenden Russen da draußen noch einen Schnaps auszuschenken.

«Kriegen die den Rand denn gar nicht voll? Verdammt, dem werde ich seinen Weg in die Koje schon zeigen», dachte sich die Babuschka, riss die Tür auf, holte Luft und ... da war der andere wieselflink schon in der Gaststube. Iwan kam hinter dem Tresen vor, geduckt, die Ohren angelegt, wachsam, er spürte, da stimmt etwas nicht. Sein Rückenfell sträubte sich. «Babuschka», schrie der Russe, noch weiteres Unverständliches und deutete auf die Stahlschatulle auf dem Tresen. Die Babuschka schob sich instinktiv zwischen den Mann und die Schatulle. Der Russe sah die freie Sicht auf sein Geld, das Geld seiner Familie, verdeckt und wollte das Hindernis beiseiteschieben. Iwan sprang ihn sofort an, er wich zurück, stolperte, kam zu Fall, lag auf dem Rücken. Der Hund stand zähnefletschend zwischen seinen Beinen.

«Babuschka, bittä, njet.» Die Stimme des Soldaten zitterte.

«Ist gut, Süßer, gib Ruhe», sagte die Babuschka, der Hund trollte sich an ihre Seite. «Und jetzt scher dich aus meiner Kneipe und schlaf deinen Rausch aus, Bürschchen», raunzte sie.

Der andere rappelte sich hoch, langsam, den Hund nicht aus den Augen lassend, ging rückwärts zur Tür, drehte sich um und ... Statt rauszutreten, vollendete er die Drehung, bis er wieder stand wie vorher, aber jetzt hatte er ein Messer in der Hand. Und schrie und sprang die Babuschka an, mit dem Messer. Der Hund schnellte dem Mann aus dem Stand entgegen, der hob den Arm, das Messer am Hals des Tieres, die Zähne gruben sich in die Hand, der Hund jaulte auf, prallte auf den Boden, das Messer fiel, der Mann presste die eine Hand in die andere, wandte sich ab, floh.

Iwan lag auf den Dielen, versuchte zu winseln, konnte nur röcheln. Ein mattes Wedeln, als sich die Babuschka über ihn beugte. «Ist gut, Süßer, ist ja gut, ist gut, ist guuuut, Süßer, mein Süßer, ist gut», begann sie eine endlose Litanei, während ihre Finger durch das Fell des Hundes fuhren. Blutüberströmt ihre großen Hände, jetzt bemerkte sie es, Blut auf der Diele, eine Lache breitete sich schnell unter Iwans Hals aus. Die Babuschka fand die Wunde, ein warmer Strahl pulste aus ihr. Sie schleifte den Hund hinter den Tresen, zum Telefon, drückte mit einer Hand auf die Wunde, wählte mit der anderen.

«Schwester Alma!» Die Babuschka klang wie ein verzweifeltes Kind. «Der verblutet, er verblutet mir, Schwester Alma, schnell, komm, der verblutet, mach es wieder gut, Schwester Alma, bitte, komm!»

Die Babuschka ließ den Hörer fallen, sie brauchte jetzt beide Hände, um das Blut zurückzuhalten. Ungehört baumelte an der Strippe Schwester Almas Stimme: «Was ist los, wer verblutet, was ist denn ... ich komme.»

Im diffusen Licht des dämmernden Morgens hätten die Amerikaner an eine Erscheinung glauben müssen, wenn sie es gesehen hätten: eine Frau mit kreuz und quer vom Kopf abstehendem flammend rotem Haar, bekleidet nur mit einem weißen Morgenmantel, barfuß und im Laufschritt die Pfuhle umrundend, ein schwarzes Lederköfferchen in der einen Hand, mit der andern den Morgenmantel vor der Brust zusammenraffend. Ja, eine wahrhaftige Erscheinung, so lautlos vorbeihuschend. Aber sie lagen noch in ihren Betten, die Amerikaner, und mussten sich mit jenen Traumbildern begnügen, die ihnen ihr Schlaf vorgaukelte.

Als Schwester Alma den «Wilden Eber» betrat und die blutige Schleifspur sah, die hinter den Tresen führte, und den schweren, röchelnden Atem des Verletzten hörte, da wusste sie: Es ist ernst, jede Sekunde zählt. Noch im Hinlaufen öffnete sie das Schnappschloss ihres Köfferchens – und prallte jäh zurück. Der Körper, über den sich die Babuschka beugte, war kein Patient. Das war ...

«Wegen dem Köter weckst du mich?», herrschte sie die Babuschka an. Doch als diese zu ihr aufschaute, als sie in dieses große, tränennasse Gesicht sah, sagte sie: «Schon gut, Babuschka, ich tu, was ich kann», und ging in die Knie. Sie wusste, Iwan war nicht einfach ein Hund. Für die Babuschka war er Kind, Gefährte, Beschützer, Lebensinhalt. Er war ihr «Du».

«Wenn der mich beißt, geb ich ihm eigenhändig den Rest, das

schwöre ich dir, Babuschka», brummte Schwester Alma. Ausgerechnet sie sollte einem Hund das Leben retten, sie, die sich immer schon vor diesen Viechern gefürchtet hatte, so eine verfluchte Sch...

«Der tut nichts, der spürt doch, dass du ihm hilfst», entgegnete die Babuschka.

«Ich will, dass du ihn festhältst, du sollst ihm die Schnauze zuhalten, verdammt, sonst rühr ich ihn nicht an.»

Babuschka gehorchte und begann wieder mit ihrer Litanei: «Ist gut, Süßer, alles wird gut, mein Kleiner, Schwester Alma hilft dir, das schaffen wir schon.»

Ob es der Singsang der Babuschka war oder ob Iwan tatsächlich merkte, dass Schwester Alma ihm helfen konnte, wer weiß, vielleicht war er auch einfach schon sehr geschwächt durch den Blutverlust. Jedenfalls machte er keinen Muckser und keinen Zucker, als ihm Schwester Alma fachmännisch einen Druckverband anlegte. Er ließ es auch still über sich ergehen, dass ihn die beiden Frauen mit einiger Mühe in den Trabi der Babuschka stopften.

Die Sonne stand nun knapp über dem Horizont und warf ein dramatisch rotes, klares Theaterlicht auf die zweite Erscheinung, welche Schwester Alma auf ihrem Rückweg abgab. Diesmal wurde sie sehr wohl gesehen, einige Amerikaner waren mittlerweile wach. Noch Jahrzehnte später beschreiben sie das, was sich ihnen da zu früher Morgenstunde dargeboten hat, immer wieder gerne: Eine Frau mit kreuz und quer vom Kopf abstehendem flammend rotem Haar geht mit bloßen Füßen langsam an der Pfuhle lang. An ihrer Seite trägt sie nachlässig schlenkernd ein schwarzes Lederköfferchen. Die andere Hand hält vor ihrer Brust das einzige Kleidungsstück zusammen, das sie zu tragen scheint: einen weißen Morgenmantel, über und über besudelt mit hellrot leuchtendem Blut. Plötzlich bleibt die Erscheinung am Wasser stehen, dessen glatte Oberfläche spiegelt das Weiß und das Rot. Die Frau wirft ihren

Kopf in den Nacken, ihr Haar fliegt, sie ruft: «Jetzt hab ich auch noch 'nen Köter auf meiner Liste», und bricht in Lachen aus.

Eine Woche später, Schwester Alma und ihre Helena saßen gerade beim Frühstück, da klingelte es, und die Babuschka stand in der Tür. Neben ihr saß Iwan, der gar nicht mehr zum Fürchten aussah, eher lächerlich mit seiner Halsbinde und dem großen Plaste-Trichter um den Kopf.

«Wir wollten uns bei dir bedanken, Schwester Alma», sagte die Babuschka.

«Bitte, gern geschehen», erwiderte Schwester Alma.

«Tja», machte die Babuschka.

«Na denn ...», sagte Schwester Alma.

«Wie kann ich dir das jemals ...», begann die Babuschka.

«Ist erledigt. Mach dir keinen Kopf», unterbrach Schwester Alma und biss in das Leberwurstbrot, das sie noch in der Hand hielt.

«Mein Iwan hier verdankt dir sein Leben, und das weiß er auch, da bin ich mir sicher.»

«Ich mag trotzdem keine Hunde», sagte Schwester Alma kauend. «Aber danke, dass du vorbeigekommen bist, ich wünsch dir alles Gute, Babuschka.»

«Das wird schon, mein Süßer, wirst sehen», sagte die Babuschka hilflos zu Iwan und dann zu Alma: «Na denn, schönen Tag noch.»

«Euch auch einen schönen Tag», sagte Schwester Alma und ärgerte sich, dass sie «euch» gesagt hatte. Sie war eigentlich schon dabei, wieder ins Haus gehen, da bückte sie sich zu Iwan hinunter und hielt ihm das Leberwurstbrot direkt unter die Schnauze. Er hat es nicht genommen.

Krüpki

Für unsere allmählich fortschreitende Verwurzelung in amerikanischem Boden sollte nach der ersten Heuernte ein Mann entscheidende Bedeutung erlangen, der heute, da ich von ihm erzähle, zu einem Freund geworden ist: Krüpki. Der Mann, auf dessen Land zur Zeit unserer Ankunft die Techno-Party stattfand.

Wenn Krüpkis Gesicht im Blickfeld auftaucht, eher aufgeht, denkt man unwillkürlich an Vollmond, an Morgensonne, an Melonen und reife Tomaten. Rund, rot, saftig. Zwei kleine hellwache Äuglein, ein breiter Mund, darin nicht mehr ganz weiße, aber beeindruckende Hauerchen. Auf dem gewaltigen Kopf, mager verteilt: dünner Babyflaum. Morgens akkurat über die Platte gescheitelt, im Laufe des Tages mehr und mehr zum wolkigen Fadenspiel der Lüfte mutierend. Sein Haupt ruht fest auf einem kurzen breiten Hals, aus dessen Kehle er so durchdringende Schallfrequenzen über die Weiten des Brandenburger Landes zu senden in der Lage ist, dass er sich hörgeschädigten Techno-Freaks selbst dann verständlich machen kann, wenn sie neben einer dröhnenden Full-Power-XXL-Sound-Box stehen.

Die Frage, die Krüpki niemals in seinem Leben gehört hat, lautet: «Was hast du gesagt?» Man versteht ihn immer. Nicht nur akustisch, auch inhaltlich lässt seine Ansprache keinen Raum für Missverständnisse. Widerspruch gibt es bei Krüpki nicht. Einfach nicht. Wem würde es schon einfallen, dem heulenden Sturm, dem brandenden Meer, dem grollenden Gewitter zu widersprechen? Eben.

Krüpki hat immer schon mit Pferden zu tun gehabt. Krüpki ohne Gäule, das wäre wie ein Eisenbahnzug ohne Lok, wie ein Flugzeug ohne Flügel, wie ein Windjammer ohne Segel. Er könnte das Buch «Was der alte Stallmeister noch wusste» geschrieben haben. «Erst meene Gäule, denn meene Gäule und denn lange nüscht und denn das restliche Kroppzeug», sagt er gerne. Er kennt jedes Hausmittelchen gegen jedes Ross-Wehwehchen. Jedes Nüsternzittern ist für ihn aufschlussreicher als die modernste Diagnosetechnik für den Tierarzt. Krüpki könnte längst die Beine hochlegen und seine Rente genießen, aber er muss weitertun. Kann einfach nicht lassen von der Handvoll Pferde, die er noch immer auf seiner Koppel stehen hat. Sie sind seine Lok, seine Flügel, seine Segel …

Krüpkis Sozialisierung ist durch Pferde vonstattengegangen. Von ihnen hat er gelernt: «Wenn de Ärger vermeiden willst, gleich mal klarmachen, wer der Chef ist. Erst im Guten. Mit ein bisschen Wichtigmachen und ordentlich Aufplustern. Wenn det nix fruchtet, ein wenig erschrecken. Und wenn es der Gaul dann immer noch besser weiß wie du, dann kriegt er eben mal ganz fix eins über die Neese gezogen. Denn ist Ruhe, und man kann zusammen arbeiten. Und nie nachtragend sein. Und nie hetzen mit die Gäule. Und du musst immer bereit sein, durchs Feuer zu gehen für deine Viecher, denn tun die das nämlich auch für dich.»

Dieses Rezept überträgt Krüpki eins zu eins auf die Menschen seiner Umgebung: Erst mal zeigen, wer der Chef ist. Plustern per Lautstärke. Ein bisschen erschrecken per Kraftausdrücke. Das mit dem Nasenstüber würde er getrost auch bei Menschen anwenden, ist aber nie nötig. Seine Lautstärke und sein nicht eben salonfähiger Wortschatz reichen in aller Regel.

Wer Krüpkis Auftritt unbeeindruckt wegsteckt und freundlich bleibt, vor dem hat er Respekt. Und dem öffnet er sein großes Herz unter der rauen Schale, für den geht er durch alle Feuer dieser Welt, ohne Hölle und Teufel zu fürchten, wenn es denn, verfluchte Scheiße nochmal, sein muss.

Wer mit Pferden kann, kann auch mit Krüpki. Die Einzige, die mit Pferden nicht kann, mit Krüpki aber schon, ist seine Angetraute, die Lotte. Auch Lotte hat physisch einiges an Wucht zu bieten. Ein Vollweib. Sehr kompakt, aber mit allen Rundungen, die nach Krüpkis Geschmack ein ordentliches Weibsbild haben soll. «Großzügig ausjestattet», wie er zufrieden kommentiert.

Lotte ist Intellektuelle. Chemikerin. Samt Doktortitel und allem Drum und Dran. Damals hat sie auch und gerade durch die Russen hohes Ansehen genossen. Sie haben Lotte als Fachspezialistin sogar nach Sibirien einfliegen lassen. Viel kann sie allerdings nicht darüber erzählen, das war nämlich alles ziemlich geheim ...

Lotte und Krüpki lieben sich gerade darum, weil ihre beiden Welten so grundverschieden sind.

Unmögliches Bild eins: Krüpki im aseptischen Labor, mit seinen verbliebenen neun dicken Fingern zarte Chemieviolen und haardünne Glasröhrchen manipulierend. Unmögliches Bild zwei: Lotte mit Gummistiefeln im Stall, mitten in einem dampfenden Haufen Pferdeäpfel stehend, mit Salbe jene Pferdekörperstelle einschmierend, aus der die Äpfel gepurzelt sind ...

Unmöglicher Ton eins: Lotte flucht. Unmöglicher Ton zwei: Krüpki verwendet den Genitiv.

Die Chinesen haben Yin und Yang erfunden, damit die beiden ein glückliches Paar sein können ...

Nie werde ich Krüpkis allerersten Auftritt auf unserem Hof vergessen. Wir waren damals vielleicht seit einem Vierteljahr in Amerika. Sonja und ich quälten uns gerade damit ab, zusätzlich gekaufte Bücherregale auszupacken, zusammenzuschrauben und aufzustellen. Sie sollten bestückt werden mit den Tonnen von Lesestoff, die noch immer in den Umzugskartons im Keller lagerten und da unten womöglich langsam Schimmel ansetzten. Einige Regale standen schon fix und fertig an der Wand, inzwischen hatten wir die kryptische Zusammenbauanleitung auch ohne Schwedischkenntnisse geknackt und werkelten routiniert und ohne viele Worte Hand in Hand vor uns hin. Die Arbeit begann, jenen gewissen Grad an Befriedigung zu kriegen, der nur Do-it-yourself-Großmeistern vergönnt ist, da malträtierte auf einmal das hochfrequente Gezeter einer (menschlichen?) Stimme unsere Trommelfelle.

«Was ist denn das 'n Hof, Mensch! Tor nicht versperrt, keene Klingel, keen Mensch rum, wa?», tönte es.

«Dietaaaa! Da ist einer im Haus!», rief Sonja erschrocken und stellte das Regalbrett, das sie gerade dabei war, mit der Nute J nach unten – «schaue Zeichnung fünf» – in die an den Regal-Seitenteilen A und B mit der Schraube F1 und dem Stiftschrauber Y «angedrehten» Regalbretthalter G «einrasten zu lassen», bis ein «deutliches Kluck zu verhören ist», auf den Boden zurück.

«Aua», sagte ich und zog meine Zehen unter dem Regalbrett hervor. «Ich glaube, der klingt nur, als wäre er schon im Haus, weil er so laut ist.»

«Haaaaaaaloo? Was denn das für 'ne Schweinewirtschaft, keen Hund schlägt an, wie sich dat gehört, und die Herrschaft lässt sich ooch nicht herab, mal zu kieken, wat denn da vielleicht für einer aufm Hof steht. Wie bestellt und denn vergessen, wa? Haaaaalooooooo!!!»

Und erst jetzt, als ob die Sennenhündinnen ihre gekränkte Ehre retten wollten, schossen sie auf und wetzten zur Tür, wo sie den beeindruckenden Beweis antraten, dass sie in puncto Lautstärke dem Mann fast ebenbürtig waren, den wir durch die Glasscheiben auf dem Hof stehen sahen – breitbeinig, die kurzen Ärmchen in die Seiten gestemmt, krakeelend. Ehe ich es verhindern konnte, hatte Sonja die Tür geöffnet, die Hunde drängelten sich vor uns hinaus und preschten wütend bellend auf den Eindringling los.

«Das ist aber jetzt gar nicht gut!», machte mein kleiner Schweizer in Panik. «Wenn der Angst vor Hunden hat ... der ist doch sowieso schon so wütend ... der macht euch jetzt fertig, wir können die Bücher gleich wieder einpacken und abhauen, oder, das war's jetzt mit Amerika, der zeigt euch an, und dann gute Nacht, hä!»

«Na endlich», schrie der Mann die bellenden Hunde an, «wurde aber auch Zeit, wat seid denn ihr für Wachhunde, wa? Habt ihr Petersilie in den Ohren? Da brüllt man sich ja die Lunge ausm Leib, bis ihr einen mal ordentlich anmeldet!»

Ob es die Stimmgewalt des Mannes war oder ein vertrauter Geruch an seinem blauen Kittel, jedenfalls verstummten die Hunde und schnüffelten interessiert an dem Fremden herum. Der schwieg jetzt ebenfalls, flattierte mit beiden Händen ihre Köpfe in selbstverständlicher Vertrautheit, als kenne er unsere Hunde seit Welpenalter.

Nach diesem wohltuenden Moment der Stille gewahrte er uns, die wir noch in der Tür standen und ihn anstaunten. «Hört mal, ich sagte grade zu mir selber, was ist denn das hier für eine Scheiße, da kann ja jeder hergelaufene Halunke auf den Hof rauf und die Esel abführen, wie er will, oder eben mal den Trecker mitgehen lassen, wa? Ihr Pfeifen schnallt ja gar nichts!»

«Hören Sie mal», suchte der kleine Schweizer nach der passenden Retourkutsche, «wie reden Sie denn hier mit uns, wer sind Sie denn eigentlich, weisen Sie sich gefälligst aus, und überhaupt ...»

Da wandte Sonja den Satz an, mit dem Schwester Alma vor kurzem hinter dem Busch aufgetaucht war: «Zum Kennenlernen sagt man bei uns erst mal guten Tag, junger Mann!» Sie grinste ihn breit an.

Augenblicklich entblößte er ebenfalls seine Hauerchen. «Is ja gut, mach ich doch, bin ja schon artig.» Er bewegte sich mit ausgestreckter Hand auf uns zu: «Tach auch. Krüpke der Name!» Das kam nun in fast normaler Lautstärke. Geht doch!

Genauso schnell und unkompliziert wie mit den anderen Amerikanern, die wir bis dahin kennengelernt hatten, kamen wir mit ihm ins Gespräch. Krüpke meinte, er hätte nur mal nachgucken wollen, «ob das neu zugezogene Gemüse was taugt oder ob man davon Blähungen kriegt, wa?».

Wir beantworteten seine Fragen, die denen von Müsebeck und Schwester Alma sehr glichen, und er revanchierte sich großzügigst mit Anekdoten aus seinem Leben mit Pferden. Wobei er Reitschülerinnen durchgängig als «ausgenommene Gänse» bezeichnete, Pferdeknechte als «Dumpfbacken», Reitlehrer als «Stiefelspucker» und auch sonst mit selbstkreierten Kraftausdrücken nicht sparte. Sonja, statt pikiert zu tun, lachte viel über und mit Krüpki und gab genussvoll Contra. Die beiden verstanden sich prächtig. Als Krüpki schließlich vom Hof schritt, ein grelles «Na, denn haut rin, ihr Anfänger!» schmetternd, nahmen wir in bester Laune den Kampf mit den Regalen und den Bücherkisten wieder auf. Als hätte uns Krüpki eine Kraftspritze verpasst.

«Du, der hat einfach gleich ‹du› gesagt, du. Ist dir das aufgefallen?», fragte der kleine Schweizer. Nö, war mir *nicht* aufgefallen.

Inzwischen hat sich Krüpki angewöhnt, öfter mal, wenn er am Hof vorbeifährt, einen Zwischenstopp einzulegen und nachzugucken, «ob die Scheiße wieder am Dampfen ist».

In diesem Spätsommer nach der ersten Heuernte, als Krüpki seinen Geländewagen wieder mal vor unserem Haus zum Stehen bringt, ahnen wir nicht, dass dieser Besuch ein geradezu historischer sein wird. Normalerweise steigt Krüpki aus, verschließt sorgfältig die Autotür, schiebt sich gemächlich durch unser Gefängnishoftor und meldet sich dann per Stimme an. Diesmal tut er das, noch im Auto sitzend, per Hupe. Ich öffne das Fenster und rufe: «Meister Krüpki, was gibt's? Bist du heiser, dass du jetzt die Hupe brauchst, um dir Gehör zu verschaffen?»

Krüpki hat sich aus seiner Kiste gepellt, steht, seine Arme auf der Motorhaube abgestützt, da und blickt mit hochrotem Kopf zu mir empor.

«Hör mal, machste einen auf Strohwitwer, oder ist die Chefin och da?»

«Sonja ist hier, was gibt's denn?»

«Na, denn kommt mal beide raus hier, ich hab was zu bequatschen.»

«Was denn?»

«Was denn, was denn», äfft er mich nach. «Nu mach hier nicht einen auf amtlich, Mensch, wirst es früh genug erfahren, nu hol schon deine Sonja ran, ich will mit euch 'n ernsthaftes Gespräch führen.»

«Ist was passiert, ist es was Schlimmes?», kann ich mir nicht verkneifen, doch noch zu fragen.

«Haste Petersilie in die Ohren, kommt jetzt raus, sonst werde ich laut», brüllt er.

Ich ziehe den Kopf ein, schließe das Fenster und rufe gehorsam nach Sonja.

«Hört mal, ich hab über euch nachgedacht», eröffnet Krüpki, als wir brav neben seinem Auto angetreten sind. «Nämlich, das ist total scheiße, wie ihr das macht.»

«Was denn?», fragt Sonja.

«Alles totale scheiße, alles, was ihr macht, ist scheiße, so wird das doch nie was», wettert er.

Das trifft mich. Es trifft mich sogar sehr. Ich habe gedacht, Krüpki würde es ganz gut finden, wie wir tun. Mehr als einmal hat er Esel, Pferd und Weide in Augenschein genommen und nie etwas auszusetzen gehabt. Wir sind sogar ein wenig stolz darauf gewesen, beim Pferdegott Krüpki nicht in Ungnade gefallen zu sein. Und jetzt lässt er uns antanzen, um uns eine Standpauke zu verpassen?

«Was ist los, Krüpki?», frage ich.

«Was los ist? Alles ist los! Ich hab mir doch euer Land angesehen. Hab doch genau gesehen, wie ihr das Heu reingebracht habt, knapp vor dem Regen. Und dem Müsebeck haste noch geholfen, sein Heu zu pressen, das hat er mir selber erzählt. Ausgerechnet der Müsebeck hat ausgerechnet dich, den Eselhalter, den Schauspieler, um Hilfe gefragt, der hat doch sein Lebtag noch keinen um Hilfe gebeten, Mensch! Und jetzt war ich eben hinten und hab gesehen, wie schön grün und saftig das Futter schon wieder aufwächst.»

«Was ist daran schlecht, Krüpki?», fragt jetzt Sonja.

«Was daran schlecht ist? Det fragst du mich? Mensch, Mädchen, da musste doch selber draufkommen, was daran schlecht ist! Ihr habt gezeigt, dass ihr es könnt, verdammt nochmal. Dass ihr das gar nicht so schlecht macht, wie man das von so zwee Rotzpiepen wie euch erwarten würde. Und nu? Was haste denn jetzt vor, Mädel, wa? Wie geht das denn jetzt weiter bis zum nächsten Sommer? Willste den ganzen Winter Däumchen drehen und Esel streicheln, oder wat? Jetzt müsst ihr doch in die Hände spucken und mal richtig loslegen und die anderen Flächen mähen! Dein Macker gehört auf den Hürlimann ruff, der muss mähen, das ist doch sonst scheiße, Mensch!»

«Aber da ist nichts mehr zu mähen, wir haben alles drin, das weißt du doch.» Sonja ist jetzt tatsächlich verwirrt. Ein ihr sehr fremder Zustand. Und dass sie verwirrt ist, macht meine eigene Verwirrung noch verwirrender.

«Eeeeeben!», kräht Krüpki. «Das ist doch scheiße, Mensch! Damit könnt ihr euch doch nicht zufriedengeben, damit kommt ihr grade mal mit euren Gäulen über den Winter – und was ist mit den Schafen, den Rindern und dem anderen Viehzeug?»

«Krüpki? Hallo? Wir haben nur die Gäule!» Sonja spricht jetzt ganz leise und behutsam. Krüpki ist ein Mensch mit beträchtlichem Blutdruck. Da kann es schon sein, dass vielleicht letzte Nacht ein klitzekleiner Hirnschlag bei ihm, unbemerkt, im Schlaf ... Tatsächlich hat seine Gesichtsfarbe von Rot zu Dunkelrot gewechselt.

«Glaubst du, ich bin uffn Kopp gefallen, oder was?», empört er sich. «Das brauchst du mir doch nicht sagen. Sagt die mir, sie hat nur die Gäule! Die ist doch bescheuert, die Frau! Det ist ja die Scheiße, dass ihr nur die Gäule habt! Ihr müsst endlich den Finger aus dem Arsch kriegen und mehr Viehzeug anschaffen. Und was braucht man dazu, Frau Neunmalklug? Land braucht man dazu! Mehr Land!»

In Sonjas Gesicht verändert sich jetzt etwas, ihre Miene verrät gespannte Erwartung. Sie fokussiert ihre ganze Aufmerksamkeit auf Krüpki. Dann sagt sie nur: «Das weiß ich auch, Krüpki.»

«So, na also, nu dämmert's endlich bei dir», stellt er zufrieden fest, «ich kann richtig sehen, wie dir die Schuppen von deine großen blauen Kiekern fallen. Du fragst dich, welches Land. Und hast auch schon so 'ne Ahnung, wa?»

«Deines!», stößt Sonja hervor.

«Kluge Frau! Vielleicht wird aus dir ja doch noch 'ne Bäuerin. Ich hab da 'n paar Hektar aufm Flugplatz, die würd ich euch verkaufen.»

Ich spüre, wie mir das Blut in den Kopf schießt, meine Ohren summen, mein Herz beginnt zu rasen, meine Knie werden weich. Es ist wie damals in Wien, als ich aus Neugierde ins Casino gegangen bin, beim Roulette auf Zahl gesetzt und mit unverschämtem Anfängerglück gewonnen habe. Ein Glücksrausch überfällt mich, fast falle ich Krüpki um den Hals! Wir können Land kaufen! Freudestrahlend blicke ich zu Sonja, und ... die ist völlig ungerührt.

«Da, wo du immer die Techno-Partys hattest?», fragt sie kalt.

«Ach, hör mir uff mit diesen Beknackten! Die müllen mir jedes Mal mein Land voll. Dabei ist es gutes Land. Ich will, dass das wieder gepflegt wird. Das gehört gemäht und geheut und alles. Da muss auch wieder Viehzeug druff! Oder etwa nicht?»

«Seh ich auch so», sagt Sonja.

«Interessiert?», fragt Krüpki.

«Interessiert.»

Krüpki nickt, gibt erst Sonja die Hand, dann mir, steigt ohne weiteren Kommentar in sein Auto und zieht mit Krawumm die Tür zu. Die Scheibe summt runter: «Ich komm morgen nochmal, wegen der Details, biste rum?»

«Jo», macht Sonja in perfekter preußischer Knappheit, und Krüpki gibt Gummi.

Sonja geht ganz ruhig zurück ins Haus, ich stakse ihr auf dünnen Glasbeinchen nach. Noch immer bin ich nicht in der Lage zu fassen, was geschehen ist. Wir können Land kriegen, wir können vergrößern, wir können den nächsten Schritt tun, wir können ... ach, es ist einfach unbeschreiblich. In der Küche fällt mir Sonja um den Hals.

«Dietaaaaaa», schreit sie, «Krüpki verkauft uns Land, ausgerechnet uns!» Sie lässt wieder von mir ab und tigert um den Herd, in den Flur, wieder zurück in die Küche, jubelnd, lachend, nach Atem ringend. «Ditaaaa, Krüpki denkt, dass wir es gut machen, er denkt, dass wir dem Land guttun, er will, dass wir es pflegen, wir, und niemand anders, er will, dass wir weitermachen, er traut es uns zu. Ditaaaa!»

«Dir traut er es zu, mein Sonja-Tier, dir, der Bäuerin», sage ich, und schwups habe ich sie wieder in den Armen.

Es hat etliche Glücksmomente gegeben, seit wir in Amerika sind, kleine und große, stille und laute. Aber so überschäumend schreiend-himmelhoch-jauchzend-vor-Glück-platzend habe ich meine Sonja noch nicht erlebt.

Ramboiaden

Der Landkauf ist gut über die Bühne gegangen. Wir hatten uns über den Preis per Handschlag geeinigt, Sonja hatte unsere Bank um ihren Segen gebeten, den sie prompt erteilte, es folgte die feierliche kleine Zeremonie beim Notar, zu welcher Krüpki und Lotte gemeinsam erschienen waren. Er in seiner üblichen Arbeitskleidung – nur den blauen Kittel hatte er weggelassen –, sie imposant ausstaffiert mit schottisch kariertem Schurwollkostüm und Schnallenpumps. Er provokant: «Ist ja ganz schön schnieke ausgestattet, dafür, dass hier nur welche ihre Klaue auf 'n Papier kritzeln», sie weltgewandt: «Guten Tag, Herr Notar, wir sind die Verkäufer, das sind die Käufer, wo dürfen wir Platz nehmen?»

Nach diesem Ausflug in die Stadt sitzen wir zu viert bei uns in der Küche und feiern den glücklichen Abschluss unseres Geschäfts. Draußen färben sich die ersten Blätter herbstlich, die Abendsonne lässt drüben über der Wiese eine kleine Nebelbank rötlich aufleuchten. Lotte hat ihre armen Füße von den Schnallenpumps befreit und die Kostümjacke ausgezogen, Krüpki fummelt am Verschlussdraht der Sektflasche und lässt den Korken knallen. Erschrocken verziehen sich die Hunde in den Flur. «Feiglinge», lacht er und schenkt ein.

«Prost, liebe Lotte, lass es dir schmecken, altes Haus», ruft er. «Zum Wohl, ihr Großgrundbesitzer, und auf die viele, viele Arbeit, die ihr euch heute gekauft habt, ihr Dämlacke!»

«Auf das Land», ruft Sonja, «Auf unser Land», rufe ich, «Auf gutes Gelingen», ruft Lotte. Wir stoßen an.

Krüpki leert das Glas in einem Zug, schüttelt sich und sagt: «Was für 'ne Plörre, ich brauch wat Richtiges zu trinken!»

«Schnaps?», frage ich. «Grappa oder Kirsch?»

«Kirsch», sagt Krüpki, «Grappa», tönt Sonja. «Also ich würde lieber beim Sekt bleiben», meint Lotte und sieht Krüpki an. Ich stelle die Schnapsflaschen neben die Sektpulle, und wieder wird angestoßen.

Wir sprechen über das Land und die Zukunft, die wir ihm geben werden, spintisieren herum, welches Vieh denn geeignet sein könnte, darauf zu leben. «Was Ordentliches, Rinder, das ist doch klar wie Kloßbrühe», beschließt Krüpki. «Eher etwas, womit ihr ein Alleinstellungsmerkmal hättet», empfiehlt Lotte. Wir phantasieren von Lama über Strauß bis Känguru und malen uns die verrücktesten Geschäftsmodelle aus, bis hin zur Idee, gar kein Vieh anzuschaffen, sondern Wochenendseminare für die Berliner Esoterik-Freaks anzubieten: «Gras wachsen hören» oder «Entdecke deine Käferseele», «Lernen von den Wiesenameisen» und so weiter. Wir amüsieren uns königlich.

Das Gespräch kommt darauf, wie gut wir in Amerika aufgenommen worden sind, wie wenig uns die Menschen hier das Gefühl gaben, Fremde zu sein. Lotte erklärt uns, dass man in der Gegend seit langem an Fremde gewöhnt sei. Vor 200 Jahren wurde das weitere Umland Berlins als landwirtschaftliche Nutzfläche immer wichtiger, um die rasant wachsende Stadtbevölkerung mit

Nahrung versorgen zu können. Man brauchte Menschen, die das Land bestellten. Aus weiten Teilen Europas lockte man sie hierher, sie machten aus Brache Kulturland, legten Siedlungen an und bewirtschafteten ihre Höfe. Neben den riesigen Gütern der adeligen Großgrundbesitzer entstand die kleinteilige Landwirtschaft der freien Bauern. Der Staat förderte sie stark, indem er ihnen zu sehr günstigen Bedingungen Flächen und Darlehen zu Verfügung stellte. Die guten Absatzmöglichkeiten für die bäuerlichen Erzeugnisse in der nahen Metropole taten ihr Übriges: Die weite Wildnis Brandenburgs entwickelte sich rasant zum agrikulturellen Wirtschaftsfaktor.

Nun ist die Landwirtschaft naturgemäß je nach Saison mehr oder weniger arbeitsintensiv. Im Frühjahr, wenn der Boden bestellt wird, und im Spätsommer, für das Einbringen der Ernte, braucht es viele helfende Hände. Im Winterhalbjahr hingegen ruhen die Äcker und Weiden, die Arbeitslast auf dem Hof ist wesentlich geringer. Jeder Hof hatte daher eine relativ kleine Stammbelegschaft. Mägde und Knechte, Fuhrleute, Melker, Verwalter und so weiter. Zur Aussaat oder Ernte wurde dieser Personalkern massiv aufgestockt durch Wanderarbeiter. Die vielen mehrstöckigen Wohnhäuser am Rande der Siedlungen, die ehemaligen «Schnitter-Kasernen», zeugen von dieser Tradition. Sie ist bis heute nicht verschwunden – Stichwort Spargelstecher. Zu diesem Heer von Wanderarbeitern kam in der sowjetischen Besatzungszeit das Heer des großen sozialistischen Bruders hinzu, sodass Amerika nicht selten von mehr Fremden bevölkert wurde als von Eingesessenen.

Krüpki wirft ein, dass diese Männer natürlich nicht nur schufteten, sondern auch leben wollten, und sich abends öfter das eine oder andere Fest ergab. «Das versteht sich ja von selbst, wa. Und dass es in diesen Sommernächten nicht eben prüde zuging, wohl auch. Wir erinnern uns gerne, Lotte, wa?»

Sie geht nicht darauf ein, sondern fährt fort. Mit dem Bauernsterben und der Übernahme der verbliebenen Höfe durch die industrielle Landwirtschaft sei der Bedarf an fremden Arbeitskräften stetig gesunken, sodass die Amerikaner nach dem Abzug der Roten Armee wieder weitgehend «unter sich» gewesen seien. Doch einige Wanderarbeiter hätten bis heute nicht aufgegeben. Nach wie vor zögen sie von Dorf zu Dorf und böten als «flexible Allrounder» ihre Dienste an.

«So wie unser Rambo», verkündet Krüpki.

«Ach, jetzt wirst du doch nicht wieder mit deinen Rambo-Geschichten aufwarten wollen, oder?», fragt ihn Lotte.

«Was heißt hier *deine* Rambo-Geschichten? Das meiste hab ich doch geradewegs von dir, liebes Löttchen, wa? Und von Schwester Alma natürlich.»

«Du stellst mich ja hin, als wäre ich die größte Dorftratsche, also wirklich.» Lotte kippt sich den letzten Rest aus der Sektflasche in ihr Glas, prostet leicht in die Runde und trinkt. Ein kleines, leises Bäuerchen entfährt ihr. «'tschuldigung.»

«Wer ist dieser Rambo?», will Sonja wissen.

«Aber das ist doch alles Klatsch, nein, das müssen wir jetzt nicht auch noch bei Dieter und Sonja ausbreiten», ziert sich Lotte.

Sonja und ich betteln wie kleine Kinder, die noch eine Gute-Nacht-Geschichte hören wollen, darum, zu erfahren, was es mit diesem Rambo auf sich hat.

«Erzähl du, ich sage jedenfalls nichts», entscheidet Lotte dezidiert in Richtung Krüpki. Und tatsächlich fängt er an zu erzählen. Schon bald mischt sich Lotte doch in seine Schilderung ein. Erst nur ein wenig, nur dann, wenn ihr Korrekturen angebracht scheinen, aber nach und nach ergänzt sie immer ausführlicher. Schließlich ist sie die Haupterzählerin, und er hat, ohne es so recht zu bemerken, die Rolle des assistierenden Stichwortgebers übernommen ...

Rambo ist in Amerika eigentlich kein Fremder mehr, eher ein temporärer Einheimischer. Von vielen vergangenen Saisoneinsätzen her ist er wohlbekannt im Dorf. Wer Arbeit zu vergeben hat, heuert ihn gerne an. Man weiß, was man an ihm hat, kauft nicht die Katze im Sack. Er kommt mit den Schwalben, ist einen Sommer lang da, gehört dazu, und mit dem einsetzenden Herbst macht er seinen Abflug. Keiner fragt, wohin.

Über Rambo kursieren in Amerika zahlreiche Geschichten. Einige wenige drehen sich um seine Vorzüge als Arbeiter, die überwiegende Mehrzahl aber handelt von seinen Vorzügen als Frauenheld.

«Wenn Rambo im Dorf ist, musste nett sein zu deiner Alten, sonst ...»

«Rambo hat hier mehr Blutsverwandtschaft, als so mancher brave Familienversorger ahnt ...»

«Ja, der Rambo, der hat viele Herzen gebrochen. Alle haben sie ihn wollen, aber keine hat ihn gekriegt. Zumindest nicht auf Dauer.»

Es geht das Gerücht, Rambo sei sogar mit einer reiferen Lady aus der Umgebung im Heu gewesen. Sie habe so laut gestöhnt und geröchelt, dass der Tierarzt, der zufällig gerade im Stall zugange war, hinzugeeilt sei, in der Meinung, da kratze eine Stute jämmerlich an einer Kolik ab. Genau so habe es nämlich geklungen. Zu seiner Überraschung war seine Hilfe gar nicht nötig. Dieser zweibeinigen Stute wurde offenbar schon bestens geholfen ...

Rambo, der Hengst ... Die männlichen Amerikaner sprechen von Rambo mit dem Respekt der Neidvollen, die älteren Frauen mit Verachtung, und die jüngeren Damen ... die genießen und schweigen.

Rambo hat in Amerika zwei Kinder gezeugt. Genauer formuliert: Zwei der Kinder, die Rambo in Amerika gezeugt hat, sind offiziell.

Samt Vaterschaftsanerkennung und allem Drum und Dran. Wenn Rambo im Ort ist, wohnt er, der Einfachheit halber, bei der Mutter dieser Kinder, bei Katharina. Ob das nun als Indiz dafür gelten darf, dass es Katharina gelungen ist, Rambo zu zähmen, oder eher dafür, dass sie eine Liebende mit besonders großem, will sagen: tolerantem Herzen ist, sei dahingestellt, jedenfalls: Der saisonal bürgerliche Lebenswandel von Rambo kann seinen Ruf als Herzensbrecher in keinster Weise beschädigen.

Das Arrangement der beiden, wie auch immer es «en detail» aussieht, beschert den Kindern jedenfalls allsommerlich einen Vater, der diese Rolle vorbildlich erfüllt, erzählt man sich. Ein Vater, der viel Zeit mit seinem Nachwuchs verbringt, stolz mit seinen Kindern durchs Dorf marschiert und ihnen, hinter Katharinas Rücken, einiges mehr «durchgehen lässt», als es dieser lieb gewesen wäre, wüsste sie davon.

Wenn in einem kleinen Dorf zwei Menschen leben, über die viele Geschichten kursieren, so wie über Rambo und über Schwester Alma, dann kann es nicht ausbleiben, dass sich eine Geschichte des einen mit einer Geschichte der anderen überschneidet.

So eine Schnittstelle ergab sich in jener Nacht, als Schwester Alma vom penetranten Klingeln des Telefons aus dem Schlaf gerissen wurde. Der Wecker mit dem Leuchtzifferblatt zeigte fast Mitternacht. Da wird wohl wieder einmal eine Kollegin überraschend nicht zum Dienst erschienen sein, vermutete Schwester Alma, und nun würde man sie auffordern, als Einspringerin Nachtdienst zu schieben. Doch was sie am anderen Ende der Leitung vernahm, war keine Dienstplandisponentin, sondern eine Kinderstimme in heller Aufregung. «Schwester Alma, bitte, du musst ganz schnell zu uns kommen, bitte!»

«Was ist denn da los, um Himmels willen, warum schläfst du nicht, wo sind deine Eltern?»

«Die streiten sich so schrecklich laut. Wir können nicht schlafen.»

«Wer seid ihr denn?»

«Ich bin Sylvia, und das hier ist Marlon.»

«Aha. Und wer sind eure Eltern?»

«Unsere Mama ist die Katharina.»

«Die Frau vom Rambo?»

«Ja.»

«Und die streiten sich jetzt?»

«Ja, ganz doll.»

«Aber warum ruft ihr *mich* an, was soll ich denn da tun?»

«Die Mama hat gesagt, wenn was los ist, sollen wir dich anrufen, du hilfst. Die Nummer hat sie an das Telefon geklebt. Hilfst du?»

Schwester Alma versuchte nachzudenken. Da muss es doch jemanden geben, der für solche Fälle zuständig …

«Schwester Alma?»

Im Hintergrund erscholl Frauengeschrei und Männergebrüll. Das war das Signal für Schwester Alma. «Ja. Ich helfe.»

Sie verschwendete keine Zeit mit Fragen der Zuständigkeiten, der Einmischung, der Privatsphäre und all dem Kram, der allzu oft als Ausrede herhalten muss für Tatenlosigkeit. Schwester Alma tat das Notwendige, um die Not zu wenden: Sie trat in Aktion. Wie ein Donnerwetter fiel sie in Katharinas kleines Häuschen ein, noch lauter brüllend als die Streitenden. Den überrumpelten Rambo bugsierte sie kurzerhand zur Tür hinaus und beschied ihm, er dürfe erst wieder über die Schwelle, wenn er sich erstens beruhigt habe und zweitens zur Vernunft gekommen sei. Dann krachte die Tür vor seiner Nase zu.

Drinnen begann jetzt Katharina völlig außer sich, über Rambo herzuziehen, was für ein Hurenbeutel er sei, was für ein Drecksack, und die Alimente habe er letztes Jahr auch nicht und ... Da spürte sie, wie sie von einer unaufhaltsamen Kraft entschlossen Richtung Hintertür geschoben wurde. «Beruhig dich erst mal an der frischen Luft», sagte Schwester Alma, stellte die Keifende in die freie Natur und zog die Tür blitzschnell zu. Schratz machte der Innenriegel. Katharina stand verblüfft und ganz ohne Zuhörerin in ihrem kleinen Gärtchen unter dem Sternenhimmel.

Ruhe kehrte natürlich nicht ein. Vor dem Haus schimpfte und schrie Rambo, hinter demselben Katharina. Aber sie wetterten nicht mehr gegeneinander, sondern nunmehr mit vereinten Kräften – wenn auch durch das Häuschen getrennt – gegen Schwester Alma.

Die scherte sich nicht weiter um die beiden. In aller Seelenruhe verschloss sie sämtliche Fenster, nur falls ein gewisser Jemand auf die Idee kommen sollte, einsteigen zu wollen. Angenehmer Nebeneffekt: Die Scheiben hielten eine guten Teil des Lärms dort, wo er produziert wurde: draußen. Schwester Alma kümmerte sich erst mal um die Kinder, beruhigte sie und brachte sie zu Bett. Dann nahm sie das Wohnzimmer in Beschlag und kuschelte sich für die Nachtwache in den Fernsehsessel.

Viel Schlaf allerdings war Schwester Alma nicht vergönnt. Mal pochte Katharina an die Hintertür und bat leise flehend um Einlass, dann wieder flötete Rambo vorne, er sei jetzt wieder ruhig, man könne öffnen. Schwester Alma gewährte den beiden nacheinander je eine kurze Audienz durch die spaltbreit geöffnete Tür. Und beide verhielten sich genau so, wie Schwester Alma befürchtet hatte: Sie beteuerten ihre Unschuld an dem Krach, erklärten, warum *sie* absolut nichts dazu beigetragen hätten und dass *sie* ja nichts dafür könnten, wenn der/die *andere* so ausrasten würde, dass die *alleinige* Schuld *nur* und ausschließlich beim jeweils *anderen* lag, dass der/diese andere das *Letzte* sei, dass man *nie wieder* mit so einer/so einem … und überhaupt, man müsse sich das nicht bieten lassen, und wie komme denn Schwester Alma eigentlich dazu, sich derart einzumischen, man wohne schließlich hier und …

Schwester Almas Antwort war zweimal dieselbe: Sie ließ die Tür zufallen.

Sie hätte wirklich gerne eine Mütze voll Schlaf genommen, sich einfach zu den Kindern gelegt, die schon längst im Träumeland waren. Dies teilte sie den beiden Ausgesperrten auch durch das Fenster mit. Einmal hinten heraus, einmal vorne. «Ihr kommt hier nur gemeinsam wieder rein. Und zwar Hand in Hand. Und mit 'nem Lächeln im Gesicht. Und vor morgen früh braucht ihr's gar nicht versuchen. Eure Kinder brauchen ihren Schlaf. Und ich meinen auch. Nacht.» Rums, Fenster zu.

Am nächsten Morgen war von Katharina und Rambo weit und breit nichts zu sehen. Schwester Alma bereitete den Kindern das Frühstück und ließ in der Klinik ausrichten, sie würde an diesem Tag krankheitsbedingt leider ausfallen. Danach rief sie ihre Tochter an: «Helena, wenn de Frühstück willst, komm rüber zu Katharinas Haus, Rambos Frau, du weißt schon, ich wohn nämlich gerade hier …»

Gegen Mittag kamen sie endlich an. Standen vor der Tür wie Sonntagsbesuch: Katharina und Rambo Hand in Hand.

«Was ist mit Lächeln?», fragte Schwester Alma. Die beiden verzogen ihre Gesichter zu einem übertriebenen Zahnweißwerbegrinsen. Dann begannen sie verlegen zu kichern wie Backfische.

«Rein mit euch», brummte Schwester Alma, «dachte schon, ihr habt euch aus dem Staub gemacht. Flitterwochen nachholen.»

Das Paar hatte die Nacht in Müsebecks Scheune verbracht, auf leeren Getreidesäcken. Dabei sind sie sich dann wieder nähergekommen. Wegen der Kälte … Am Morgen sind sie dann erst mal nach Schmachthagen gewandert, über den Flughafen, und haben unterwegs viel beredet. In der Bäckerei nahmen sie ein Frühstück und wanderten zurück. Aber dann wurde ihnen im Wäldchen nach der Piste, dort, wo der Dachsbau ist, überraschend wieder ganz fröstelig ... So jedenfalls haben es Krüpki und Lotte erzählt.

Falls Sie sich übrigens wundern, warum wir uns damals nicht wunderten, dass Rambo «Rambo» genannt wird: In Amerika trägt fast jeder einen Spitznamen. Der freiheitliche Stadtrat mit seiner Menschenphobie, der sein Haus hinter einem zwei Meter hohen Feldsteinwall abschottet, wird «der Eingemauerte» genannt. Der Transporteur ist «der Sachse», weil seine Eltern seinerzeit von dort nach Amerika gekommen sind. Der Mann, der jedes Baugerät virtuos beherrscht, heißt «Bagger-Kalle», und den Klempner nennen sie «Gas-Wasser-Scheiße-Kurt». Meine Spitznamen sind zum Glück harmlos: Anfangs war ich «der Eselhalter», dann «der Schweizer», und aktuell nennt man mich «den Schauspieler». Nur damit Sie nicht denken, ich würde kneifen ...

Entsprechend diesen Spitznamen-Gepflogenheiten hatte sich in meinem Kopf sofort ein ganz deutliches Bild der Männerlegende «Rambo» etabliert: ein Hüne mit Oberarmen wie Frauenbeine, mit einem Blick wie Rasputin, bekleidet mit weit offenem Seeräuberhemd, breitem Rindsledergürtel und straff über die Oberschenkel gespannten Jeans. Ein Fels in der Brandung des Liebesrausches, eine Gewitterfront, aus der sich Sturzbäche von Testosteron ergießen, ein wilder Stier mit einem Horn, so groß ... doch genug Details! Ich stellte mir Rambo vor, wie einer eben aussehen muss, wenn man ihn «Rambo» nennt.

Lange nach jenem Abend, an dem wir mit Krüpki und Lotte unseren ersten Landkauf gefeiert hatten, stehe ich mit Teddy vor unserem Haus. Wir sind gerade dabei, einige am Hof anstehende Arbeiten zu bereden, als er zur Pfuhle zeigt und sagt:

«Kiek mal, wer da drüben geht, mit zwee von seine Kinder.»

Ich erblicke ein mageres Männchen, in einen adretten dunklen Anzug gehüllt, weißes Hemd, Schlips. Links und rechts an der Hand je ein Kind, Junge und Mädchen, so um die zehn, elf.

«Soll das jemand Besonderer sein?», frage ich.

«Na, das darf ja wohl nicht wahr sein, wa?» Teddy stemmt die Hände in die Seiten und schaut mich vorwurfsvoll an.

«Was darf nicht wahr sein, Teddy?»

«Na, dass du nicht wissen tust, wer das ist, nach all der Zeit, wo du jetzt hier bist. Mensch, das ist doch der Rambo!»

«Wie, *das* ist Rambo?», entfährt es mir. «Der Kleine da drüben?»

Der schmächtige Herr hat sich auf die Uferwiese gekniet und hält sich einen Fotoapparat vors Gesicht. Die Kinder posieren vor dem Bronzehengst.

«Das ist der legendäre Rambo? Dessen Weg mit gebrochenen Frauenherzen gepflastert ist und so weiter?» Ich kann es einfach nicht glauben, starre mit offenem Mund den kleinen Papi und seine Kinder an.

«Det isser», sagt Teddy und beschreibt mit seinem Arm einen Halbkreis Richtung Bronzehengst – der Conférencier kündigt den Stargast des Abends an: «Det is Rambo.» In seiner Stimme schwingt heilige Ehrfurcht.

«Teddy, warum nennt ihr alle diesen harmlosen kleinen Mann Rambo?»

«Was soll jetzt diese alberne Frage? Weil der eben so heißen tut.»

«Ja, aber das passt doch überhaupt nicht zu ihm.»

«Seit wann müssen Namen denn passen, biste jetzt übergeschnappt, oder wat?»

«Na, es muss doch einen Grund geben, warum ihr ihm gerade diesen Spitznamen verpasst habt?»

«Wat haste nu plötzlich von wegen Spitznamen, Mensch, der heißt so! Det is Herr Rambo!»

Ich hab's nachkontrolliert. Ich gebe zu, das ist schweizerisch, aber da müssen wir jetzt gemeinsam durch: Es gibt im weiten Umkreis um Berlin Telefonbucheintragungen auf den Namen Rambo. Mit weiblichen Vornamen. Unser Herr Rambo hat keinen Festnetzanschluss …

Landeroberung

Nun besaßen wir also genügend Land, um mit der Viehhaltung beginnen zu können – ein großer Schritt zum «richtigen» Bauernhof. Doch bevor überhaupt daran gedacht werden konnte, Tiere anzuschaffen – welche auch immer es dann sein würden –, galt es, ihre künftige Weide zurückzuverwandeln von der Brachfläche, die sie noch war, in eine Wiese. Der Boden war ein Vierteljahrhundert lang sich selbst überlassen gewesen, war völlig verfilzt und verkarstet. Tausende von alten Maulwurfshügeln machten die Fläche zu einer einzigen Holperlandschaft. Darauf konnte nur noch zähes Heidegras wachsen, und zwischen seinen spärlichen Halmen gedieh prächtig das Moos. Da musste dringend Luft rein, der Filz gehörte rausgebürstet.

So tuckerte ich auf meinem Hürlimann, die Wiesenegge im Schlepptau, viele Male über das «Krüpki-Eck», wie wir es getauft hatten. Es war genau in der ehemaligen Einflugschneise des Militärflugplatzes gelegen, und mir wurde einigermaßen flau in der Magengegend bei dem Gedanken, dass hier bestimmt irgendwelche Blindgänger lagen, die, ausgelöst von den Eisenzähnen der

Egge, nach Jahrzehnten doch noch tun würden, wofür sie konstruiert waren: hochgehen.

Die erste Stunde eggte ich mit schweißnassen Händen und verkrampftem Nacken, überlegte, wohin sich eigentlich die Wucht einer Explosion hauptsächlich ausbreiten würde. Nach oben, oder? Logisch. Ich war ja nicht direkt oben, sondern eine Deichsellänge vor der Egge – allerdings auf dem offenen Hürli ohne Kabine ... Also, nee, es half nichts, wenn da was losging, dann ... Ich versuchte, die Bilder aus meinem Kopf zu drängen, Bilder von roten Hürlimann-Blechteilen, die in Zeitlupe in den weiten Himmel Brandenburgs segelten, Bilder von einem tiefen Krater im Land, an dessen Rand eine schwarzverschleierte Sonja weinend zusammenbricht, an jeder Seite einen Sennenhund mit hängendem Kopf ... Quatsch, fertig Hollywood-Drama, weitereggen!

Nach zwei Stunden hatte ich meine Eisenschleppe einmal über die ganze Fläche gezogen, und nichts war passiert. Die Angst löste sich langsam auf, ich entspannte mich, begann es zu genießen, dass ich das Land in Besitz nahm, indem ich es striegelte. Hochzufrieden stellte ich fest: Eigentlich war ich ein Held, ein Pionier, der unerschrocken sein Territorium erobert, todesmutig bereit, sein Leben zu geben für eine bessere Zukunft dieses Stückchens Erde! Schon wieder Hollywood, weg damit. Weitereggen!

Als ich mit dem dritten Durchgang begann, der schon wesentlich leichter von der Hand ging – der Filz begann sich zu entflechten, die Tausende Hügelchen waren allmählich zerrieben, sodass die Fläche mit Recht als solche bezeichnet werden konnte –, da verschwendete ich keinen Gedanken mehr an die potentielle Lebensgefahr. Der Mensch gewöhnt sich eben an alles ...

Dafür lag meine Aufmerksamkeit jetzt bei dem, was die Egge, neben zahllosen Klamotten, aus dem Grasfilz herausgerissen hatte. Es waren zwar ungefährliche, aber hässliche und lästige Hinterlassenschaften des Kriegshandwerks: vermoderte Gasmasken und Militärstiefel, Eisenrohre, Schnapsflaschen, Auto- und Flugzeugreifen. Und Drahtseile, Drahtseile, Drahtseile – die Überreste der Stahlnetze, die dazu gedient hatten, landende Jets, die aus irgendwelchen Gründen über die Piste hinausrasten, abzufangen. Und Kabel lagen da in der Grasnarbe. Kilometer von Stromkabeln, dicke, dünne, drei-, vier-, acht-, zwölfpolige, in Gummi, in Plaste, in Jute, in Teer. Ein Archiv der russischen Kabelproduktion 45 bis 89: Die Leitungen zu den unzähligen Lichtern und Funksendern der ehemaligen Pistenbefeuerung.

«Ach, du Schande, da haben wir ja tolles Land gekauft», fluchte ich in mich hinein. Wenn da so viel Schrott war, wer weiß, was da noch an nicht sichtbaren Altlasten, an giftigem Sondermüll, die Erde kontaminierte? Wir zogen sofort etliche Bodenproben, schickten sie zur Analyse ein und warteten mit dumpfer Vorahnung auf das Ergebnis. Es war negativ: kein Blei, kein Altöl, keine Säure, kein Gift, nichts. Chemisch gesehen, war die Schrottwiese so sauber wie ein jungfräuliches Fleckchen Naturschutzpark.

Für das Einsammeln des ganzen Kriegsmülls baten wir Teddy um Unterstützung. Er war allmählich auch für uns zum unverzichtbaren Helfer in jeder Lage geworden. Eine ganze Woche lang waren er und Sonja mit dieser Arbeit beschäftigt. Ich half, wann immer ich Zeit hatte. Es war anstrengend – und ungeheuer befriedigend. Jedes Teil, jedes Stück, von dem wir die Natur befreiten, empfanden wir als Sieg: Schwerter zu Pflugscharen. Statt vom Gedonner der Düsenjäger würde die Geräuschkulisse auf diesem von uns eroberten Land vom Blöken der Lämmer oder dem Muhen der Kälber geprägt sein. Ab jetzt und für alle Zukunft.

Am letzten Tag, die Brache sah schon aus wie eine künftige Weide, da kratzte sich Teddy an seinem Stirnband, das er beim Arbeiten immer umgebunden hatte, damit ihm der Schweiß nicht in den Augen brannte, und mit dem man ihn für einen fernöstlichen Samuraiheld hätte halten können. Er schlenkerte mit dem Kabel, das er gerade vollends aus der Erde gerupft hatte, und lachte. «He, Sonja! Wenn ich das vor 15 Jahren gemacht hätte – das Russenzeug aus dem Land reißen –, ich wär in Sibirien wieder zu mir gekommen. Und nu mach ich seit Tagen genau dette, und passieren tut gar nichts. Ist das vielleicht geil!» Und mit geübtem Schwung schmiss er das Kabel in hohem Bogen auf den Anhänger zum anderen Schrott.

Abends saßen wir mit ihm in unserer Küche und verleibten uns zufrieden ein Wiesen-Säuberungs-Abschluss-Essen ein. Teddy erzählte von früher, als er noch mit Tieren zu tun hatte. Mit Schafen. Zu DDR-Zeiten ist er zusammen mit einem seiner Brüder durch die ganze Republik gereist. Der Bruder hat als Schafscherer gutes Geld verdient, Teddy ist ihm dabei zur Hand gegangen. Sie haben damals auch selbst ein paar Schafe gehalten. Teddy beschrieb diese Minischäferei in den schönsten Farben und meinte, er habe seither häufiger mal daran gedacht, sich wieder welche zuzulegen, aber ihm fehle ja das Land, auf das er sie stellen könne.

Wir gestanden, dass wir auch schon an Schafhaltung gedacht hatten, uns aber nicht so recht trauten, da wir doch diesbezüglich noch ganz unerfahren waren. So fügte es sich, dass wir mit Teddy kurzerhand eine Schafhalter-Gemeinschaft gründeten. Er würde sein Wissen und seine Erfahrung beisteuern, wir Gerät und Land. Teddy versprach, sich gleich am nächsten Tag umzuhören, wo man günstig eine kleine Stammherde Merinos oder Schwarzköpfe herbekommen könnte.

Hanne

Der Oktober brachte neuen Schwung in das Projekt Frischmilch. Sonjas Mutter besuchte uns für einige Wochen. Hanne. Ich mag Hanne sehr. Eine kleine, gemütliche Frau, die viel durchgemacht hat als Kriegskind und später, in den miefigen frühen sechziger Jahren, als quasi alleinerziehende Mutter – ihr Mann war Ingenieur, baute Fernsehtürme und Kraftwerke auf allen Kontinenten dieses Planeten und konnte praktisch nie bei seiner Familie sein. Eine Frau, die sich keine Illusionen mehr macht über das Leben, aber diesem Leben dennoch immer das Beste abzuringen versteht. Eine Praktikerin, die genau weiß, wie es geht, und noch genauer, was sie will.

Von ihrem Äußeren her würde man ihr so viel Kraft gar nicht zutrauen: Sie hat sich im Alter einige sehr weibliche Rundungen zugelegt, lächelt freundlich in die Welt hinein und ist stets zu einem Schwätzchen bereit. Hanne wirkt wie ein harmlos gutmütiges Weiblein, das wunderbar in jedes sonntägliche Kaffeekränzchen passt. Und sie ist, genau wie der selige Herr Schönemann – der Herr, der bei Frau Widdel immer seine Zeitungen geholt hatte –, «alte

Schule». Sie achtet sehr auf eine gepflegte Erscheinung. «Ma muas scho a bisserl schaun, wie ma auschaut, gö?», pflegt sie zu sagen.

Also: Sie sah zum Anbeißen aus, und sie war Witwe, sogar dreifache. Was jüngst einen ihrer Bekannten, einen pensionierten Polizeipräsidenten, beim zweiten Rendezvous veranlasste, doch «a bisserl» nachzufragen, wie das mit den verstorbenen Gatten der Hanne «denn genau gwesen is». Nach dem Verhör hatte sich der Pol.Präs. a. D. ein klares Bild der Ereignisse gemacht und zugleich ein Problem aufgehalst, dem er sich als aufrichtiger Mensch, der er war, nicht verschließen konnte: Er hatte sich leidenschaftlich in Hanne verliebt und bat sie, Ehemann Nummer vier werden zu dürfen. Aber das ist eine andere Geschichte ...

Jeden Morgen, solange sie bei uns war, richtete Hanne sich sorgfältig die Frisur, zupfte ihre frischgebügelte Bluse zurecht, schlüpfte in das zum Rock passende Jackett und machte sich in ihren stets glänzend polierten eleganten Schnürschühchen auf ins Dorf. Was begonnen hatte als kleine Besorgung – «I hol nur a poa von diese Schrippn-Semmerln» –, weitete sich bald zu einer den ganzen Vormittag in Anspruch nehmenden Tour durch Amerika aus.

Zum Auftakt schwatzte sie in Frau Widdels Laden mit den alten alteingesessenen autolosen Amerikanerinnen, hörte dies von der einen und das von der anderen, ließ sich die neuen Küchen ihrer neuen Freundinnen zeigen, fachsimpelte über das richtige Anlegen von Gartenbeeten, nahm hier einen Kaffee und dort einen Saft ... in null Komma nix wurde Hanne allenthalben über die Gartenzäune gegrüßt und war in ganz Amerika bekannt wie ein bunter Hund und beliebt wie Frau Holle.

Eine besondere Vertrautheit entwickelte sich in jenem Herbst zwischen Hanne und Frau Widdel. Sie fand ihren Nährboden in der Tatsache, dass Hanne in ihren jungen Jahren eine Lehre als Einzelhandelskauffrau absolviert und längere Zeit einen kleinen

Lebensmittelladen geführt hatte. Frau Widdel und sie waren also Kolleginnen. Zunächst unterhielten sich die beiden über die Kundschaft – dies sehr, sehr ausführlich –, dann über die Eigenheiten des Einzelhandelskauffrau-Berufes im Speziellen und im Besonderen. Im Speziellen über die Last, diesem Gewerbe ausgerechnet im kleinen Amerika nachgehen zu müssen, und im Besonderen darüber, dass nun schon der Hinterste und Letzte ein Auto besaß und damit nichts Besseres zu tun hatte, als bei diesen Lebensmittelketten in Schmachthagen einkaufen zu fahren.

Hanne hörte sich alles geduldig nickend an und lobte Frau Widdel für ihren tapferen Einsatz zum Wohle der Nächstversorgung ihrer Nächsten. Frau Widdel fühlte sich von Hanne wunderbar verstanden. Nur was ihre absolute Frischmilch-Verweigerung betraf, musste sie auf das mitfühlende Verständnis von Hanne verzichten.

«I was ned, wos du host, Waltraut. Mir ham doch immer eine frische Milch im Angebot gehabt, damals, immer!», bekam Frau Widdel von Hanne zu hören.

«Hier verlangt aber keiner Frischmilch, weißt du, Hanne? Wenn sie umsatzrelevant wäre, würde ich selbstverständlich welche führen, aber die Leute kaufen eben nur H-Milch. Ist einfach praktischer. Und wir hier im Osten haben Sinn für das Praktische, Hanne, verstehst du?»

«Vielleicht, könnt ja sein, dass eventuell, liebe Waltraut, die Leit schon eine frische Milch kaufen täten, wenn du welche im Angebot haben würdest. Was sogst'n dazu?»

«Es ist umgekehrt. Ich hab keine Frischmilch im Angebot, weil die Leute keine kaufen, ich bin doch nicht bescheuert, Hanne, wa?»

«Nein, bescheuert bist du net, wirkli net, liebe Waltraut. Du wirst scho wissen, wast tust, gö?»

Als Hanne uns von diesem Gespräch mit Frau Widdel berichtete, ließen wir alle Hoffnung auf eine Frischmilchzukunft fahren. Nicht einmal der lebensklugen Hanne, Einzelhandelskauffrau-Fachkollegin von Frau Widdel, war es gelungen, diese vom Segen der Frischmilch zu überzeugen. Nun gab es keine Rettung mehr. Als Hanne abreiste, hatte sie die Zuneigung vieler Amerikanerinnen gewonnen. Bis heute pflegt sie mit ihnen einen regen Postkartenverkehr. Auch Frau Widdel gehört als eine der wichtigsten zu diesem Kreis. Allein: «Frischmilch kauft keiner» blieb eisernes Widdel-Gesetz, Kartengrüße hin oder her.

Schwarzköpfe

Teddy und Sonja holpern im Jeep über das Brandenburger Land. Sie sind unterwegs, Schafe anzuschauen. In der Bauernzeitung ist ein Inserat gewesen: «Kleine Schwarzkopfherde/trächtige Muttertiere/sofort abzugeben.» Sonja hat gleich angerufen und den Besichtigungstermin vereinbart. Es geht um ein gutes Dutzend Mutterschafe, tragend. Der Besitzer hat sie als Hobby gehalten und will sie nun «aus Altersgründen» abgeben.

Ganz früh am Morgen schon sind sie losgefahren. Teddy lotst Sonja über Schleichwege zum Ziel. Über die alten DDR-Agrarwege, zwei parallel laufende schmale Bahnen aus Betonplatten, querfeldein. Die beiden reden nichts. Sonja ist überwältigt von der Landschaft, kann sich gar nicht satt sehen an ihrer neuen Heimat. Weites Land, großer Himmel, klare Luft, Tau glitzert in den Gräsern, immer wieder rot und orange leuchtende Laubwälder. Sie fahren an Hecken vorbei, an kleinen Seen, an abgeernteten Kornfeldern, hier eine verfallene Scheune, dort ein verlassenes Feldsteinhäuschen. Und das alles in jenes warme flammrote Morgenlicht getaucht, das für dieses Land so typisch ist.

Teddy döst auf dem Beifahrersitz vor sich hin. Gestern ist Freizeit gewesen, Sonntag. Und als er sich endlich in die Federn legte, war es schon seit ein paar Stunden Montag. Trotz seines Schlafmangels schafft er es, sich jedes Mal rechtzeitig vor der nächsten Abzweigung kurz mit verschwommenem Blick zu orientieren. Dann schließt er die bleischweren Augendeckel sofort wieder und brummt sein «links», «rechts», «drüber», gefolgt von Sonjas «okay», «jup», «mach ich».

Gerade hebt er wieder ein halbes Augenlid. «Da links, nach der Scheune.» Doch Sonja antwortet diesmal nicht. Teddy öffnet auch das zweite Auge und blickt zu ihr herüber. «Wat is denn mit dir auf einmal los?», fragt er ungläubig. «Mensch, Sonja, heulst du etwa?»

«Nein», schnieft sie und wischt sich über die nasse Wange. «Ich freu mich.»

«Läuft dir immer Wasser aus die Augen, wenn de dir freuen tust?»

«Nein, nur wenn es sehr viel Freude ist, so wie jetzt.»

«Na, na, na, wir kieken uns doch bloß 'n paar olle Schafe an, wa?»

«Aber, Teddy, dieses Land, es ist so schön, alles so wunderschön, siehst du das nicht?»

«Wat is hier schön?»

«Alles, das Land, die Felder, die alten Gebäude, einfach alles.»

«Diese versifften Katen und die ollen Äcker? Schön? Du hast se nicht mehr alle.»

Spricht's und nickt wieder ein.

«Sonja?», meldet er sich einige Kilometer später.

«Hm?»

«Schon in Ordnung, dass de meine Heimat schön finden tust. Isse ja schließlich auch, wa?»

Der alte Mann führt die beiden um den Schuppen herum. Da stehen sie, auf einer kleinen Koppel. Sonja ist entsetzt. Mit dem Fell der Schafe stimmt doch ganz entschieden etwas nicht. An manchen Stellen sind die Tiere fast kahl, an anderen mäandert die Wolle in seltsamen Zotteln an der Haut herunter. Sonja sieht Teddy fragend an, doch der verzieht keine Miene.

«Das sind sie», erklärt der alte Mann. «Was sagen Sie?»

Sonja ist sprachlos, Teddy schaut über die Herde hinweg in den weiten Himmel und schweigt sich aus.

«Na?», insistiert der Alte.

«Wer hat die geschoren?», fragt Teddy.

«Ich! Eigenhändig», antwortet der Besitzer stolz. «Extra, damit sie gut aussehen, wenn ihr kommt.»

Teddy blickt dem Alten offen in die Augen «Gut? Die sehen scheiße aus.»

«Na, das ist doch ...» Der Alte macht einige Schrittchen rückwärts.

«Aber so was von scheiße», bekräftigt Teddy.

«Ich hab mir doch richtig Mühe gegeben. Gut, ich mag ja vielleicht nicht der beste aller Scherer sein, aber ...»

«Mein Bruder ist deutscher Vizemeister im Schafscheren», unterbricht Teddy. «Wenn der diese Tölen sehen tut, kriegt der 'n Anfall. So was kann ich ihm unmöglich nach Hause bringen. Das ist ja eine Schande ist das.» Er dreht sich um, geht Richtung Auto. «Ich kann da gar nicht länger hingucken. Komm, Sonja, sehen wir zu, dass wir von hier wegkommen.»

«Aber so warten Sie doch!» Der alte Mann wird nervös. «Das wächst sich doch aus, ist doch nur die Wolle, die Tiere selbst sind ... So bleiben Sie doch!» Er läuft Teddy hinterher. Der steht schon in der geöffneten Beifahrertür. «Na, denn lass mal hören.»

Die beiden sind sich handelseinig geworden. Die Tiere haben

einen guten Preis erzielt. Zumindest aus Sonjas und Teddys Sicht.

Im Auto fragt sie ihn: «Hättest du die Schafe nicht etwas genauer unter die Lupe nehmen wollen, Teddy? Du hast ja kaum hingesehen.»

«Wat soll ich da stundenlang kieken? Die Schafe sind top, det seh ich sofort. Werden uns viel Freude machen, die Viecher.» Teddy ruckelt sich zufrieden tiefer in seinen Sitz und nickt leise schnarchend ein.

Sonja denkt: «Schafe, jetzt also Schafe ...»

Sie erinnert sich an all die spannenden, lehrreichen und so unglaublich aufreibenden Aufgaben, die sie in ihrer Biographie auflisten kann. Als Journalistin hat sie mehr als einen Lokalpolitiker ins Schwitzen gebracht, einen sogar zum Abdanken. In Mailand hat sie als Model gearbeitet und damit ihr Studium finanziert, sie hat in der Wiener Jazz-Szene Events organisiert, hat als Anzeigenleiterin die Kultur-Stadtzeitung mit aufgebaut und einen Verlag gleich noch dazu. Sie hat die Wiener «Schule für Dichtung» mitbegründet und auf den Weg gebracht, sie hat in Deutschland Fernsehsendungen entwickelt und produziert, sie hat in Zürich als Geschäftsleiterin unsere TV-Firma gemanagt und dann auch noch Film-Produzentin ... Und jetzt?

Jetzt hat sie zu verarbeiten, dass sie nach all diesen superwichtigen, prestigeträchtigen Tätigkeiten ihre größte Herausforderung vor sich hat: Soeben ist sie aufgestiegen. Zur Schafzüchterin. Und damit zur Herrin über Leben und Tod.

Himmel auf Erden

Man hört nur das leise Kauen und Schmatzen von Schafmündern, unterbrochen von Heurascheln, wenn die Tiere Nachschub aus der Futterraufe zupfen, oder dem dünnen Blöken eines Lamms, gefolgt vom bestätigenden Vibratogurren der dazugehörenden Mutter. Die große Kälte dieses Winters ist schon weniger schneidend, der gnadenlos beißende Ostwind hat sich endlich gelegt. Langsam beginnt die Sonne, wieder Kraft aufzubauen. Die oberste Schicht des eben noch steinhart gefrorenen Bodens hat sie bereits weich getaut.

Dicht an der Weide stehen Sonja und Teddy einträchtig nebeneinander. Zwei Gestalten in winterlicher Landschaft. Atemwölkchen entweichen ihren Mündern. Sie wirken, als ob sie seit Jahren schon hier stehen würden, als hätten sie Eiszeiten und Sandstürmen getrotzt, Fluten und Dürrezeiten überstanden, ohne sich zu bewegen, ohne zu weichen.

Teddy sieht in seiner dickgepolsterten karierten Jacke und den schweren Winterstiefeln noch riesenhafter aus, als er sowieso schon ist. Sein Gesicht, eingerahmt von Fellmütze samt Ohrenklappen und geschlossenem Pelzkragen, erinnert an ein sehr empfindliches Ei in einem Nest aus Fell. Sonja steckt, wie schon den ganzen Winter über praktisch Tag und Nacht, in ihrem blauen dickgepolsterten Overall mit den überall aufgenähten Reflektorstreifen: über der Brust, am Rücken, an den Ärmeln und an den Seitennähten der Beinröhren. Sie hat das «Monstrum» bei einem Reiterbedarfshandel bestellt, eigentlich ist es für das winterliche Trabertraining der Sulki-Fahrer konstruiert worden. Sonja sieht darin aus wie eine Streckenwärterin der Transsibirischen Eisenbahn, aber das Ding hat gute Dienste geleistet und sie auch bei stärkstem Frost warm gehalten. Inzwischen ist es sozusagen zu ihrer zweiten Haut geworden.

Die beiden sprechen nicht. Stumm betrachten sie die Schafe. Genießen es, die Zufriedenheit der Muttertiere und ihrer Lämmer auf sich wirken zu lassen. Jeder hängt seinen eigenen Gedanken nach.

«Brave Herde», sagt Teddy in die Stille.

«Hm?»

«Na ja. Ist 'ne brave Herde. Zwanzig Lämmer von dreizehn Müttern, da kann man nicht jammern.»

«Ja, das haben sie gut gemacht, unsere Mütter», gibt ihm Sonja recht. «Und unsere Lämmer auch.»

«Und wat is mit uns?»

«Du und ich, Teddy? Wir haben es auch nicht schlecht gemacht, für den Anfang. Oder?»

«Das will ich meinen, Sonja. Können wir ruhig zugeben, brauchen wir uns nicht schämen für, echt nicht.»

Sonja denkt zurück. Daran, wie das gewesen ist am Anfang, nach dem Kauf der Schafe. Der Bau des Schafstalls musste in aller Eile vonstattengehen, der Verkäufer wollte die Tiere liefern, und der Winter nahte. In einer mehrtägigen Gewaltaktion stellten Teddy,

Sonja und Teddys Dachdecker-Bruder das Holzhäuschen aufs neue Land. Von Sonnenaufgang bis es zum Weiterarbeiten zu dunkel wurde, sägten, zimmerten, richteten und nagelten sie. Schließlich erinnerte der Stall in seiner einfachen Holzkonstruktion an jene kleinen Waldhäuschen, welche die Pioniere vor hundert und mehr Jahren gebaut haben, um in der Wildnis Kanadas oder der Weite Sibiriens zu überwintern. Sogar eine Tür und ein altes Fenster vom Sperrmüll hatten sie eingebaut, es fehlte nur der Kamin, und man hätte Lust gehabt, selber darin zu wohnen.

In einigem Abstand zogen sie einen Wildzaun um den Stall herum, das Festgehege. Die Weide selbst und ein Stück des angrenzenden Wäldchens wurde mit flexiblen Schafnetzen eingefriedet. Solange das Gras nicht von Schnee bedeckt war, würden die Tiere auch winters dort weiden.

Und dann kamen sie an, die Schafe. Sonja erinnert sich sehr genau, wie sie von Stolz und Freude fast übermannt wurde, als die Tiere aus dem Transporterchen trappelten und sich sofort auf das Weidegras stürzten. Teddy machte natürlich auf cool. Aber dass sein Gesicht strahlte wie Vollmond und Sonnenaufgang zugleich, das konnte er selbst mit aller Gewalt nicht verhindern.

«Weißt du noch, Teddy, als die Schafe ankamen?», fragt Sonja jetzt zu ihm hinüber.

«War 'n gutes Gefühl. Richtig gut.»

«Und weißt du noch, das erste Umsetzen der Schafe?»

«Ach, das hab ich schon fast vergessen.» Teddy zwinkert Sonja verschwörerisch zu. «War da wat gewesen?»

Und ob da was gewesen war: Die Schafe hatten das Stück Land, das sie seit ihrer Ankunft beweideten, brav kurz gefressen, es wurde Zeit, sie umzusetzen, sprich, ihnen neue Weidefläche zur Verfügung zu stellen. Unsere Neuschäferei verfügte zu dem Zeitpunkt erst über wenige Schafnetze. Sie reichten nicht aus, die neue Weide einzuzäunen, ohne ein paar Netze von der alten Weide mit zu verwenden. Es würde also eine Zeitspanne geben, in der die neue Weide noch nicht ganz zu und die alte schon teilweise offen war.

«Macht nüscht, bis die ollen Viecher det mitkriegen, steht die neue Weide, und denn nix wie rin mit denen», lautete Teddys Prognose – die sich leider als falsch erwies. Die «ollen Viecher» entpuppten sich als äußerst gute Beobachter und intelligente Schnellmerker. Schon die ganze Zeit, während Sonja und Teddy die Netze um die neue Weide aufstellten, standen die Schafe als geschlossenes und höchst interessiertes Publikum direkt hinter der Absperrung der alten Weide. Keine Bewegung der Menschen entging den beobachtenden Blicken der Tiere.

Nun muss man wissen, dass das Aufstellen und Spannen von Schafnetzen, wenn es von darin ungeübten Personen ausgeführt wird, eine Menge Potential an unfreiwilliger Komik birgt. So ein Netz misst etwa 1 Meter mal 50 Meter. Es verfügt über 14 eingeflochtene Kunststoffstäbe, die unten jeweils in zwei eisernen, etwa 20 cm langen Dornen enden. Und jedes einzelne Schafnetz besitzt einen ausgesprochen bösartigen Charakter. Das höchste Glück empfindet das gemeine Schafnetz, wenn

– die 28 Eisendorne sich heillos im Netz verheddert haben,

– es in sich selbst verdreht ist und der Aufstellende sich wundert, warum hier plötzlich der Dorn nach oben statt nach unten zeigt,

– sich kleine Ästchen in ihm versteckt haben, die bewirken, dass es beim Auseinanderfalten zwar faltet, aber nicht auseinander,

– sich die Füße des Aufstellers in ihm verfangen und er auf die Schnauze fällt – gerne in einen Haufen Schafkötel,

– es nach dem Sturz in wirrem Durcheinander über dem Gestürzten und das angrenzende Land verteilt liegt,

– die Weide endlich umzäunt ist und für die letzten fünf Meter kein Netz mehr da ist,

– das Aufstellen sehr schnell gehen muss, weil sonst die Schafe abhauen.

Die Netze, die Sonja und Teddy damals aufstellten, kamen voll auf ihre Rechnung. Für sie war es das reine Glück, für die beiden der reine Horror und für die Schafe ein gar sonderbares Schauspiel. Doch irgendwann hatten sie es geschafft. Die neue Weide war fast fertig, jetzt schnell zwei Netze von der alten Weide eingesammelt und in die neue eingefügt, und alles würde gut sein.

«Du hältst die Schafe in Schach, Teddy, während ich die Netze umbaue», schlug Sonja vor. Und so geschah es. Etwa eine Minute lang baute Sonja um, und Teddy hielt in Schach – dann waren die Schafe auch schon draußen.

Es begann ein Kampf menschliche Intelligenz gegen schafische Instinkte. Menschliche Strategie gegen schafische Wendigkeit. Menschliche Multitasking-Fähigkeit gegen schafischen Herdentrieb. In sämtlichen Disziplinen haben die Menschen haushoch verloren. Am vernichtendsten fiel die Niederlage in der alles entscheidenden Schlussdisziplin aus: menschliche Nervenstärke gegen schafische Seelenruhe.

Nach einer Stunde waren Sonja und Teddy nervlich und physisch am Ende, während die Schafe einen äußerst zufriedenen Eindruck machten und gleichmütig, als ob nichts gewesen wäre, vor sich hin grasten. Im offenen Gelände, auf halber Strecke zwischen alter und neuer Weide.

Jetzt muss Sonja über sich selber lachen, wenn sie daran zurückdenkt. Jetzt, nach einigen Umsetzungen mehr, weiß sie, dass Schafe niemals kopflos wegrennen, wenn man sie nicht in Panik versetzt. Sie gehen nur ein paar Meter, dann senken sie die Köpfe ins Gras, und gut ist. Sie bleiben immer im Pulk. Wenn mal eines den Anschluss an die anderen verloren hat: ignorieren! Es wird bald bemerken, dass es allein und ungeschützt steht und flugs zur Herde laufen. Jetzt weiß Sonja, wie leicht sich die Herde eigentlich in jede beliebige Richtung dirigieren lässt, wenn man die Ruhe bewahrt und nur vorsichtig ganz leichten Druck macht. Lass dir Zeit, und es wird schnell gehen, mach auf Stress, und du wirst den ganzen Tag brauchen. Das hat Sonja inzwischen gelernt. Aber damals ...

Sie hatten die Schafe zum gefühlten zehnten Mal fast beim Eingang zur neuen Weide. Jedes Mal war die kleine Herde nach links oder nach rechts ausgebrochen und ins offene Land gerannt. Jedes Mal waren sie in großem Bogen um die Tiere herumgewandert und hatten sie, von weit her kommend, wieder Richtung Weide gescheucht. Jetzt sah es endlich gut aus! Das vorderste Schaf war nur noch fünf Meter vom Eingang entfernt. Wenn es nur noch ein klein wenig weiter ...

«Langsam jetzt, Teddy», rief Sonja. Mit weit ausgebreiteten Armen, wie zwei lebende Vogelscheuchen, schritten die beiden Richtung Herde, die jetzt perfekt und genau zwischen ihnen und dem Eingang zur Weide stand. Ja! Ja, ja, das müsste diesmal klappen, die Tiere bewegten sich in die richtige Richtung. Aber da, verflucht, ein Schaf begann nach links abzudrehen. O nein, wenn ihm jetzt die anderen folgten, dann ...

Das war der Moment, als Teddy die Nerven wegschmiss: Er machte ein, zwei, drei Ausfallschritte nach links in der Absicht, das Ausreißerschaf wieder nach rechts, Richtung Herde zu scheuchen. Es funktionierte prächtig. Das Schaf machte einen veritablen Bocksprung nach rechts und galoppierte los, mitten in die Herde hinein. Die Herde turnte den Bocksprung in fast perfekter Synchronizität nach und galoppierte ebenfalls nach rechts. Innerhalb von zehn Sekunden befanden sich die Tiere, die gerade eben noch knapp vor dem Eingang gestanden hatten, zweihundert Meter weiter rechts. Im offenen Land. Und begannen, stolz auf ihre Leistung, zu grasen.

Das war der Moment, als Sonja die Nerven wegschmiss. Zuerst schrie sie. Dann steigerte sie sich ins Brüllen. Dann zertrampelte sie brüllend das arme Gras. Sie hatte die Wut. Die richtige, wilde, reine, pure Wut. Die Wut, die alles andere verdrängt, bis das ganze Universum nur noch aus Wut besteht. Die Wut, die rausmuss, die sich Luft machen muss. Gras zertrampeln reichte nicht für diese Wut, lange nicht. Sonja riss sich brüllend die Jacke vom Leib, schmiss sie auf die Erde, trampelte auf ihr herum. Doch die Wut brauchte noch mehr Luft. Sonja riss sich die Weste vom Leib, malträtierte auch sie mit ihren schweren Schuhen – es reichte noch immer nicht. Sonja riss sich das Hemd vom Leib, stand jetzt im Leibchen, zermalmte das Hemd in wildem Rumpelstilzchentanz, doch mit ihren schweren Schuhen konnte sie nicht so schnell tanzen, wie es die Wut brauchte, sie heulte laut auf und nestelte an den Schuhbändern, trat sich den ersten Schuh von den Füßen, er flog in hohem Bogen Richtung Schafe, dann ... hörte sie ihn lachen. Teddy stand auf der Wiese und lachte. Er ließ sein Lachen tief aus seinen Eingeweiden hervordröhnen, er krümmte sich vor Lachen, rang nach Luft, lachte weiter. Und sein Lachen knipste Sonjas Wut aus, klick und weg. Einfach so. Wie ein Lichtschalter: klick und dunkel.

Sonja begriff die Absurdität der Situation. Sah sich selbst mit nur einem Schuh auf der Weide stehen, ihre Kleider um sich verstreut, ein lachender Riese, die Schafe weit weg und über allem, unberührt von allem, der weite Himmel Brandenburgs.

Und seltsam, als sie in Teddys Lachen einstimmte, fühlte es sich an wie ... Glück? Ja, wie Glück!

Sonja taucht aus ihrer Erinnerung auf. Sie atmet tief ein, schnaubt aus. Von wegen «war da wat gewesen?».

«Du, Teddy?», fragt Sonja und wendet sich ihm voll zu. «Du hast dich doch daran gehalten, oder?»

«Wo dran?»

«Was du mir damals versprochen hast, nachher, nachdem wir die Schafe dann doch noch in die verdammte Koppel gekriegt hatten.»

«Ach dette. Dass ich niemandem im Dorf was erzählen tu, von deinem Striptease?»

«Und, hast du's erzählt?»

Teddy setzt ein sehr, sehr ernstes Gesicht auf, fixiert Sonja mit den Augen und sagt: «Nö.»

«Niemandem?»

«Nö.»

Sie wenden sich wieder den Schafen zu.

«Teddy?»

«Hm?»

«Was hast du dir eigentlich gedacht, als ich da so durchgedreht bin?»

«Ich hab gehofft, dass de aufhören tust.»

«Mit dem Schreien?»

«Nö. Mit dem Ausziehen.»

Teddys Ei-im-Fellnest-Gesicht verzieht sich in die Breite, sein Körper beginnt rhythmisch zu wackeln wie ein strammer Riesenpudding, zuerst lacht er leise glucksend in sich hinein, dann schwillt es an, und schließlich bricht es aus ihm heraus und vermischt sich mit Sonjas Lachen. Die Kiefer der Schafe unterbrechen ihre Kauarbeit, ihre Köpfe wenden sich den Menschen zu, die, sich krümmend und torkelnd, vor ihrem Gehege um Luft ringen.

Schließlich kommen die beiden wieder zur Ruhe, stehen abermals nebeneinander, in den Anblick der Herde versunken. 33 Tiere, Mütter und Lämmer zusammengerechnet. Mehr als doppelt so viele wie zu Beginn des Winters. Jedes Lamm hat seine eigene Geschichte, wie es auf diesem Planeten gelandet ist. Sonja hat die Ankunft jedes einzelnen als reines Wunder erlebt.

Streng ist er gewesen, dieser zweite Winter in Amerika, sehr streng. Sonja hat nicht gezählt, wie viele Kanister heißes Wasser sie in dieser Zeit auf die Weide geschleppt und über die Eisblöcke in den Schaftränken gegossen hat. Tonnen von heißem Wasser. Sie erinnert sich, wie sie wieder und wieder besorgt ihre Finger in das Fell der Schafe gegraben hat, um immer staunend festzustellen, welch kuschelige Wärme die Tiere in ihrem dicken Vlies gespeichert hatten.

Und dann, eines Nachts, bei minus 15 Grad, kam das erste Lamm zur Welt. Sonja traute ihren Augen nicht, als sie das winzige weiße Wesen plötzlich zwischen den Beinen eines Mutterschafs entdeckte. Das konnte doch nicht wahr sein! Nach der Aussage des Vorbesitzers sollte die Ablammzeit auf Ende März, Anfang April fallen. Jetzt war erst Ende Februar! Sonja war außer sich. Wenn nun alle anderen Muttertiere auch ablammen würden, wie sollte sie die kleinen Würmer warm halten? Wie konnten die Jungtiere einen Temperaturunterschied von 50 Grad überleben, zwischen dem warmen Mutterleib und der schneidend kalten Winterluft? Diese Erstgebärende hatte es ja klug gemacht, hatte ihr Lamm in das warme Stroh des Stalls gelegt und es schnell trocken geleckt. Aber würden es die anderen ebenso halten? Was sollte Sonja nur machen? Alle trächtigen Mütter in den kleinen Stall sperren, vorsorglich? Die würden doch durchdrehen, sich gegenseitig tottrampeln, jetzt, wo sie die Freiheit der Offenstall-Haltung lieben gelernt hatten ...

Es half nichts, von nun an mussten die Schafe Tag und Nacht im Auge behalten werden, und sobald ein Lamm geboren war, schwups in den Stall mit ihm und seiner Mutter, in eine eigene kleine Abzäunung. Für ein bis zwei Tage, bis es kräftig genug war, dass Eis und Schnee ihm nicht mehr zum Verhängnis werden konnten. Lammwache schieben war angesagt.

Teddy kannte einen Schäfer, der seine Tiere im Winter im Stall hielt und im Sommer mit ihnen übers Land zog. Von ihm borgte er sich den Schäferwagen aus. Ein ehemaliger Bauwagen, darin ein kleiner Gasofen, ein Tischchen und eine Pritsche. Hier drinnen schoben Sonja und Teddy abwechselnd Nachtwache. Fünf Tage Teddy, fünf Tage Sonja.

Das zweite Lamm kam, die ersten Zwillinge folgten. Und die nächsten und dann wieder ein einzelnes und wieder Zwillinge ... es ging wie das Brezelnbacken. Als Sonja eines frühen Morgens beim Wagen eintraf, hörte sie schon von draußen Teddys gleichmäßiges Schnarchen. Leise öffnete sie die Tür. Was sie dann zu sehen bekam, würde sie sehr lange nicht mehr vergessen: Der riesenhafte Mann lag rücklings auf der schmalen Pritsche, die Jacke als Kissen unter seinen Kopf gestopft. Auf der Bergkuppe seines Bauches, umschlossen von seinen Armen, schlief zusammengerollt ein winziges Lamm. Sonja blieb in der Tür stehen, ein Grinsen breitete sich auf ihrem Gesicht aus.

«Guten Morgen, ihr beiden», flüsterte sie, «die Wachablöse ist da. Und ich hab Kaffee mitgebracht.»

«Bööööh», sagte das Lamm und erhielt sofort Antwort von einem Schaf draußen, offenbar seine Mutter. «BÄÄÄÄÄHHHH», schrie das Lamm jetzt und begann wild zu strampeln. Draußen blökte die Mutter, was das Zeug hielt, andere Schafe fielen in das Konzert ein. Vom Lammgestrampel und dem Schafgeschrei geweckt, schreckte Teddy plötzlich hoch und saß aufrecht auf der Pritsche.

«Was ... wer ... warum ...», stammelte er. «Ach, du bist es, Sonja.» Seine Hände hielten das zappelnde Etwas auf seinem Schoß instinktiv umklammert, was das Lamm gar nicht toll fand und mit noch heftigeren Befreiungszuckungen quittierte.

«Der hat Hunger, der Kleine, der muss zu Mama», brummte Teddy und streckte Sonja das Tierchen entgegen. Sie trug es hinaus. Das Schreien des Lamms und die Antworten seiner Mutter steigerten sich jetzt in ein Crescendo molto furioso, die dünnen Lammbeinchen haxelten immer wilder in der Luft herum. Sonja stellte das Tierchen in den Schnee, und dann ratterte es los wie ein Aufziehspielzeug, schnurstracks auf das am lautesten blökende Muttertier zu, schubste ein anderes Lamm – offensichtlich sein Zwilling – beiseite und trank und trank und trank, während sein Schwänzchen aufgeregt zitterte und zuckte.

Teddy hatte sich inzwischen hochgerappelt und war aus dem Wagen gekrochen.

«Die hat in der Nacht gegen zehne gelammt», begann er zu erzählen. «Sah eigentlich allet schick aus zu Beginn. Beide Lämmer waren fit und sind bald gestanden. Die Mutter hat sie brav trocken geleckt. Denn hab ich die drei aufgestallt, und da ist mir schon aufgefallen, der Kleene ist zu blöde, die Zitze zu finden. Hat überall rumgemacht, vorn, hinten, an der Seite, bloß nicht am Euter! Ich dachte mir, das wird schon, seine Schwester hat es ja auch geschnallt. Aber denn, nach zwei Stunden, wie ich nachsehe, da lag der nur noch rum. War auch schon ein wenig ausgekühlt, der Kleene. Na, ein bisschen Wärme könnte nicht schaden, dacht ich mir, und da hab ich in ringenommen, in den Wagen. Langsam ist er da wieder munter geworden. Ich wieder raus mit ihm, nochmal zur Zitze. Wieder nüscht! So ein Doofkopp aber auch, dacht ich mir …»

«Red nicht so über unsere Lämmer, Teddy. Das ist kein Doofkopp.»

«Wat denn sonst? Wenn er vor der Zitze hockt und Hunger hat und die Milch nicht findet …»

«Trotzdem, rede bitte nicht so über …»

«Ja, is ja jut jetze. Also, ich die Mutter 'n bisschen abgemolken und unserer Intelligenzbestie …»

«Teddy!»

«… die Milch mit'm Fläschchen eingeflößt. Det war ein Theater, sag ich dir. Aber ich hab ihn satt gekriegt. Tja, und danach muss ich wohl eingeschlafen sein ...»

«Hast du gut gemacht, Teddy, bist ein toller Schaf-Papi.»

«Na ... ich kann den Kleenen ja nicht krepieren lassen, wa?», grummelte Teddy verlegen. «Haste nicht was von Kaffee gesagt? Wo isser?»

«Woran denkste denn grade?» Teddys Stimme reißt Sonja aus ihrer Erinnerung. «Du siehst so anders aus, so sanft, irgendwie. Ist was mit dir?»

Sie schaut ihn an. «Nein, Teddy, ich hab nur gerade an Kaffee gedacht. Und dass ich jetzt einen vertragen könnte. Lass uns zum Hof gehen, ich koch uns einen.»

«Zur Abwechslung mal einen frischen, wa? Nicht aus der Thermoskanne. Bin dabei.»

Im Umdrehen blickt Sonja nach oben. «Schau, Teddy, der Himmel.» Er ist tiefblau, bedeckt mit Hunderten von kleinen flauschigen Schönwetterwolken.

«Schäfchenwolken», stellt Teddy fest. «Gibt schönes Wetter.»

«Und jetzt, Teddy, schau unsere Herde an!»

«Mach ich doch schon seit Stunden jetze. Ich seh nix Besonderes.»

«Aber Teddy, im Himmel Schäfchen und auf unserer Wiese Schäfchen!»

«Ach, du meinst, mit den Viechern sieht die Weide aus wie da oben, wa?»

«Genau.» Sonja strahlt. «Wir haben den Himmel auf unserer Weide. Den Himmel auf Erden.»

«Wat du manchmal für 'n Quatsch reden tust, Sonja ...», brummt Teddy kopfschüttelnd, «machen wir lieber hin, ich hab Kaffehunger», und stapft voraus, Richtung Hof.

Muttermilch

Es wurde Vorfrühling, es wurde Frühling, und Hanne kündigte per Postkarten ihren erneuten Besuch an. Auch Frau Widdel fand eine entsprechende Mitteilung in ihrem Briefkasten. Nur leider – kommen konnte Hanne denn doch nicht. Sie hatte nämlich ein Preisausschreiben gewonnen, eine Reise nach Tirol, die wollte sie – bei aller Liebe – nicht um Amerikas willen verfallen lassen. Das halbe Dorf war gleichermaßen glücklich für Hanne wegen der gewonnenen Reise und enttäuscht wegen des abgesagten Besuchs.

Es war kurz nach Hannes Absage, da traute ich meinen Augen nicht, als mein Blick beim Morgeneinkauf über Frau Widdels Kühlregal schweifte. Da standen vier, VIER(!) Flaschen, gefüllt mit einer weißen Flüssigkeit. Das wird doch nicht ... doch! Da prangte es in großer Werbeschrift auf dem Etikett: «Milch». Ohne «H» davor. Die langersehnte Frischmilch. Vier ganze Liter. Einmal Tagesbedarf plus eins! Trink drei, nimm vier!

«Frau Widdel – in Ihrem Kühlregal! Sie haben da aus Versehen Frischmilch.» Ich deutete mit dem Finger auf die Flaschen.

«Na ja, hab ich mitgebracht für Hanne, wollte ihr eine Freude machen. Aber nu kam se ja nich.»

«Tja, dann nehme ich Hannes Milch, kein Problem.» Meine Stimme überschlug sich fast.

«Geht nicht», sagte Frau Widdel.

«Warum nicht?» Verzweiflung.

«Der Hanne ihre Milch, die hab ich doch gar nicht ins Sortiment genommen, das ist doch nur für sie gewesen, so als kleiner Freundschaftsdienst. Und weil sie mir doch die Haargummis geschickt hat, die ich in Schmachthagen nicht kriege.»

«Aha.» Ich verstand gar nichts mehr, was hat Milch mit Haargummis zu tun, und wenn ja, wie oft?

«Na, und als sie denn eben nicht kam», sagte Frau Widdel und zuckte mit den Schultern, «da hab ich die Milch mit zu mir nach Hause genommen, als Eigenkonsumation.»

«Und dann? Haben Sie die Milch probiert?»

«Nee.»

«Nicht?»

«Nee, mein Sohn war nämlich zu Besuch.»

«Und? Äh, warum konnten Sie nicht, wenn Ihr Sohn zu ...»

«Na, weil, der hat doch die Milch im Eisschrank entdeckt und hat sich ein Glas genehmigt. Und denn noch eins. Und denn hat er sich so mit der verkehrten Hand über den Mund gewischt, und im Rausgehen hat er gesagt: Die schmeckt aber mal gut, Mutti, deine Milch.»

Wow, dachte ich, das ist ja geradezu ein Freud'scher Klassiker: Muttis Milch ist die beste! Wenn das keine Wirkung bei Frau Widdel hat, ist Frau Widdel keine echte Mutter.

«Und dann?» Ich wurde ganz kribbelig.

Frau Widdel outete sich als echte Mutter: «Hab ich mir gedacht, wenn's dem Jungen schmeckt, dann probier ich es eben mal.»

«Und haben selbst ein Glas getrunken!» Ich klatschte vor Begeisterung in die Hände.

«Wieder falsch. Ich hab mir gedacht, ich probier's mal mit dieser Milch als Sortimentserweiterung.»

«Großartig, Frau Widdel, super, eine gute Entscheidung!», machte ich in reinstem Motivationstrainerton.

«Das ist noch nicht wirklich raus, ob das gut kommt.» Sie schaute die Kasse an, doch das Kröten-Orakel schwieg.

«Das kommt gut, Frau Widdel, gut, gutgutgutgut.» Es klang, als wollte ich ein Täubchen anlocken. «Eines müssen Sie mir aber jetzt erklären, Frau Widdel: Ich begreife nämlich nicht, warum ich *diese* Milch *nicht* mitnehmen können soll? Das ist nicht nachvollziehbar, da steht sie doch im Regal, und ich bin Kunde, und wenn ich als Kunde ...»

«Die könn Se ja haben, mein Gott.» Frau Widdel winkte mich an, als wäre ich ein zu schnelles Auto, das sie bremsen müsste. «Nu beruhigen Sie sich doch, Herr Moor. Nur die Milch für Hanne können Se nicht mitnehmen, die ist weg, die hat doch mein Sohn getrunken, Sie hören mir aber auch gar nicht zu!»

Seither gibt es in Frau Widdels Laden Milch ohne «H». Sie holt nie mehr als vier Liter. Aber ist man früh genug da, also in der ersten halben Stunde nach Ladenöffnung, wenn Frau Widdel noch den Zeitungsständer einräumt, dann kriegt man vielleicht sogar eine Flasche ab. Es sei denn, die ist schon für Schwester Alma reserviert oder eine andere autolose Amerikanerin.

Die autolosen Amerikan**er** schwören jedoch bis heute weiterhin und unverbrüchlich auf – Bier.

Feuerwehr

Wir gehen da natürlich hin», sagt Sonja.

«Aber ich kenn da doch gar keinen», flüstert der kleine Schweizer in mir. Laut, den kleinen Schweizer übertönend, erwidere ich: «Das ist doch klar, dass wir dahin gehen, was dachtest du denn?»

Sonja stellt sich direkt vor mir auf. «Dass du dich drückst. Weil du da ja angeblich gar keinen kennst.»

Ach, wer hat gleich nochmal gesagt, es sei für eine Beziehung wichtig, dass man auch kleine Geheimnisse voreinander haben dürfe? Wie, frage ich, soll das gehen, wenn einen die eigene Frau so total durchschaut? Antwort: Indem man das entdeckte Geheimnis für nicht existent erklärt – «nie existent gewesen, völlig absurd» – und es ganz im Geheimen als Geheim-Geheimnis tief in den tiefsten Abgründen seiner Seele versteckt hält und dort weiterpäppelt. So wie ich meinen kleinen Schweizer.

«Ich? Mich drücken?», rufe ich empört. «Wovor denn? Ist mir doch egal, wenn ich dort keinen kenne. Schließlich kenne ich ja dich, und du kommst ja mit ...» («Oder?», vergewissert sich der kleine Schweizer.)

«Alles klar, mein lieber Maaaan. Wir werden einfach kurz rüberschauen und nette Nasenlöcher machen, und das war's dann auch schon.»

«Auf keinen Fall will ich Bier trinken oder so. Nur ein bisschen gucken und tschüs», kündige ich an.

«Klar, dachtest du, *ich* will mich niedersaufen?», erwidert Sonja. «Aber lass uns vorher was essen, mir knurrt der Magen. Ich muss sofort was zu beißen haben, sonst breche ich auf der Stelle zusammen.»

«Ich glaube aber, es wird erwartet, dass wir dort essen, Sonja. Die machen das Feuerwehrfest doch, damit Geld in die Kasse kommt. Die brauchen Umsatz, da sollten wir gute Feuerwehrfest-Bratwurst-Konsumenten sein.»

«Gut, dann machen wir das so. Wir müssen aber sofort los, ich brauch die Wurst jetzt.»

«Was, gleich jetzt? Aber ich wollte doch vorher noch ...», meldet sich der kleine Schweizer wieder, diesmal so laut, dass Sonja ihn gehört hat.

«Nun sei nicht kompliziert und fremdele nicht», befiehlt sie. «Abmarsch!»

«Äh, Moment, was ... Ich meine, wie zieht man sich denn ... Du meinst, wir gehen einfach rüber, so wie wir gerade sind?»

«Na, im Anzug würdest du unangenehm auffallen, komm jetzt. Huuuunger!», quäkt sie und marschiert Richtung Hoftor.

«Warte», rufe ich ihr hektisch hinterher. Immer dieses österreichische Spontantempo, das macht mich ganz kribbelig. «Hast du Geld eingesteckt? Und genug Zigaretten? Und hast du ein Feuerzeug dabei?»

«Du bist der Mann, du hast alles.»

«Warte, dann muss ich ...»

«Huuuuuuungeeeer!»

«Ja, ich bin …» Ich renne ins Haus, suche Geld, grapsche die Fluppen. Feuerzeug ist wieder mal weit und breit keines in Sicht. Ich stürze mich zur Flurgarderobe, klopfe mit der Behändigkeit eines CIA-Agenten alle dort hängenden Kleidungsstücke ab, finde in Sonjas Schäferinnen-Thermohemd vier (!) Feuerzeuge, hechte über die Stufen zur Eingangstür hinab und stehe neben Weib und Hunden. «Fertig!»

«Na also», macht Sonja nur, und wir marschieren los. Über die Straße, und dann … ja, dann sind wir da. Direkt vis-à-vis unserem Hof, auf der Angerwiese, ist ein kleiner Pavillon aufgebaut: die Grillstation. Davor und daneben Biertische, etwas abseits ein großer Holzhaufen, am anderen Ende, beim Wasser, ein kleines Löschfahrzeug. Fertig. Das ist das ganze Feuerwehrfest.

«Etwas dürftig, hä, oder?», motzt der kleine Schweizer in mir. «Nicht mal ein Schießstand oder eine Tombola oder eine Hawaii-Bar oder ein Tanzboden oder ein Rednerpult für den Bürgermeister oder …»

«Eeeeh, da isser ja, der Schauspieler, samt seiner Sonja», ruft Teddy. Er steht inmitten einer kleinen Gruppe von Männern neben dem Grillpavillon und winkt mit seiner Bierflasche. In seiner Riesenpranke wirkt sie wie ein Fläschchen Kinderhustensaft. «Kommt rum und stoßt an!»

Wir begrüßen ihn. «Na, wat is?», tönt er. «Ich will anstoßen, warum habt ihr denn noch immer nix zu trinken?»

«Da hast du recht, Teddy», antwortet Sonja todernst. «Ein Skandal, schon ganze fünf Sekunden da, und noch immer nichts zu trinken! Dieter, möchtest du uns vielleicht endlich Bier und was zu essen bestellen?»

«Wie konnte ich nur so tatenlos rumstehen, tut mir leid, klar, ich mach sofort …», nehme ich Sonjas Ironie auf.

«Ich hab gemeint, wir trinken auf gar keinen Fall Bier?», flüstert mein kleiner Schweizer. «Also, wenn du jetzt nicht konsequent bist, dann ...»

«Zwei Bier bitte», sage ich trotzig zum Mann hinter dem Grill.

«Was zum Essen dazu?», fragt der, während er die Flaschen öffnet. «Oder seid ihr Nurtrinker?» Über der Holzkohle brutzeln saftige Schweinhalssteaks und verschiedene Würste.

«Zweimal Steaks, zweimal Würste», bestelle ich. «Teddy, für dich?»

«Einmal kein Steak mit Bier.»

«Also, äh, dann ... noch ein Bier.»

Ich balanciere die beladenen Pappteller zum nächsten Tisch, dann hole ich die Biere.

«Prost, Sonja, prost, mein Kleener!» Teddy lässt seine Flasche gegen die unseren klirren. «Dette sind meine Brüder. Ingo kennt ihr ja, und det is Silvio, Renato.»

«Oh, ihr alle habt Namen, die mit ‹o› enden? Oh, oh», lacht Sonja, während sie anstößt. «IngO, SilviO, RenatO, TheO. Als der Wievielte bist du eigentlich zur Welt gekommen, Teddy?»

Der beugt sich zu ihrem Ohr herunter und raunt verschwörerisch: «Na, ich war der Testlauf gewesen.»

«Was, du bist der Älteste? Sieht man dir gar nicht an, Teddy, hast dich gut gehalten.» Sonja knufft in seinen runden Bauch.

«Höööi, hööi, höi», kommt es sofort von seinen Brüdern, «soll das vielleicht heißen, wir hätten uns nicht gut gehalten?»

«Wat denn, wat denn, wat denn?», wendet sich Teddy an sie. «Bloß nicht wehleidig werden, nur weil meine Sonja eine einfache Tatsache aussprechen tut.»

«Nooo, wenn ich es mir recht überlege», sagt Sonja, indem sie ein paar Schritte rückwärtsgeht und die Teddybrüder mustert wie eine Bildhauerin, die ihr Werk begutachtet, «also, man kann nicht behaupten, dass ihr am Verkümmern seid.»

«Ohne mich würde es die Kerls doch alle gar nicht geben», verkündet Teddy großspurig. «Weil, meine liebe Mama hat, klug wie se war, schnell gespannt, wat für ein strammes Kerlchen aus mir werden würde. Und da hat se bei sich gedacht: Mein kleener Theo ist gesund und rund und kräftig, da wär's doch ganz schlau, noch ein paar von solche Kerls zu machen und denen auch so 'n ‹o› zu verpassen am Ende von ihre Namen.»

«Mach dich nicht so wichtig, Teddy», sagt Ingo, der Dachdecker. «Dein Name sollte nicht nur mit ‹o› enden, der sollte auch mit ‹o› beginnen, der sollte nur aus lauter Os bestehen, aus großen Nullen, verstehst du? Alle so groß und rund wie du!»

Alle vier lachen, am lautesten Teddy.

«Ohhhhhh, wie schön ist so ein Tag wie heute …», beginnt er zu singen, die anderen fallen mit ein.

«Die Null ist nämlich unteilbar, hat unser Mathelehrer immer gesagt», erklärt Silvio. «Die Null kriegste als einzige Zahl einfach nicht klein! Genau wie unsern Teddy, versteht ihr? Unteilbar.»

«Auf die Nullen dieser Welt!», ruft Teddy und legt seinen linken Arm über meine Schultern, den rechten über Sonjas. «Nicht kleinzukriegen, der Teddy!»

Wir setzen uns an den Biertisch und essen. Die Steaks schmecken ganz genau so, wie Steaks schmecken müssen: nach Sommer und Fest und Feier-Abend. Ich blicke mich um. Also ein paar sind immerhin hier, die ich schon kenne: Teddy natürlich und seine Brüder, eine imposante Gruppe. Große Kerls, kräftig, schwer. Vor meinem inneren Auge tauchen Bilder der alten Germanen auf. Ich sehe Hundertschaften solcher Teddybrüder-Brocken durch den Teutoburger Urwald stampfen. Und ich sehe das römische Heer: kleine, zierliche Italiener, die unter ihren viel zu schweren Panzern über das regennasse Laub rutschen. Ich sehe, wie plötzlich Riesen-Teddys zu Hunderten durch das Unterholz brechen und sich mit

Gebrüll auf die Römer stürzen, «hoo, hooo, hooooch leben die Nullen».

Die armen Römer.

Da drüben stehen Krüpki und seine Lotte, und da ist Schwester Alma, die gerade ein Backblech voll mit Kuchen über die Wiese balanciert und es sorgfältig neben dem Grill absetzt. Sieht gut aus, hoffentlich bleibt nach Steak und Wurst noch Platz für solche Nachspeise. Müsebeck ist nicht zu sehen, dafür erstaunlich viele Gesichter, die mir bekannt vorkommen. Ist das dort nicht die Tochter der Familie im ehemaligen Schulhaus? Und die Damen dort beim Bronzehengst, die hab ich doch schon öfter bei Frau Widdel ... Und den Präsidenten vom Fußballclub, den hat mir Sonja mal vorgestellt, der redet gerade mit der Frau von ... na, jetzt weiß ich gerade nicht, aber die kenne ich auch.

Wird ja langsam.

Ich bemerke, dass Sonja hierhin grüßt und dorthin zurückwinkt. Sie scheint schon mit halb Amerika auf Du und Du zu sein. Plötzlich springt sie auf, verlässt den Tisch und umarmt eine Frau, die ich noch nie gesehen habe. Ist das vielleicht die Pferdeflüsterin aus dem Nachbarort, von der sie mir erzählt hat?

«Du musst mit Sonja einen Karteikasten anlegen», flüstert der kleine Schweizer, «da machst du eine Akte mit Foto von jedem einzelnen Menschen, den Sonja kennt. Das lernst du dann auswendig, und dann kennst du auch alle!»

«Quatsch, hier hat es mehr als genug Akten gegeben über jeden einzelnen Menschen, lass mich einfach in Ruhe, kleiner Schweizer, wenigstens für heute, geht das?»

«Na, Meister Moor, lass es dir schmecken!» Krüpki setzt sich auf Sonjas verwaisten Platz. «Ist da noch frei?», fragt Lotte und lässt sich gegenüber nieder.

«Nächstes Jahr wirst du wohl selber hier am Grill stehen mit den

Koteletts von deinen ollen Schafen», kräht Krüpki, «da kriegen die Amerikaner mal was Ordentliches zwischen die Zähne, nicht immer diesen Scheißkram vom Großmarkt!»

«Danke für die Vorschusslorbeeren, Krüpki, aber ich weiß ja noch gar nicht, ob unsere Böcke überhaupt schmecken.»

«Ach, habt ihr noch nicht geschlachtet?», wundert sich Lotte.

«Die sind doch erst diesen Winter geboren», klärt Krüpki sie an meiner Stelle auf, «die haben noch kein Fleisch auf den Knochen, Frau!» Er langt über den Tisch und kneift Lotte in die Seite.

«Also, Herr Krüpke!» Sie schlägt mit gespielter Empörung seine Hand weg. «Lassen Sie gefälligst diese Zudringlichkeiten!»

«Na ja, wollt ja nur mal nachsehen, ob de schon genussfertig bist, wa?» Er zwinkert mir zu.

«Also, wirklich, bin ich vielleicht dein Schaf, oder was?»

«Nö, das bist du nicht, mein Lämmchen.»

«Määähhh», blökt ihn Lotte ärgerlich an, um dann in unser Lachen einzustimmen.

«Hör mal, Schauspieler, ich hab dich ja schön Frühjahrsputz machen sehen auf deinem neuen Land, hoch zu Hürlimann, wa?»

«Ja, die Schafe haben brav gedüngt über den Winter.»

«Haste hübsch die Schafscheiße verrieben, mit deiner Wiesenschleppe, wa? Det ist der beste Dünger, genauso gut wie Pferdeäpfel, da wächst das Gras auf wie bescheuert.» Krüpki beugt sich vertraulich zu mir herüber. «Sag mal, kannste nicht die Tage bei mir mal kurz über die Koppel drüber mit deiner Schleppe? Das sieht jetzt nämlich zum Kotzen aus bei mir nach dem Winter mit der ganzen Pferdescheiße, da muss sich einer ja schämen. Ich könnt auch mit meiner Egge, aber die reißt mir immer die Grasnarbe mit raus, und das ist ja auch scheiße, wa?»

«Mach ich gerne, Krüpki, kein Problem.»

«Jut, ist geritzt. Und wenn ihr das nächste Heu macht, komm

ich zu euch rum, damit was weitergeht. Ballen werfen, det mach ich nicht mehr, aber ich komm mit meinem Treckerchen und dem großen Hänger, und denn geht das mit dem Einbringen doppelt so schnell. Det machen wir so, wa, wär ja gelacht!»

«Gemacht», sage ich.

«Prost», sagt Krüpki.

«Zum Wohl», sagt Lotte.

«Nix da, hier wird nicht ohne mich angestoßen», sagt Sonja im Herankommen und hockt sich neben Lotte auf die Bierbank.

«Ach, die Bauersfrau ist zum Angetrauten zurückgekehrt, sehr brav!», kommentiert Krüpki. «Hör mal, Sonja, ich hab grade mit deinem Herrn des Hauses besprochen ...» Er erzählt Sonja von unserer Abmachung.

Mir wird ... heimelig. Ich weiß, das klingt komisch, aber das Gefühl, das in mir aufsteigt ... Ich kenn einfach kein passenderes Wort. Da ist «Heim» drin, «zu Hause», das klingt nach Entspannung, nach «alles ist gut», nach Geborgenheit. Als Zweiter nach Müsebeck, der sich offenbar nie helfen lässt, hat jetzt auch Krüpki, der große Rabauke im Ort, uns um Hilfe gebeten. Um Bauernhilfe! Und seinerseits Hilfe angeboten. Müsebeck, Teddy, Krüpki ... ein Netzwerk. Ein kleines, das schon, aber vom Feinsten. Verdammt, Amerika ist gut zu uns!

«Habt ihr Müsebeck schon irgendwo gesichtet?», frage ich.

«Ach, der kommt doch nie zu solchen Festen», antwortet Krüpki.

Und Lotte: «Er mag das Durcheinander nicht.»

Wieder Krüpki: «Müsebeck redet zwar ganz gerne, aber nicht mit mehr als zwei Leuten gleichzeitig.» Er lacht.

«Heute Nachmittag war er hier», ergänzt Lotte, «und hat beim Aufbau des Scheiterhaufens geholfen mit seinem Frontlader. Aber kaum war die Arbeit getan, da hat er an sein Hütchen getippt, wie er es immer macht, und weg war er.»

«Tja, so ist er, der Müsebeck», sagt Krüpki.

«Ja, so ist er wirklich», mache ich, als hätte ich mit Müsebeck schon die Grundschulbank gedrückt.

«Achtung, es ist finster genug», schreit Krüpki, «nun heizen sie ein!»

Ein Feuerwehrmann, eingemummt in Schutzkleidung, nähert sich dem Holzstoß. Schüttet aus einem kleinen Kanister Flüssigkeit hinein. Entfernt sich, stellt den Kanister ab. Nähert sich erneut mit einer brennenden Fackel in der Hand. Streckt sie hoch über seinen Helm und schwenkt sie hin und her wie eine Fahne. Die Gespräche verstummen, der Mann am Grill dreht die Musik aus. Die Aufmerksamkeit aller Anwesenden ist jetzt auf den Feuerwehrmann gerichtet. Feierlich senkt er die Flamme zum Holz hinab. Sie springt über, breitet sich sekundenschnell aus, eine Lohe schießt aus dem Haufen in den inzwischen blauschwarzen Himmel. Applaus, Bravorufe. Der Feuerwehrmann wirft die Fackel in die Flammen und entfernt sich langsam im Rückwärtsgang. Er sieht aus wie ein Science-Fiction-Krieger, der dem Herrscher der Sterne soeben die Nachricht von einer gewonnenen Schlacht überbracht hat. Jetzt bleibt er stehen, das Gesicht immer noch den Flammen zugewandt. Er nimmt den Visierhelm ab. Eine Kaskade feuerroter Haare quillt darunter hervor und ergießt sich über seine Schultern.

«Helena», sagt Sonja, «die Tochter von Schwester Alma.»

Ich bin beeindruckt. «Kennst du ein einziges Dorf außer Amerika, wo der Feuerwehrhauptmann eine -hauptfrau ist?», frage ich.

«Keines», sagt Sonja, sie reißt ihren Blick keine Sekunde los von Helena. «Und falls es eines geben sollte, dann bestimmt nicht mit so einer Hauptfrau.»

Helena schält sich aus ihrem Schutzoverall. Modisch geschnittene Jeans kommen zum Vorschein, ein grasgrüner Pullover. Die

Schöne formt den Schutzanzug zu einer Rolle und wirft ihn einem Jungen zu, der in seinen Feuerwehrklamotten fast versinkt.

«Fang!», ruft sie. «Bring ihn mir bitte zur Ausrüstung.» Der Junge fängt, blickt Helena bewundernd an, dreht ab und stiefelt gehorsam Richtung Feuerwehrauto.

Helena wird umringt von ihren Mannen.

«Puh, ist mir vielleicht warm geworden unter dem Ding», stöhnt sie und schiebt die Ärmel des Pullovers zurück. «Jetzt brauch ich aber was Kühles zu schlucken.»

Sofort wird ihr eine Bierflasche gereicht. «Na denn», sagt sie, «auf euch, Jungs! Auf die beste Freiwillige Feuerwehr Amerikas!»

Gelächter, Flaschen klirren aneinander.

Klapp, macht mein Mund. Ich habe gar nicht bemerkt, dass er die ganze Zeit offen stand.

Sonja schaut mich an. Prüfender Blick.

«Was ist?», frage ich.

«Nichts», erwidert Sonja. «Gutes Weib, die Helena.»

Der Eingemauerte

Ein quietschgelber VW Käfer zuckelt im Schritttempo die Festwiese entlang. Kleine Rauchwölkchen pulsen aus seinen Auspuffröhrchen. Pröck, pröck, pröck – der gute alte Käfer-Sound. Auf der Kühlerhaube prangt das Logo der freiheitlichen Partei Deutschlands. Über die ganze Fahrzeugseite steht in blauen Buchstaben: «Kontrolle ist gut, Vertrauen ist besser, FDP».

«Achtung, der Eingemauerte», ruft einer der Teddy-Brüder. «Die Spaßpartei kontrolliert, ob wir mehr Spaß haben, als fürs Vertrauen besser ist!»

Vom Eingemauerten haben wir schon einiges gehört. Er muss ein Mann sein, dessen größtes Glück es wäre, wenn er in einer Modelleisenbahnanlage leben dürfte. In *seiner* von *ihm* geplanten, gebauten, gestalteten und betriebenen Modelleisenbahnanlage. Wo jedes Ding den von *ihm* bestimmten Platz hat und dort unverrückbar von *ihm* festgeklebt bleibt. Wo nichts Unvorhergesehenes passiert. Wo die von *ihm* geölten Weichen klacken, die von *ihm* gesteuerten Züge auf von *ihm* vorbestimmten Strecken rollen, wo die Bahnschranken immer zuverlässig nach unten klicken, wenn die Lok über den Kontaktschalter fährt. Nicht weil die Maßstab-H-null-Plastikmenschen Gefahr liefen, vom Zug überrollt zu werden, die können ja nicht laufen, sind ja schön angeleimt von *ihm*. Sondern weil eine Bahnschranke immer ordentlich zuzugehen hat, wenn sich ein schienengebundenes Fahrzeug nähert. In seiner Modelleisenbahnlandschaft stünden an den Straßenkreuzungen Ampeln, die genauso sinnlos vor den auf die Pappstraße gepappten Miniaturautos von Rot auf Grün auf Gelb auf Rot auf Grün auf Gelb schalten würden.

Dann würde er am liebsten auf den größten Berg seiner Anlage klettern (40 cm hoch!) und über sein Plastikland, seine Hyper-Schweiz blicken, und sein Herz würde sich öffnen, und überwältigendes Glück würde ihn erschauern lassen, denn er wüsste: Nichts kann passieren, von dem er nicht will, dass es passiert. Alles in Ordnung, alles im Griff, herrlich.

Doch das Wunderbarste an diesem Leben in der eigenen Modelleisenbahnanlage: Es wäre die ultimative Lösung des biologisch bedingten Problems der, wie er sie nennt, unkontrollierten Phasen. Der Mensch muss ja essen, muss trinken, muss, was er sich einverleibt hat, auch wieder ausscheiden. Und der Mensch muss schlafen. In diesen Phasen kann alles Mögliche unkontrolliert passieren. Man kann nicht Suppe löffeln und dabei gleichzeitig aufpassen, dass man sich nicht bekleckert, *und* überwachen, ob ein Unbefugter vor der Tür herumschleicht. Auch wenn man gerade auf der Klosettbrille sitzt und aus sich herauspresst, was wieder rausmuss, ist die Sicht auf die Außenwelt durch das schmale Klofenster extrem eingeschränkt. Ganz zu schweigen vom größten Feind des Aufpassers, des Kontrolleurs, des Wachenden: der Nichtwachzustand, der Schlaf. Stundenlanger Kontrollverlust, jede einzelne Nacht. Was für eine Bedrohung!

Im Modelleisenbahnanlageleben müsste er nur den Stecker

ziehen, und die Welt würde augenblicklich in Schockstarre verfallen. Die Räder der Lokomotiven hielten an, die Ampeln würden erlöschen, die Schranken pausieren, nichts würde mehr passieren. Und daher auch nichts Unvorhersehbares. Die Zeit bliebe stehen. Auszeit für ihn.

Und wenn er nach der Verrichtung biologischer Unabänderlichkeiten die glänzenden Stifte des Steckers wieder in die dunklen Höhlen der Dose versenkte, würde die Welt unverändert in genau dem Zustand wieder zum Leben erwachen, in dem sie sich bei ihrer Erstarrung befunden hat. Als hätte es die unkontrollierte Phase gar nicht gegeben.

Leider, leider lebt er nicht in seiner Modelleisenbahnanlage, sondern in Amerika. Mit Menschen, die er einfach nicht geleimt kriegt. Die Dinge tun, auf die er keinen Einfluss hat. Denen jederzeit alles Mögliche einfallen kann. Und die nicht davor zurückschrecken würden, es auch in die Tat umzusetzen.

Also muss er sich schützen.

Er hat die Welt in zwei Zonen geteilt: die Zone «unter Kontrolle» und die Zone «noch unter Kontrolle zu bringen». Unter Kontrolle: sein Haus, sein Grundstück, sein Auto, seine Frau. Noch unter Kontrolle zu bringen: der Rest. Diese beiden Zonen sind streng voneinander zu trennen. Um das Grundstück läuft lückenlos eine massive Trennmauer aus Feldsteinen. Hoch genug, dass auch der längste Lulatsch der Welt nicht darüberblicken kann, nicht einmal mit Plateausohlen. Zweihundertdreißig Zentimeter Urgestein und Beton.

Die einzige Schwachstelle der Mauer: das Tor. Massive Holzbohlen, umrahmt von schwarzgestrichenem Stahl. Die Eisenbandscharniere, mit genieteten Sicherungssplinten ausgestattet, sind einzementiert in flankierende Säulen, 80 mal 80 Zentimeter Grundfläche. Aus Feldsteinen, wie die Mauer. In die linke Säule eingelassen der nur von innen zu öffnende, bis 2000 Grad feuersichere Stahlwandtresor mit Briefeinwurfschlitz. In der rechten Säule: die Überwachungskamera mit integrierter Lichtquelle und panzerglasgeschützter Optik sowie «intelligentem Bewegungsmelder» – bei Tagesbewegung schaltet er nur die Kamera ein, bei Nachtbewegung Kamera und Licht.

Das Tor ist mit einem nicht aufbohrbaren Zylinderschloss modernster Ausführung gesichert. Der dazugehörige Schlüssel mit eingebauten und codierten Nanomagneten ist fälschungssicher und zentral registriert: Bei Diebstahl oder Verlust kann er funkgesteuert entcodiert und damit unbrauchbar gemacht werden.

Der zwei Meter dreißig lange Weg vom Tor zum Haus ist mit einer weiteren Kamera geschützt. Ebenfalls mit Bewegungsmelder, allerdings setzt dieser zweite Bewegungsmelder zusätzlich eine den ganzen Vorgarten ausleuchtende Flutlichtanlage in Gang sowie eine Audioanlage, die nach Aktivierung furchterregendes synthetisches Hundegebell von sich gibt. Mit anschwellender Lautstärke, damit die Illusion eines sich schnell nähernden Dobermanndoggenschäfermonsters entsteht.

Das innere System wird nicht nur bei Bewegung innerhalb der Mauer aktiv, sondern auch bei verdächtigen Manipulationen am Eingangstor, sprich, wenn das Tor sich bewegt, ohne dass der passende Schlüssel im Zylinder steckt.

Diese Raffinesse wurde dem Eingemauerten zum Verhängnis, als er sein Tor zusätzlich mit Elektromotoren und einem kleinen Funkempfänger ausstattete, um es bequem per Knopfdruck vom Auto aus öffnen zu können. Automatisch, wie von Geisterhand. Wie die Schranke in der Modelleisenbahnanlage. Wohl hatte er daran gedacht, das System so umzuprogrammieren, dass Flutlicht und Kamera *nicht* aktiviert wurden – obschon *kein* Schlüssel im Zylinder steckte –, *wenn* er per *Funk* das Tor öffnete. Dies erreichte er, findig wie er war, indem er einen zweiten Toröffner-Empfänger installierte, der bei Betätigung des Toröffnungs-Senders den Einschaltimpuls von Flutlichtanlage und Hundegebell unterdrückte.

Nun funktionierte die Funkkommunikation zwischen diesen verschiedenen Sicherheitsinstallationen unter Verwendung jener allseits beliebten, weil sehr zuverlässigen Technologie, die sich auch zur Übertragung von Telefonsignalen zwischen Handys und schnurlosen Headsets oder Autofreisprechanlagen millionenfach bewährt hat: die Blauzahntechnik. An ihr sollte sich der Eingemauerte die Zähne ausbeißen.

Sein neues Wunderwerk der «safe technology» war frisch installiert und am selben Abend von ihm getestet worden. Er war mit dem Auto vorgefahren und hatte auf den «open button» seines Minisenders gedrückt. Das Tor ging anstandslos auf. Er fuhr auf sein gesichertes Grundstück, Kamera und Flutlichtanlage taten, richtig, keinen Wank. Er betätigte den «close button», das Tor schloss sich und verriegelte selbsttätig. Wunderbar.

Hernach öffnete er das Tor mit Schlüssel wieder, durchschritt es von innen nach außen und verriegelte es von dort aus. Dann zog er den Schlüssel ab und rüttelte am Tor, wie es ein Unhold oder ein Einbrecher oder sonst ein Bösewicht wohl tun würde. Prompt meldeten die Bewegungsmelder Bewegung. Die Mauerkamera schaltete sich ein, unterstützt von der integrierten Lampe. Zeitgleich aktivierte sich die Innenkamera, der schmale Gartenstreifen zwischen Hausmauer und Mauermauer erstrahlte taghell, und das virtuelle Hundevieh hob an, sich laut und gar schröcklich Gehör zu verschaffen. Man wartete geradezu auf das Geräusch von splitterndem Holz, wenn die Bestie in blutrünstiger Raserei ihre Zähne in das Tor schlagen würde ...

«Ich würde da nicht einbrechen», dachte sich der Eingemauerte und war sehr zufrieden mit sich und seiner Save-maker-Anlage.

Er sah sich gerade die neuesten Terrormeldungen in den «Tagesthemen» an, da passierte es das erste Mal. Unvorhergesehen. Licht im Vorgarten, Hundegebell, blinkende Kameras, ALARM!!!

Es funktionierte also. Dass so schnell der Erste in die Falle tappen würde ... Gut, dass er schon heute ... ein Lob der modernen Sicherheitstechnik ... Er warf sich zu Boden, robbte zum Klofenster, spähte hinaus, die Augen knapp über dem Fensterbrett. «Wer da?», rief er, obwohl der Eindringling – genauer gesagt, der zum Eindringling werden Wollende – ihn kaum hören konnte durch das ordentlich geschlossene Fenster. Und das Hundegebrüll war infernalisch!

Dann sah er es. Überdeutlich im gleißenden Licht. Das Blut gerann ihm in den Adern. Das Tor stand OFFEN! Sperrangelweit offen. Er konnte die Straße sehen, das Nachbarhaus vis-à-vis – das bedeutete, dass nicht nur er da drinnen hinaussehen konnte, sondern die da draußen auch hinein! Wie hatte der Terrorist das Tor aufgekriegt? Der war womöglich schon drin in seinem Garten, und jeder andere, der noch da draußen war, konnte jetzt ebenfalls einfach so auf sein Grundstück ... wer weiß, wie viele da sind, da draußen ...

Die Zone «unter Kontrolle» hatte sich schlagartig in eine Zone «unter Kontrolle zu bringen» verwandelt. Unter Kontrolle war gar nichts mehr. Der Supergau war da, jetzt war passiert, was nie hätte passieren dürfen, jetzt galt es zu handeln! Er musste die Kontrolle zurückerobern, koste es, was es wolle.

Er stürzte aus dem Klo, schob seine Frau, die verängstigt in der Tür gestanden hatte, mit einer einzigen Bewegung seines Armes beiseite. Eigentlich war er ja ein rücksichtsvoller Mann, aber das hier war eine besondere Situation, in der er besondere Befugnisse automatisch beanspruchen zu dürfen glaubte. Die Frau taumelte gegen die Flurwand, von welcher sie glücklich am Stürzen gehindert wurde, und starrte den Eingemauerten erschrocken an. Hätte er zurückgestarrt, hätte er in ihrem Blick auch Bewunderung und ja … einen Anflug leidenschaftlicher Begehrlichkeit entdeckt.

Er aber war ganz und gar erfüllt von seiner Aufgabe der Kontrollerlangung. «Geh ins Schlafzimmer, schließ dich ein, komm unter keinen Umständen heraus!», befahl er ihr knapp und war schon weiter in der Küche, an der Schublade mit den großen Messern.

Nachdem er mit glänzend scharfem Stahl in der Faust mutig sein Grundstück abgesucht hatte, dabei feststellen musste, dass der Lärm des digitalen Wachhundes hinderlich ist, wenn man den Eindringling anhand verdächtiger Geräusche zu lokalisieren versucht, er daher das Gebell manuell zum Schweigen gebracht hatte und trotz Stille und Helle keinen Eindringling entdecken konnte, setzte er sich, zitternd vor angestautem Adrenalin, auf die Stufen vor der Eingangstür und starrte durch das offene Tor, durch diese Sicherheitslücke, diese klaffende Wunde, auf die feindliche Außenwelt.

Warum hatte sich das Tor geöffnet? Unvorhergesehen! Warum? Er konnte es nicht fassen, nicht begreifen, nicht erklären. Schließlich erinnerte er sich an seine Frau, die noch immer im Schlafzimmer unter Arrest stand. Die hatte er ja ganz vergessen. Dabei ist er sonst nicht vergesslich, er denkt an jeden ihrer Geburtstage und hat noch keinen Hochzeitstag unbeblümt vorübergehen lassen.

Er verriegelte das Tor manuell, reaktivierte die Bewegungsmelder und gab Entwarnung. Als er seine Frau tröstend in die Arme schloss, flüsterte ihr Mund ganz nah an seinem Ohr: «Du hast so wild und gefährlich ausgesehen, mein großer Held, du.» Sie presste ihn an sich, schaute zu ihm auf und bot ihm den Mund zum Kusse.

Es hätte noch eine sehr schöne Restnacht werden können für den Eingemauerten, wenn nicht, kaum dass sein körpereigenes Chemiemanagement von Adrenalin auf Testosteron umgestellt hatte, der ganze Show-Block «Digitalhund, Flutlicht, Kameras und offenes Tor» abermals abgespielt worden wäre. Das volle Programm. Und nach Mitternacht noch einmal. Dann um 2:10 Uhr und 2:45 Uhr und gleich nochmal um 3:13 Uhr. Nach einer relativ langen Pause, in der die Frau des Eingemauerten und der Eingemauerte in der Küche einander gegenübergesessen hatten, in tranceartigem Erschöpfungszustand ihre Oberkörper rhythmisch vor und zurück schaukelnd wie betende Mönche, ein weiteres Mal um 5:28 Uhr.

Nämlich immer dann, wenn

1. ein Auto an des Eingemauerten Mauer vorbeifuhr,
2. dieses Auto über eine Freisprechanlage verfügte,
3. diese Freisprechanlage mit Blauzahn-Technologie funktionierte und
4. aktiviert war.

Diese Zusammenhänge erschlossen sich dem Eingemauerten jedoch erst nach Tagen und Nächten schierer Verzweiflung. Er stand gerade mit dem zu Hilfe gerufenen Fachmann für Sicherheitsanlagen neben dem Tor, als dessen Handy klingelte. Er nahm den Anruf entgegen. Über sein Blauzahn-Headset ...

Ratter quiiietsch, wuff wuff blink wuff blink blink gleiß blink wuff knurrrrrrr.

«Das finde ich aber super, dass der Eingemauerte auch zum Feuerwehrfest kommt», kommentiert Sonja das gelbe Spaßparteimobil, das zum Halten gekommen ist und nun mit laufendem Motor vor sich hin pröckt. «Ich hab gehört, der sei sonst kein großer Fan von Festen.»

«Der kommt nicht zum Fest, der schaut bloß nach, ob er was sieht, was er dann zur Anzeige bringen kann. Ist noch frei bei euch?» Schwester Alma tritt hinzu in Begleitung von zwei Frauen, die ich vom Sehen kenne: autolose Amerikanerinnen, Stammkundinnen bei Frau Widdel. Ohne eine Antwort abzuwarten, setzen sich die drei.

Der kleine Schweizer nölt: «Müssen die jetzt grad präzis an unseren Tisch kommen, wo doch rundum noch überall so viel frei ist, hä?»

«Nu ist aber gut!», herrsche ich ihn an, worauf er sich beleidigt unter sein Schweizer Kreuz verkriecht.

«Wat?», fragt Schwester Alma.

«Ich sagte, das find ich gut, dass ihr euch zu uns setzt», antworte ich.

«Aber was hätte der Eingemauerte davon, Anzeige gegen ein Feuerwehrfest zu erstatten?», fragt Sonja. «Der würde sich doch lächerlich machen.»

«Der macht sich doch schon seit Jahren lächerlich mit seiner Anzeigerei!», entgegnet Schwester Alma. «Vorletztes Jahr zum Beispiel hatten wir 50 *Jahre Feuerwehr Amerika*. Da sind alle freiwilligen Feuerwehren aus dem weiteren Umkreis hinzugekommen mit ihren Löschfahrzeugen. Darunter waren auch viele Oldtimer, mit denen wollten sie einen Umzug machen. Alle Kinder sollten auf den Feuerwehrautos mitfahren, ein richtiger roter Korso war geplant. Und was macht der Eingemauerte? Anzeige macht der, wegen Ruhestörung.»

«Und dann? Wurde der Umzug abgeblasen?», frage ich.

«Na, Helena, Sie wissen, meine Tochter, die Feuerwehrchefin, also Helena hat die Anmeldung des Umzugs offiziell zurückgenommen.»

«Neeeeeee», lässt Sonja ihren Motoryacht-volle-Kraft-voraus-Sound erklingen. «Wegen der Anzeige?»

«Na, wegen was denn sonst! Und dann hat se einen ganzen Abend lang mit all den anderen Feuerwehrhauptleuten telefoniert und die Sache klargemacht.»

«Der Umzug hat also doch stattgefunden», vermutet Sonja zufrieden. Sie beugt sich über den Tisch zu Schwester Alma, um ja keine Silbe zu verpassen. «Oder?»

«Nö», sagt die, «aber 'ne Feuerwehrübung. *Groß-Katastrophen-Einsatz in Amerika* haben die trainiert, alle Löschzüge Brandenburgs zusammengezogen, mit Blaulicht und Sirene, volles Programm.»

Schwester Almas Freundinnen prusten los.

«Das war Schau! Beim Eingemauerten konnten se leider, leider nur ganz langsam vorbeifahren, weil ja da die Straße so schrecklich unübersichtlich ist», lacht die eine mit ironischem Bedauern.

«Genau», nimmt die andere den Ton auf, «das war ein richtiger Feuerwehrautostau vor seinem Haus. Und weil es ja vorwärtsgehen muss, bei so einer Übung, haben die natürlich all ihre Sirenen und Hörner und Hupen voll aufdrehen müssen. Damit se schneller durchkommen ...»

«Das war ein vielleicht ein Spektakel.» Schwester Alma klatscht in die Hände.

«Die Kinder hatten jedenfalls ihren Spaß», ruft die eine Freundin.

«Nicht nur die Kinder», macht die andere.

«Ach, die Kinder durften mitfahren, obwohl es offiziell eine Übung war?», frage ich.

Schwester Alma empört: «Klar sind die mitgefahren. Der Eingemauerte hat ja auch gedacht, dass det nich geht, und hat die Polizei gerufen. Wegen Mitfahrens Minderjähriger bei einem Feuerwehreinsatz oder was weiß ich.»

«Und dann?», fragt Sonja. «Gab das Ärger?»

«I wo», winkt Schwester Alma ab. «Das hat meine Helena in weiser Voraussicht alles schon vorher klargemacht. Die Kinder waren allesamt angemeldet. Ganz offiziell als Volontäre für den einen Tag.»

«Wissen Sie», wendet sich die eine an Sonja, «ich weiß gar nicht, wann das hier in Amerika angefangen hat mit dieser Anzeigerei und Verklagerei. Der Raubritter ist ja auch so ein Kandidat.»

«Der wer?», fragt Sonja

«Na, dieser Wessi-Banker, der das Schloss gekauft hat, der Raubritter eben.»

«Recht haste», ruft die andere, «früher haben wir doch nicht wegen jedem Scheiß – 'tschuldigung, aber wahr ist es trotzdem –, wegen jedem Scheiß die Polizei und den Richter gerufen. Das hat man doch unter sich ausgemacht. Da gab es ein Gespräch von Angesicht zu Angesicht, und denn hat man die Sache zu Boden geredet.»

«Und wenn mal so ein Wichtigtuer gar nicht aufhören wollte, zu stänkern und dauernd Ärger zu machen», wirft die eine ein, und ihre Brillengläser blitzen im Widerschein des Feuers, «denn haben sich drei, vier stramme Burschen verabredet zur Nacht, dann gab's 'nen Sack über den Kopf und ordentlich Senge, und denn war wieder Ruhe im Kartong.»

Als ob der Eingemauerte diese bedrohlichen Erinnerungen gehört hätte, gibt er Gas. Der gelbe Käfer nimmt, Rauchzeichen setzend, Fahrt auf, umrundet die Festwiese und verschwindet hinter dem Gebüsch gegenüber der Dorfpfuhle. Kurz erkennt man hinter dem Grün noch einmal den blauen Schriftzug: «Kontrolle ist gut, Vertrauen ist besser». Dann ist er verschwunden. Leise hört man noch ein paarmal pröck, pröck, pröck, pröck, dann verweht auch das.

Glatzenalarm

Na, mein Kleener, brauchste Verstärkung? Tust hier so ganz alleene sitzen mit die Schönen von Amerika.» Mit schwerem Seufzer lässt sich Teddy neben mir nieder. Die Bank biegt sich unter seinem Gewicht und ... hält. Gute Qualität! «Wie findeste denn jetzt unser Amerika, so nach dem zweiten Winter, wo du hier bist? Haste Schnauze voll oder kannste's aushalten bei uns?»

Da ist es wieder, dieses einfach geradezu Direkte. Kein Rumstochern in Befindlichkeiten, keine plump getarnten Hintenherumfragen. Wenn ein Amerikaner wissen will, wie es ist, fragt er: Wie ist es? Fertig. Der kleine Schweizer lugt alarmiert unter seiner Fahne hervor, seinem weißen Pluszeichen auf rotem Grund, und zischt: «Jetzt aufpassen, was du sagst. Ja nicht etwa ins Schwärmen kommen, hä, das könnte schmierig wirken. Und auf gar keinen Fall Kritik üben, das könnte überheblich wirken, hä!»

«Teddy», mach ich einen auf umständlich, «darf ich auf 'ne ehrliche, direkte Frage 'ne ehrliche direkte Antwort geben? Kannst du die Wahrheit verkraften?»

«Ich verkrafte alles, wenn du's meinen tust, wie du's sagst.»

«Amerika ist überhaupt nicht so, wie ich mir das vorgestellt habe. Ich hab von einem Dorf geträumt, in dem ich irgendwie irgendwann akzeptiert werde, ohne mich allzu sehr verbiegen zu müssen. Dann hatte ich gehofft, dass hier nicht jede Kleinigkeit und jeder Pups, den einer macht, gleich gegen ihn verwendet wird. Ein Dorf, in dem ein Minimum an gegenseitiger Hilfsbereitschaft möglich ist. Und wo der gegenseitige Respekt noch nicht ganz unter dem Müllberg aus Neid und Kleinkariertheit erstickt wurde.»

«Da haste dir aber wat ganz schön Dolles vorgestellt ...»

«Und ich hab mir außerdem gewünscht, dass es vielleicht ein schönes Dorf sein könnte, für das seine Bewohner wenigstens ein bisschen Sorge tragen, weil es *ihr* Dorf ist, weil sie es ja hier ‹aushalten› müssen, wie du sagst.» Mein Gott, denke ich, mit ein wenig Bier intus könnte ich jederzeit Prediger werden.

«Mein Gott», sagt Teddy, «du solltest Pfarrer werden. Und nu biste hier bei uns gelandet, in Amerika. Und nix ist so, wie de dir das ausgedacht hast in deinem Kopp, wa?»

«Nee, alles gar nicht so, wie ich mir das ausgedacht habe.»

«Scheiße aber auch.»

«Gar nicht, Teddy. Das ist super!»

«Wie jetze?»

«Amerika ist viel besser, als ich es mir in meinem Kopf hätte ausmalen können. Ihr seid nicht nur hilfsbereit, ihr helft tatsächlich, wenn Hilfe nottut. Ihr respektiert einander so sehr, dass ihr euch auch vor einem klaren Wort nicht fürchtet. Ihr haltet zusammen. Amerika ist so ein wunderschöner Ort, weil ihr ihn in Wahrheit klammheimlich liebt, ihr Amerikaner.»

«Wer, wir?»

«Ja, ihr!»

«Und det findest du gut? Das wir det Nest mögen?»

«Klar.»

«So wat Bescheuertes hab ich noch nie gehört, ohne Scheiß!»

«Schon gut, Teddy, mach nur, zieh ruhig deine ‹Icke bin een harter Preuße›-Show ab. Ich weiß, dass du weißt, wie gut es hier zu leben ist. Sonja und ich haben das nun auch geschnallt. Und können uns nicht mehr vorstellen, woanders zu sein. Uns habt ihr jedenfalls bis auf Weiteres an der Backe.»

«Ach, du grüne Neune», stöhnt Teddy.

Dann nimmt er einen tiefen Schluck aus seiner Bierflasche, knallt sie auf den Tisch und stemmt die Fäuste in die Flanken. Schaut mich frontal an. «Kommst hier an aus der Schweiz, wa, und jetzt tust du da rumsalbadern von wegen hier ist es schön, Dieter, wa? In Amerika.»

«Jupp», mach ich und erwidere seinen Blick.

Teddy sitzt und schaut bewegungslos. Nur sein runder Schädel nickt leise ein paarmal auf und ab. Und jetzt bricht das Lachen aus ihm hervor. «Und deine Sonja hat sogar jeflennt deswegen!» Krachend landet seine Pranke auf meiner Schulter. «Ich dachte, mich laust der Affe, da kullern der Frau glatt Tränen aus die Augen von wegen der Schönheit hier. Aber die ist schon in Ordnung, deine Sonja. Und ich will dir auch verraten, warum: weil se recht hat. Hundert Prozent recht hat se!»

Er hebt die Flasche: «Sonja! Auf dich, meine Kleene!»

Sonja, aus ihrem Gespräch mit den Frauen herausgerissen, prostet Teddy zu: «Auf Amerika!»

«Auf Amerika», rufen die Frauen.

«Auf Amerika und uns», erwidert Teddy.

«Auf das Leben in Amerika», krähe ich.

«Auf das Leben», ruft Sonja.

«Auf das Leben», grölen wir alle.

«Nu is aber mal jut, nu trinken wir doch endlich», sagt Teddy und setzt an. Wir alle synchron mit ihm. Synchron setzen wir ab, synchron klacken die Flaschenböden auf das Tischholz. Kladderadatsch.

Sechsstimmiges Seufz-Stöhnen: «Aaaaa!»

«Teddy, findest du das gut, dass die jetzt hier bei uns sind?»

Teddy dreht sich nach der Stimme in seinem Rücken um. Seine Brüder stehen hinter ihm. Hände in den Taschen. Drei fleischgewordene Hinkelsteine.

«Wat meinste denn, Renato, was soll ich gut finden, dass wer sein tut?»

«Na, unsere Gäste von auswärts», sagt Renato, und mein Puls beschleunigt sich. Der kleine Schweizer in heller Panik: «Siehst du, jetzt passiert's, hä, jetzt werden sie euch aber zeigen, wie man hier mit Fremden umspringt, jetzt kriegst du die richtige Gastfreundschaft zu spüren, hä, jetzt zeigen sie ihre wahre hässliche Fratze, diese Preußen, jetzt heißt es Rückzug, ab ins Reduit, hä, sofort! Renn, solange du noch gehen kannst!»

«Von auswärts? Wo?», fragt Teddy. Legt beide Pranken auf das Tischblatt, stemmt seinen Körper hoch, kommt in Augenhöhe mit den dreien, wird zum vierten Hinkelstein.

«Na, da drüben.» Silvio deutet mit dem Kinn zum Rand der Festwiese auf eine Gruppe von fünf jungen Männern. Ein Fels fällt mir vom Herzen: Die meinen ja gar nicht Sonja und mich. Ich mache den kleinen Schweizer in mir zur Schnecke wegen seines Misstrauens. «Das hier ist Amerika!», brülle ich ihn lautlos an. «Nicht Untertupfingen-Hinterbühren, Schweiz, verdammt nochmal, jetzt mach hier nicht dauernd auf Panik, du kleiner Millimeterpapier-Kacker, Bünzli calvinistischer, ich werde dich ...»

«... bin schon weg», fiept der kleine Schweizer und ist schon weg.

«Na, da staunt aber der Laie, und der Fachmann wundert sich», brummt Teddy. «Die trauen sich echt her, unsere lieben Freunde aus Wickelitz? Wie kommen die denn nur auf so eine doofe Idee?» Er schüttelt sein Haupt wie ein gütiger Pfarrer, der seine Ministranten beim Messweinsaufen erwischt hat.

Die fünf Fremden sind der wahrgewordene Albtraum des politisch korrekten Prenzlauer-Berg-Links-Wählers. Und genau darauf legen sie es auch an. Glattrasierte Schädel, polierte Springerstiefel mit weißen Schnürsenkeln, Tarnfarbenhosen. Schlank, bodygebuildet. Sie stehen in lockerer Formation, Beine breit in die Wiese gerammt. So viel pure Männlichkeit braucht Platz im Schritt! Die Gesichter stumpf, sie müssen geübt haben zu Hause vor dem Spiegel. Dort hat das wohl cool ausgesehen, die leicht zusammengezogenen Augenbrauen, die etwas nach vorn gepressten Lippen, die gereckte Kinnlade, die eingesaugten Wangen. Nicht zu vergessen: der stahlharte Riefenstahl-Blick des teutschen Ariers. Oder so ähnlich. Lange eingeübt, das alles, und jetzt zur Anwendung gebracht. Es sieht lange nicht so imposant aus, wie die Herren hoffen, aber das Signal kommt klar rüber: Wir sind da, und wir wollen Stunk!

Stunktiere.

«Na, wenn wir die nicht hier haben wollen, dann sollten wir einfach mal hingehen und denen das sagen, wa?», schlägt Ingo, der Dachdecker, vor.

Die vier Brüder setzen sich in Bewegung. Teddy dreht sich zu mir um. «Wat is, kommste?»

Scheiße. Bis zum heutigen Tag hat es das Schicksal gut mit mir gemeint, was Schlägereien betrifft. Es hat sich einfach noch nie eine ergeben. Erstaunlicherweise. Ich hatte immer schon geahnt, dass der Moment irgendwann da sein würde, wo Handgreiflichkeiten unvermeidlich wären. Gehört vermutlich zum Leben dazu. Ich kenne keinen, der nicht wenigstens von einer kleinen Knufferei berichten kann. Aber in meiner Biographie: nichts, null. Bis jetzt.

Mein ganzer Erfahrungsschatz in Sachen beabsichtigter Körperverletzung beschränkt sich auf ein paar Schulbubenraufereien. Und das liegt zwei Generationen zurück. Eine sehr verblasste Erinnerung, nicht mehr. Es ist vollkommen ausgeschlossen, dass es mir gelingen kann, einem der fünf auch nur ein Haar zu krümmen, wenn er denn eins hätte. Und ebenso ausgeschlossen ist es, dass ich in der Lage bin, ihren Fäusten und Tritten auch nur ansatzweise auszuweichen. Um es schmerzhaft zusammenzufassen: Es ist so weit! Das erste Mal in meinem Leben werde ich fürchterlich, so richtig fachmännisch nach Strich und Faden verdroschen werden.

Ich hasse Schmerz. Ich hasse Spitäler. Ich brauche ein intaktes Gesicht in meinem Job. Ich bin nicht mehr der Jüngste. Und ich habe Angst. Puren, reinen, nicht zu beschönigenden Schiss.

«Äh, ich muss da mal eben ...», sage ich in Sonjas erstauntes Gesicht und trotte, bevor sie reagieren kann, hinter Teddy her.

Wir gehen gemächlich. In meinem Kopf rasen die Gedanken. Was tun, was tun, was tun? Irgendeinen Tipp vom kleinen Schweizer vielleicht? Null. Funkstille. Der hat sich ohne mich in seinen Alpenbunker verkrümelt und das meterdicke Stahlbetontor hermetisch dichtgemacht. Eben noch habe ich groß gedröhnt von Hilfsbereitschaft und Zusammenhalt und wie toll das alles sei. Und jetzt geht es genau darum, jetzt ist genau das einzulösen. Da sind die Idioten von der Rechtsfront, ganz eindeutig hundertprozentige, destillierte Arschlochzone. Sie sind da, und sie müssen weg. Jemand muss dafür sorgen. Jetzt und hier. Da gibt es nichts zu delegieren, nichts zu bedenken, nichts abzuwägen. Da ist nur eines gefordert: etwas tun.

Wir stehen vor ihnen. Mein Puls rast, ich bin hellwach. Überdeutlich registriere ich, in zehntelsekundenkurzen Blitzen, jede Einzelheit, jede Regung der Glatzen: das nervöse Kiefermuskelzucken, die Pickelnarben an Hälsen und Stirnen, ein Runen-Tattoo am Unterarm, der Geruch von alten Military-Klamotten, billigem Rasierwasser und Bierfahne. Ihre unterdrückte Nervosität, die gespannten Bauchmuskeln. Diese Dumpfbacken, diese pervertierten Männer-Karikaturen, diese Einzeller! Sie sollen weggehen, sich auflösen, verdampfen, was auch immer, ich will sie nicht. Wie kommen wir dazu, uns mit denen zu befassen, statt einfach unser Fest feiern zu können, was bilden die sich ein, wer sie sind, dass sie hier den Breiten markieren und Stress machen.

Verwundert stelle ich fest: Mich packt die Wut, und es scheint gar nicht mehr so unmöglich, in diese Visagen zu hauen. Für den Anblick, wie die unerträgliche Selbstherrlichkeit in diesen Gesichtern von meiner Faust zum Verschwinden gebracht wird, dafür bin ich jetzt durchaus bereit, einiges einzustecken. Ich habe Lust, Schmerz zuzufügen. Richtigen Schmerz. Ich kenne mich selbst nicht wieder, ein völlig neues Gefühl.

«'n Abend», sagt Ingo.

«Hi», kommt es von den Glatzen. Oder ist das ein «Heil» gewesen?

«Wat?», fragt Teddy.

«Ich sagte Heil», macht die mittlere Glatze und tritt einen halben Schritt vor. «Was dagegen?»

Die Teddy-Brüder blicken einander an.

«Haben wir was dagegen?», fragt Renato in die Runde.

«Jupp», antwortet Ingo, der Dachdecker.

«Also?», fragt Renato ruhig.

Silvio zuckt mit den Schultern: «Werden die Jungs jetzt wohl 'ne Fliege machen.»

«Wir sind freie deutsche Bürger!», blafft die Glatze. «Wir stehen hier auf öffentlichem Grund, dies ist eine öffentliche Veranstaltung, wir bleiben!»

«Irrtum!», macht Teddy. «Geschlossene Gesellschaft.»

«Da drüben auf dem Schild steht deutsch und deutlich *Feuerwehrfest*. Das ist öffentlich», triumphiert die Glatze.

«Er kann lesen!», stellt Ingo trocken fest, und zur Glatze gewandt: «Das hast du richtig erkannt, da steht *Feuerwehrfest*, bravo. Und, seid ihr bei der Feuerwehr? Nein? Also: Abmarsch.»

«Soll das etwa 'ne Drohung sein?» Die Glatze ballt die Fäuste.

«Nur ein Ratschlag», erwidert Ingo.

Da schrillt Krüpkis unverkennbares Organ quer über die Festwiese: «He, Teddy, Ingooo, Silviooo, Renatooo, wat is denn, wat fackelt ihr denn lang rum mit diesen bescheuerten Dünnbrettbohrern? Gebt denen eins auf die Nuss, wa, und gut ist, wir wollen weiterfeiern, Mensch!»

«Teddy, welchen übernimmst du?», fragt Ingo.

«Och», winkt Teddy ab, «ich denk, ich nehm gleich alle.»

«Echt?», fragt Renato. «Ich würde wirklich sehr gerne helfen.»

Teddy mustert die Glatzen in aller Ruhe. «Nö, lass mal, diese Pickelgesichter, das macht doch kaum Arbeit.» Er setzt sich in Richtung Glatzen in Bewegung.

«Aber wir haben doch gar nichts getan, wir stehen doch hier nur», kommt es von ganz rechts aus der Glatzengruppe. Fehler. Teddy ändert die Richtung sofort und geht frontal auf den Sprecher zu. Die Mittelglatze versucht, die Schwäche seines Kumpans auszugleichen: «Wenn ihr Ärger wollt, den könnt ihr gerne haben!» Seine Stimme ist zu laut, um cool zu wirken.

Teddy ändert wieder die Richtung. Er baut sich direkt vor der Oberglatze auf und blickt auf ihn herab. «Ärger wollen wer eben grade nicht. Und darum wollen wir *euch* nicht. Geht das von alleene nicht rin in deine Birne?»

«He, wir wollten doch nur friedlich ein Bier trinken, was tun wir denn, warum macht ihr uns hier so an?»

«Bier ist alle», brummt Teddy und hält seine Flasche prüfend vors

Gesicht. «Och, da ist ja doch noch ...» Er setzt an, leert die Flasche in einem Zug, lässt sie mit spitzen Fingern vor dem Glatzengesicht hin- und herbaumeln. «Jetz is aber alle.»

«Ihr seid ja vielleicht ein Dreckskaff hier! Nicht mal genug zu saufen! Das ist nichts für richtige Männer, Kameraden, wir gehen!»

Gebrüllt, getan. Die fünf machen kehrt und marschieren geschlossen zu ihrem klapprigen, schwarzbepinselten Golf. Während sie sich in die Kiste quetschen, sehen sie gar nicht mehr imposant aus. Was der Fahrer mit einem quietschenden Kavaliersstart wettzumachen versucht. Weg sind sie. Wir überlassen sie gerne ihrem Schicksal und den vielen schönen starken Bäumen an den Straßenrändern Brandenburgs ...

«Jetzt ein Bier, wa?», sagt Teddy. Wir machen kehrt, und da stehen sie: Schwester Alma samt ihren beiden Freundinnen und Sonja. Ich hatte gar nicht bemerkt, dass sie uns gefolgt waren.

Zurück am Tisch, frage ich: «Und wenn die mir die Fresse poliert hätten, ernsthaft, Sonja, was hättest du dann gemacht?»

«Das hätten die nicht überlebt», sagt Sonja. Mir scheint, sie meint das todernst.

Kümmerlinge

War da was, da drüben?», fragt Helena, die sich neben ihre Mutter gesetzt hat.

«Ach, du weißt ja, die Teddy-Brüder.» Schwester Alma grinst zu den vier Männern rüber. «Man kanns ihnen einfach nicht abgewöhnen: Immer müssen sie diese armen jungen Leute aus Wickelitz ärgern, die es doch schon schwer genug haben mit ihrem Haarausfall. Und die Buben wollten ja nur ein Bier trinken mit uns, was, Teddy? Ganz friedlich.»

«Det trinken wir auch ohne die aus, Schwester Alma, wa?», lacht Teddy.

«Na, darauf will ich mal einen ausgeben», verkündet Helena. «Wer will keinen Kümmerling? Keine Gegenstimme, geht klar.»

Sie kommt nicht etwa mit einem Schnäpschen für jeden zurück. Sondern mit zwei Kleingebinden: je 25 Stück, säuberlich in Reih und Glied in einen Plastikboden gesteckt. Sie platziert die fünfzig Fläschchen auf dem Tisch und zupft sich eines raus. «Haut rein!» Alle bedienen sich. Da kann ich schlecht nicht mitmachen. Kleiner Schweizer hin oder her. Die Deckelchen werden abgeschraubt, mit den Fläschchenböden wird auf den Tisch geklopft, prost, zum Wohl, haut rin, wohl bekomm's, die Köpfe fliegen in die Nacken, die Fläschchen schweben Hals nach unten über den Köpfen, entleeren sich in die Münder. Die Köpfe kommen wieder in die Waagerechte. O Graus, das schmeckt wie Medizin. Bitterböse Sache, das.

«Und noch einen zum Nachspülen», kommandiert Helena, und über die Wiese: «Jungs, kommt ran, hier gibt's was zum Aufwärmen!» Von allen Seiten gesellt sich Amerikas Feuerwehr dazu. Noch einmal das Kümmerling-Ritual. Der Zweite ist nicht mehr ganz so grauslich. Schmeckt zwar noch immer nach Medizin, aber jetzt eher nach einer, die guttut, irgendwie.

Ein angenehm entspanntes Gefühl durchströmt mich. Das Zeug wirkt schnell. Ich spähe schräg über den Tisch zu Sonja – wie verkraftet sie die Droge? – und sehe ihr offenes, lachendes Gesicht, ihre Augen leuchten. Wie sie da sitzt, mitten unter den Amerikanern, zwischen den Teddy-Brüdern und den Freundinnen von Schwester Alma, Krüpki und Lotte gegenüber, man wäre nicht auf die Idee gekommen, sie sei eine Zugezogene. Und ich merke, es sind nicht die Schnäpschen, die das schöne Gefühl machen. Es ist das Ganze. Das Hiersitzen, mit diesen Amerikanern. Die Selbstverständlichkeit dieses Abends. Das Dazugehören. Das Nichts-darstellen-Müssen, keinen Erwartungen entsprechen müssen, einfach nur da sein dürfen. Einatmen, ausatmen, der Rest ergibt sich. Wunderbar. Neu.

Apropos Wunder: Was macht eigentlich mein kleiner Schweizer? «Hallo, kleiner Schweizer, bist du noch da?», frage ich in mich hinein. Ganz leise höre ich ihn dozieren: «Das geht so nicht, dieses Fraternisieren mit fast wildfremden Menschen ist fahrlässig. Das kann böse Folgen haben, hä. Also eines sage ich an dieser Stelle ganz klar und deutlich: Mit dem, was da gerade stattfindet, hä, hab ich nichts zu tun, oder. Aber gerade ganz genau null, hä!»

Wie recht er doch hat, der kleine Schweizer, mit Amerika und den Menschen hier um diesen Tisch hat der wirklich rein gar nichts zu tun!

«Ach, Herr Moor, Sie trinken hinter meinem Rücken mit meiner Stammkundschaft? Das geht ja mal gar nicht!» Frau Widdel! Wo kommt die denn jetzt plötzlich her? Ohne ihre ewige Kleiderschürze sieht sie aus wie Frau Widdels unternehmungslustige Schwester. Die jüngere Schwester.

«Die dunkelorange, dezent taillierte Steppjacke kontrastiert provokant das gelbe Haar, während die roten Fingernägel den warmen Ton der Oberbekleidung elegant und zugleich konsequent fortführen und zur Vollendung bringen», höre ich Frau Widdels imaginären Styleberater flöten. Unweigerlich wandert mein Blick wieder abwärts, ich kann es gar nicht verhindern. Leggings? Lederfransen? Nahtstrümpfe mit Pailletten? Oder doch die gute alte Jeans? Nein: schwarze Wollhose mit Bügelfalte, schwarze Lacklederschuhe ohne Absatz. «Während wir in der oberen Körperhälfte die Erscheinung bewusst feminin und mit Mut zur Farbe ausgestaltet haben, wurde im Beinbereich Wert auf unauffällig dezente, aber elegante Schlichtheit gelegt, noch einmal raffiniert aufgefrischt durch die Wahl des glamourösen Oberleders der Fußbekleidung.»

Ich erhebe mich. «Ach, Frau Widdel, guten Abend, darf ich Sie zu einem Schnäpschen einladen?»

«Natürlich, immer her damit, der Abend ist noch jung!»

«Moment, bin gleich wieder da, möchten Sie inzwischen …» Ich deute einladend auf meinen jetzt leeren Platz.

«Halt ich gerne für Sie warm, Herr Moor.»

In Bayreuth hätte die Konversation nicht gepflegter durch die herbstliche Abendluft perlen können. Ich schreite Richtung Pavillon und stelle fest, dass die Schnäpse doch schon leichte Wirkung zeigen. Aber ich schaffe den Weg einigermaßen geradlinig. Ich komme mit meinen 2 mal 25 Kümmerlingen gerade rechtzeitig zum Tisch zurück, um das Verhältnis zwischen leeren und vollen Fläschchen zugunsten der vollen umzudrehen.

«Prost, Frau Widdel!»

«Auf Ihr Wohl, Herr Moor, prost Frau Moor, zum Wohl allerseits.»

Deckelchen abschrauben, Fläschchen auf den Tisch klopfen, Kopf in den Nacken, schütt, schluck, ahhhh. Ich krieg langsam Übung. Und stelle fest, so übel nach Medizin schmeckt das Zeug auch wieder nicht, eher nach flüssigem Lebkuchen.

«Kann man sich dran gewöhnen, wa?», sagt Frau Widdel. Ich versuche mich zu erinnern, ob sie Kümmerlinge im Sortiment hat, habe aber kein Bild von Schnaps in ihrem Laden gespeichert.

«Herr Moor, nur damit Se sich auf was freuen können. Um Mitternacht, da gibt es ganz was Gutes zu trinken, das ist hier Tradition, was sehr Spezielles, das dürfen Se auf gar keinen Fall verpassen.»

«Wenn Sie das sagen, Frau Widdel, dann werde ich zur Stelle sein.»

«Wäre echt schade, wenn Se das versäumen würden. Das kriegen Se nämlich sonst in ganz Amerika nicht. So was Leckeres. Nehmen wir noch einen?» Frau Widdel drückt mir einen Kümmerling in die Hand, reicht einen an Sonja weiter und schraubt den dritten für sich auf. «Erst mal die Grundlage schaffen, prost.» Schrauben, klopfen, schütten, schlucken. Nee, schmeckt weniger nach flüssigem Lebkuchen, eher nach Campari mit ... äh ... mit ... ach, ist ja egal. Jedenfalls nicht schlecht, das Zeug.

«Was wird denn das sein, was es da um Mitternacht gibt, Frau Widdel?»

«Na, raten Se doch 'n bisschen, Herr Moor!»

«Keine Ahnung, Frau Widdel, wirklich, nicht den blassesten Schimmer.»

«Na, was gibt es nicht in Amerika, was Ihnen aber ganz dolle schmeckt?»

«Wollen Sie es mir nicht einfach verraten, Frau Widdel?»

«Och, ist der Mann schwer von Begriff, Frau Moor, wie halten Se das bloß aus mit dem? Wirklich keine einzige klitzekleine Idee, Herr Moor? Nein?»

«Tut mir leid ...»

Frau Widdel beugt sich vor, bis sich unsere Nasen fast berühren. Ich rieche Seife und Haarfestiger. Sie reißt die Augen auf, wie es Erwachsene tun, bevor sie Kleinkindern das große, große Geheimnis verraten. Dann platzt es aus ihr heraus: «Frischmilch!»

Ich starre sie an wie eine Erscheinung, bin baff.

Frau Widdel wird von einem echten Lachkrampf erfasst. Überwältigt, erobert, durchgeschüttelt. Sie haut sich die Hände auf die Schenkel. Krümmt sich unter Zwerchfellkrämpfen und prustet immer wieder «Frischmilch» und «O Gott, ich krieg keine Luft mehr» und «Schauen Sie nicht so, Herr Mohohoor».

Es ist ansteckend. Sonja gluckst schon los, Helena stimmt ein, ich beginne hektisch zu atmen, kann aber das aufsteigende Lachen nicht unterdrücken. Es breitet sich über den Tisch aus in konzentrischen Kreisen, deren Mittelpunkt die sich windende Frau Widdel ist. Die Lachenden lachen über die Lachenden. Manche fragen lachend: «Warum lacht ihr denn?» Die anderen versuchen eine Erklärung, bringen aber vor Lachen nur unverständliches Gebrabbel hervor, was wiederum den nächsten Lachanfall hervorruft. «Sind jetzt alle bekloppt, oder was», kräht Krüpki, «Mensch, wat is in dem Dreckschnaps drinne?», schreit Teddy. Zur allgemeinen leichten Beruhigung trägt dann die wundersame Medizin aus den kleinen Fläschchen bei.

«Nehmen Se's mir nicht übel, Herr Moor.» Frau Widdel legt mir die Hand auf die Schulter. «Es kam einfach so über mich, ich weiß auch nicht, warum, ich hab Se einfach plötzlich so vor mir gesehen, ganz selig mit Ihrer Frischmilch ...» Sie muss sich abwenden, der nächste Lachanfall steigt aus ihrem Bauch hoch, sie versucht tapfer, ihn niederzuringen, indem sie das Lachen nach innen leitet. Glucks, glucks, glucks, macht Frau Widdel. Es klingt nach Meerschweinchen. Ich schaue auf das Rückenteil ihrer rhythmisch zuckenden dunkelorangen Steppjacke. Ich würde ein Jahr meines Lebens geben für eine Kopie des Bildes, das Frau Widdel da in den Kopf gekommen ist. Ich reiche ihr von hinten einen Kümmerling. Sie dreht sich wieder zu mir, wischt sich die Lachtränen aus den Augen. «Prost, Herr Moor, auf Sie.» – «Auf Sie, Frau Widdel!» Wir kippen die Schnäpse ohne jedes Ritual. Aber schön synchron.

Der Mann am Grill dreht die Musik voll auf. Es könnte schlimmer nicht kommen: «Lebt denn der alte Holzmichel noch, Holzmichel noch, Holzmichel noch», schallt es über den Anger und die Pfuhle durch das ganze Dorf. Und alle stimmen ein «Jaaaaaaaaaa ... er lebt noch, lebt noch, lehebt noch ...»

Das ist echt der absolute Höhepunkt. Diese Nummer ist so ziemlich das Schlimmste, was die deutsche Liedgutindustrie in den letzten tausend Jahren hervorgebracht hat. Überhaupt sind Lieder zum Mitgrölen das Allerhinterletzte. Wirklich. Sie bereiten mir, seit ich denken kann, physische Schmerzen und aktivieren spontan einen zwanghaften Fluchttrieb.

Nicht aber jetzt! Im Gegenteil, ich gröle aus vollstem Herzen mit, so laut, dass ich fast mit Krüpki mithalten kann. Dieses «er lebt noch, lebt noch, lehebt noch ...» – das hat was. Wir singen es von Strophe zu Strophe trotziger. «Er lebt noch!» Das hat überraschende Kraft. Wir selbst werden zum alten Holzmichel, der sich nicht unterkriegen lässt. «Er LEBT noch, LEBT noch, LEBT noch.» Wir mit ihm. Für die Welt mögen wir nur alte Holzmichels sein, aber wir leben noch. Wir leben!

Der Tag danach

Der antike römische Historiker und Senator Tacitus beschrieb in seiner Schrift «Germania» folgende Sitte der alten Germanen: In regelmäßigen Abständen trafen sich die Clanchefs einer Gegend, um die aktuellen Probleme aus der Welt zu schaffen und anstehende Entscheidungen zu treffen. Diese «Sitzungen» begannen fließend, die Ersten kamen am frühen Nachmittag, die Nächsten am Abend und wieder andere erst zur Nacht. Bis man sich wieder trennte, vergingen nicht selten mehrere Tage und Nächte. Über den gesamten Zeitraum wurde nichts anderes gemacht als geredet und Met getrunken. Viel Met. Ungeheure Mengen von Met. Es gab keine Geschäftsordnung, keine Traktandenliste, kein wie auch immer vorgeschriebenes Prozedere. Es gab keinen Sitzungsleiter und nicht einen einzigen Mediator. Wenn zwei sich so uneins waren, dass sie mit Worten nicht mehr weiterkamen, zogen sie sich in den Wald zurück, droschen einander tüchtig auf die Birne und klärten auf diese Weise, wer recht hatte.

Beschlüsse wurden gemeinschaftlich gefasst. Allerdings gab es weder eine Abstimmung mit Stimmauszählung noch ein Protokoll.

Schrift war in dieser Gegend noch unbekannt. Das große Palaver dauerte, bis auch die letzten beiden Teilnehmer sich der Wirkung des Alkohols und den Folgen des Schlafmangels ergeben mussten. Jene Beschlüsse, an die sich nach dem großen Schnarchen die Mehrzahl der Anwesenden erinnern konnte, galten als gut und wurden in die Tat umgesetzt. Nur was noch in Erinnerung war, zählte. Alles andere sollte für immer den gnädigen Nebeln des Vergessens anheimfallen.

In dieser uralten Tradition hocke ich am Tag danach, in eine warme Jacke gekuschelt, unter dem jungfräulich hellgrünen Blätterdach des Kirschbaums. Ich lasse die Erinnerungen in mir hochsteigen. Das, was zählt.

Ich sehe die immer neuen Anordnungen der Biertische vor mir. Zuerst standen sie vereinzelt. Dann wurden sie zu einem großen Tisch vereint, an dem alle noch Anwesenden Platz fanden. Diese Tafel wanderte sukzessive immer näher zum wärmenden Feuer, denn ein letzter Frost hatte sich aus dem sternenklaren Nachthimmel auf die Festwiese gesenkt.

Viel wurde erzählt. Von vielen. Geschichten aus dem eigenen Leben und Geschichten, von denen man durch Dritte wusste. Ein schöner Wechsel von Zuhören und selber Erzählen. Irgendwann waren wir auf ein Häufchen von vielleicht einem Dutzend Menschen geschrumpft. Der harte Kern. Wir saßen inzwischen unmittelbar neben dem zu einem Glutberg zusammengesunkenen Feuer.

Und irgendwann hat Helena den Befehl zum Löschen gegeben. Die Motorspritze wurde angeworfen, und ein kleiner Feuerwehrmann richtete den zischenden Strahl in die Glut. Es war der Junge, der Helenas Schutzoverall aufgefangen hatte. In seiner viel zu großen, schweren Ausrüstung hatte er bis jetzt gegen den Schlaf angekämpft, um diesen Moment erleben zu dürfen. Nun stand er, die schwere Spritze mit seinen kleinen Händen umklammernd, und löschte. Dicht neben sich die schöne Helena, ihn mit leiser Stimme anleitend. Gischt und Asche gingen auf unseren Tisch nieder, wir ließen uns nicht vertreiben.

Und irgendwann muss es doch nochmal so richtig kalt geworden sein. War das die legendäre Schafskälte? Nein, ich glaube, die ist erst im Frühsommer, wenn es mir recht in Erinnerung ist, und jetzt hatte ja gerade erst der Frühling begonnen, unser zweiter in Amerika ... Jedenfalls stellten wir staunend fest, dass die restlichen Kümmerlinge mit einer dünnen Eisschicht überzogen waren und vom Tisch regelrecht losgebrochen werden mussten.

Und irgendwann sind die Fläschchen dann wohl doch alle leer gewesen. Jedenfalls brachen wir geschlossen auf. Einer hatte über das neue und das alte Feuerwehrauto erzählt und vorgeschlagen, Sonja und mir das alte, die Lizzi, zu zeigen. Also machten wir uns auf über die Dorfstraße Richtung Feuerwehrhaus. Helena voran, wir hinterher. Ich erinnere mich, dass wir gesungen haben beim Gehen. Russische Volkslieder. Hä? Ich kann doch kein Wort Russisch ... Dennoch haben wir russische Volkslieder gesungen. Es gibt so Nächte, da kann man sogar Dinge, die man nicht kann. Und Helena hat getanzt im Gehen, mitten auf der Straße.

Ich erinnere mich an die Lizzi. Glänzend, mit poliertem Lack und viel Chrom, stand sie da und sah, im Gegensatz zu uns, edel und schön aus, sogar im hässlich kalten Neonlicht der Garage. Wir streichelten ihr ein bisschen über ihre Lackhaut, tätschelten ihr Blech, und die Männer haben erzählt, wie treu sie Dienst getan hat die ganzen Jahre. Schließlich mochten wir das Helle nicht länger ertragen, und es trieb uns wieder raus in die Dunkelheit, die schon ganz zaghaft dabei war, dem Morgenlicht zu weichen. Vor dem Feuerwehrhaus rauchten wir noch unsere letzten Zigaretten. Die weißen Wölkchen stiegen in den rosaroten Himmel, es fiel kaum ein Wort, und dieses Zusammenstehen im Morgengrauen fühlte sich verdammt gut an. Dann schnippten wir die Kippen fort und gingen auseinander. Synchron. Ohne dass einer gesagt hätte: «So, jetzt aber ...»

Wir gingen einfach voneinander weg. Und nahmen das Zusammensein mit uns mit.

Ich habe geschlafen wie ein Stein, bin gar nicht mal so spät aufgewacht und habe kein bisschen Kater. Es geht mir gut, unter dem Kirschbaum in der flachen Vormittagssonne. Gleich werde ich reingehen zu meiner Sonja und sie mit einem frischen Kaffee wecken. Und dann werden wir uns wieder aufmachen zur Festwiese. Aufräumen helfen. Aber jetzt, jetzt genieße ich noch ein paar Minuten alleine, nur mit mir und dem kleinen Schweizer.

«Siehst du, kleiner Schweizer, nichts Schlimmes passiert. Da staunst du, was?», frage ich. «Kleiner Schweizer? ... Bist du noch da?»

Hallo ...?

Er ist offenbar weg. Ich vermisse ihn kein bisschen.

Danke

Liebe Sonja! Dafür, dass du das «Abenteuer Leben» an meiner Seite nicht nur aushältst, sondern es auch noch nach Kräften befeuerst und ver-VIEL-fältigst und dass du die tausend tagtäglichen Aufgaben, die der Hof uns aufgibt, souverän gemeistert hast, während ich vor dem Computer saß und einen auf Schreiberling machte, dafür, mein Schatz, ist ein «Danke» viel zu wenig. Nimm also stattdessen meine Bewunderung. Großer Dank auch an Barbara Laugwitz und Christof Blome, die mich unermüdlich ermutigten, das vorliegende Buch zu wagen, und an Regina Carstensen, ohne deren Einsatz als Super-Nanny eines Schreibneulings dieses Buch nicht entstanden wäre. Auch allen Menschen, die ich in meiner gar nicht mehr so neuen Heimat Brandenburg kennenlernen durfte, möchte ich ein großes «Dankeschön» zurufen. Danke für die Begegnungen mit euch, für all das, was ihr mir erzählt habt, eure eigenen Geschichten und die Geschichten, von denen ihr gehört habt. Stunden um Stunden gelebtes und nacherzähltes Leben. Danke, dass es euch gibt, und vor allem: dass ihr seid, wie ihr seid: unverbogen. Ihr seid die arschlochfreie Zone!

Inhalt